Die Numerologie

Zahlenmystik zur Persönlichkeitsanalyse

Sabine Guhr-Biermann

Die Numerologie
Zahlenmystik zur Persönlichkeitsanalyse
Autorin: Sabine Guhr-Biermann
ISBN 3-934982-01-8
1. Auflage 2000
© Erstausgabe 2000 Libellen-Verlag · Neunkirchen-Seelscheid

Umschlaggestaltung:	Sabine Kierdorf, SabineKierdorf@T-online.de
Coverbild:	Birgit Letsch, Grafik design, Offenbach
Lektorat:	Dorit Suwelack, Dr. päd.
Satz:	Libellen-Verlag, info@libellen-verlag.de
Druck:	GGP Media, Pößneck

Inhalt

Numerologie - Vorwort

Die Numerologie ist eine uralte Orakelmöglichkeit und deshalb bei vielen Personen sehr beliebt. Schon immer haben Menschen nach einfachen Möglichkeiten gesucht, um gezielt Analysen erstellen zu können. Wer möchte nicht etwas Neues über sich selbst - aus einer anderen Perspektive - erfahren? Viele sind auf der Suche nach ihrem inneren Ich, und je mehr Möglichkeiten wir haben, diesen Prozess zu unterstützen, desto besser. Gerade die Numerologie stellt dabei einen Meilenstein auf dem Weg der Kurzanalyse dar. Wir können anhand dieser leicht umsetzbaren Methode aufschlussreiche Ergebnisse erzielen. Was wir dazu brauchen? Lediglich eine Zahlenkombination, wie beispielsweise das Geburtsdatum, das Hochzeitsdatum oder andere interessante Daten. Das heißt, wir können allein anhand dieser Zahlen relativ genau erkennen, welche Charaktereigenschaften verstärkt in einer Person auftreten - genauso wie die Schwachpunkte, die eine Person in sich trägt, sichtbar werden. Oftmals sind wir gespannt und neugierig auf andere und wollen gerne wissen, wie unser Gegenüber denn wohl so ist. Dabei haben wir zumeist nur unsere subjektive Sichtweise der Dinge. Sogar wir selbst kennen uns oftmals viel zu wenig. Wir leben in einem bestimmten Rollenverhalten und meinen auch, so sein zu müssen. Aus unserer Perspektive betrachtet, erwarten wir allzu oft, dass die anderen genauso reagieren und denken müssen, wie wir selbst. Wir wundern uns dann, wenn der andere mit einer Sache anders umgeht, als wir es selbst getan hätten. Da wir nun alle so unterschiedlich sind, fällt es uns oftmals schwer, den anderen so einzuschätzen, wie er wahrhaftig ist. Von daher können wir andere in ihrer Komplexität kaum wahrnehmen und versuchen sie, nach unserem eigenen Schema einzusortieren. Und genau das brauchen wir auch. Wir brauchen unser inneres Ordnungssystem und sortieren andere Menschen, die uns begegnen, danach ein. Doch ein Mensch ist so vielseitig, dass wir oftmals mit den unterschiedlichen Verhaltensmustern einer einzigen Person schwer umgehen können, da er sich anders verhält, als wir geglaubt haben. Damit wir uns und andere besser verstehen lernen, können wir die Numerologie als objektive Klärungshilfe nutzen. Natürlich handelt es sich hierbei um kein Allroundprinzip, das uns ermöglicht, den anderen komplett erkennen zu können. Nein, die Numerologie gewährt uns einen gewissen Einblick in die

Welt der Analyse und des Erkennens.

Wenn Sie sich nach diesem Prinzip mit der Numerologie beschäftigen wollen, dann halten Sie ein interessantes Handwerkszeug in den Händen, mit dem Sie in kurzer Zeit sehr schnell bestimmte Eckpunkte eines Menschen erkennen können. Eins sollten Sie jedoch bei der praktischen Anwendung der Numerologie bedenken: Benutzen Sie die Kenntnisse nur so, wie Sie es auch für sich selbst vertragen könnten. Das heißt, nutzen sie die Numerologie bitte nicht, um andere und deren Schwachpunkte einfach bloßzustellen, das schickt sich nicht. Jeder sollte die Möglichkeit haben, seine intimen Themenbereiche zu wahren. Also: Wenn Sie selbst nicht geoutet werden wollen, dann muten Sie dies bitte auch keinem anderen zu.

Die Numerologie ermöglicht uns also, anhand der Geburtszahlen eine einfache Analyse zu erstellen, die uns sehr deutlich die Stärken und auch Schwächen einer bestimmten Person bewusst macht. Nicht zuletzt aus diesem Grund ist schon einiges dazu veröffentlicht worden; doch diese Tatsache hat mich persönlich nicht davon abgeschreckt, ein weiteres Numerologiebuch auf den Markt zu bringen. Die hier beschriebene, astrologisch aufgebaute Numerologie ist vielseitig anwendbar und nutzbar. Ich selber benutze sie seit vielen Jahren tagtäglich, ob nun in meiner Praxis, in Seminaren oder zu anderen Gelegenheiten. Ich hoffe, dass Ihnen diese von mir entwickelte Form der Numerologie genauso viel Spaß machen wird, wie mir. Die Anwendungsbreite ist, wenn man sich damit richtig auseinander setzt, gigantisch. Sie können sehr schnell anhand der Analyse erkennen, um was für Themen es sich bei einer Person oder auch Situation handelt. Dabei können wir diese Deutungsart, die nach astrologischen Gesichtspunkten entwickelt wurde, in vielen Bereichen des Lebens einsetzen. Bei richtiger Anwendung erhalten Sie eine schnelle Kurzanalyse, die Ihnen einen Einblick in die energetischen Potenziale wie auch Schwächen eines Menschen vermittelt. Ebenso können Sie hier erkennen, was Ihre eigenen Themen und somit Ihre eigenen Verletzungspunkte sind. Des Weiteren können Sie sehr leicht analysieren, um welches grundsätzliche Problemthema Sie beispielsweise mal wieder mit Ihrer Freundin rangeln. Und was ist mit den Kindern, dem Partner? Wollen Sie wissen, was Ihr Hochzeitsdatum über die Verbindlichkeit der

Beziehung aussagt? Sind Sie neugierig und wollen wissen, wie es um die Beziehung mit Ihrem neuen Partner steht? Haben Sie eine Firma oder wollen Sie eine gründen und erkennen, um was für ein „Typ" Firma es sich handelt, beziehungsweise unter welchem Stern Ihr Vorhaben steht? Wollen Sie eine neue Person in Ihrer Firma einstellen und können den Menschen, der Ihnen gegenüber sitzt, nicht genau einschätzen? Wenn Sie darauf und auf vieles mehr Antworten suchen, dann wird die Numerologie genau das Richtige für Sie sein.

Nun noch ein paar grundsätzliche Aussagen: Obgleich ich selbst Astrologin bin, wollte ich dieses Buch nicht mit einer zu weit ausholenden Deutungstiefe der astrologischen Konstellationen verkomplizieren; damit Sie das gesamte System jenseits dieses Fachwissens leicht und locker verstehen lernen, habe ich dieses, wenn überhaupt, nur am Rande erwähnt. Sollten Sie jedoch das wertvolle Wissen der Astrologie in sich tragen, dann nutzen Sie die Möglichkeit und lassen Sie Ihre Kenntnisse nach Wunsch einfließen. Ich selbst habe schon oft festgestellt, dass die in der Numerologie errechnete Problemsituation zumeist in den Horoskopen gut sichtbar ist. Doch nun will ich Sie nicht länger auf die Folter spannen und mit dem Thema dieses Buches: **Der Numerologie** beginnen.

Die Autorin

Die Numerologie - Einführung

Nun wollen wir uns mit den Analysemöglichkeiten der Numerologie beschäftigen, und beginnen mit einem Datum, das jeder von uns hat: das Geburtsdatum. Jede einzelne Zahl im Geburtsdatum hat eine bestimmte Bedeutung, und diese müssen wir entsprechend werten. Bevor wir uns jedoch mit diesen Gewichtungen der einzelnen Zahlen auseinander setzen, sollten wir nicht vergessen: Wir tragen grundsätzlich alle Komponenten in uns, das heißt, wir alle sind von unserer Urenergie aus gleich und haben auch alle Anteile in uns vertreten. Damit wir jedoch auf der großen Bühne des Lebens unser Lebenswerk vollenden können, brauchen wir bestimmte Konstellationen, die uns an unsere Aufgabe heranführen. Somit haben wir positiv wie negativ geladene Energieströme in uns, die uns die vorhandene Polarität näher bringen. Nur durch das innere Energiespiel sind wir zumeist gewillt, uns in unserem Leben zu bewegen. Oftmals brauchen wir inneren seelischen Druck, damit wir uns auf die Suche nach unserem inneren Licht machen. In einer Inkarnation zu stehen, heißt, die Aufgabe zu haben, zu lernen und Erfahrungen zu sammeln. Das wiederum kann für uns selbst unangenehm sein, und damit wir trotzdem bereit sind, diesen vor uns liegenden Berg - die Lebensaufgabe - zu erklimmen, brauchen wir eine bestimmte energetische Gewichtung, damit wir symbolisch betrachtet polar im Ungleichgewicht sind. Gerade anhand der Numerologie haben wir eine einfache Möglichkeit, diese energetische Gewichtung zu erkennen. Denn immerhin fällt es uns allen viel einfacher, mit etwas zu leben, wenn wir wissen, warum wir dies bekommen haben. Somit ist die Numerologie ein Wegweiser, der uns wieder erinnern lässt, was wir uns einst vor dieser Inkarnation vorgenommen haben.

So können wir anhand des Geburtsdatums sehr schnell die Gewichtungen der einzelnen Zahlen, bezogen auf unsere Person, analysieren. Wir erkennen deutlich, ob wir gerne aktiv sind oder lieber faul in der Ecke liegen, denn wir sind so, wie wir sind. Schon alleine der Unterschied zwischen geraden und ungeraden Zahlen erklärt einiges über unsere männlichen und weiblichen Komponenten. Je mehr innere Zahlen wir haben, desto weiblicher sind wir, umgekehrt, je mehr ungerade Zahlen wir haben, desto männlicher.

Die beste Mischung ist eine Ausgewogenheit beider Komponenten, doch wer von uns hat sich sein Geburtsdatum bewusst ausgewählt? Die Antwort lautet: Wir alle. Wir selbst entscheiden vor der Inkarnation, wann wir auf die Welt kommen wollen; wir brauchen eine bestimmte Konstellation, damit wir unserer Lernaufgabe gerecht werden können. Sie sehen, alleine anhand dieser minimalen Deutungsmöglichkeiten können wir schon einiges ableiten. Immerhin sind Menschen, die sehr weiblich sind, mehr nach Innen orientiert; hingegen sind die eher männlichen auf äußere Lebensbereiche bedacht.

Vielen Menschen hat es allein schon sehr geholfen, nur zu erkennen, dass das, was sie in sich spüren, auch wirklich der „eigenen" Wahrheit entspricht. Oftmals leben wir in einem Rollenverhalten, da wir meinen, so leben zu müssen; wir trauen uns zumeist gar nicht mehr, das zu verkörpern, was wir letztlich in uns spüren. Somit unterdrücken wir nicht selten unsere ureigensten Grundbedürfnisse und Gefühle. Doch wir können uns nicht permanent verstellen, nur weil wir uns in der Gesellschaft anpassen wollen; wir sind so, wie wir sind, und dazu müssen wir stehen. Das ist auch der Grund, warum so viele Menschen Astrologen und Lebensberater aufsuchen; sie wollen wissen, wie sie wirklich sind. Die meisten fühlen sich nach solch einer Sitzung direkt erleichtert und können mit ihren Talenten und ihrem „So-sein" viel besser umgehen, da sie sich nun ihrer Person und ihres Selbst bewusster sind; nun müssen sie sich nur noch erlauben, so zu leben, wie sie sind. Doch kommen wir nun zu der numerologischen Berechnung.

Wir nehmen also unser Datum und analysieren die einzelnen Zahlen, um ein Gesamtbild zu erstellen. Jede Zahl im Geburtsdatum findet somit ihre ureigenste Berücksichtigung. Um sich jedoch den einzelnen Zahlen und deren Bedeutung zu stellen, müssen wir uns vorher noch einige Klärungspunkte anschauen. Ich möchte darauf hinweisen, dass wir nicht den Fehler machen, unser Geburtsdatum via Computersprache aufzuschreiben. Der Computer gibt uns viel mehr Nuller an, als wir in Wirklichkeit haben, und somit schreiben wir unser Geburtsdatum auf, wie es der Wahrheit entspricht.

Ein kleines Beispiel dazu: Wir nehmen das Datum 23.1.1964 – wir schreiben das Datum wie folgt: 23.1.64 und haben somit eine 2, eine 3, eine 1, eine 6 und eine 4 im Datum. Die 1900 wird separat gerechnet, wie wir gleich sehen werden.

Viele schreiben ihre Daten immer noch anders auf, so dass es folgendermaßen aussehen würde: 23.01.1964, das heißt, wir hätten eine Null aufgrund der 01 mehr. Doch das stimmt in Wahrheit nicht. Wir haben nur eine 2, 3, 1, 6 und eine 4.

Eine Null taucht hingegen in dem Datum: 23.10.1964 auf; hier haben wir eine 2, eine 3, eine 1, eine 0, eine 6 und eine 4.

Sie sehen jetzt schon wie wichtig es ist, genau auf das Datum zu achten. Doch was machen wir nun mit der 1900? Wie Sie anhand der Schreibweise erkennen können, rechnen wir die 19 vor dem Jahrgang in der Numerologie nicht direkt mit, ansonsten hätten wir alle eine 1 und eine 9 mehr in unserem Datum gewichtet. Das stimmt jedoch nur bedingt. Natürlich haben diese Zahlen eine wichtige Aussage, die sich jedoch wiederum auf die Gesamtheit der Menschen, die in dieser Zeit geboren wurden, beschränkt und mehr nicht. Für das Jahrtausend errechnen wir eine so genannte Durchschnittszahl. Wie Sie gleich sehen werden, berücksichtigen wir in der Numerologie diese Komponente nur bedingt, indem wir lediglich eine Zahl hinzu addieren.

Dazu wieder unser Rechenbeispiel: 23.1.(19)64. In unserem Beispiel werten wir bei der 1964 erst einmal nur die 6 und die 4 gemäß der 64. Und da wir, wie schon erwähnt, die 19 nicht einfach schlucken können, müssen wir dafür eine Durchschnittszahl errechnen. Doch wie errechnen wir Durchschnittswerte? Ganz einfach: Wir addieren jede Zahl und zwar solange, bis es nicht mehr geht, also keine weitere Addition erfolgen kann, dann haben wir unsere Durchschnittszahl errechnet.

Das heißt für den 23.1.1964 $= 2+3+1+6+4 = 16$
Nun kommen wir zu unserer 1900, und dabei rechnen wir:
$1+9 = 10 = 1$, somit rechnen wir **grundsätzlich** (bei allen 1900 – Gebore-

nen) immer noch eine 1 dazu.

Das bedeutet also:

23.1.1964 = 2+3+1+6+4 = 16 + 1 (für 19..) = 17 = 1+7 = (8)

Somit haben wir eine Durchschnittszahl errechnet, und das ist die geschlossene (8). Wir schreiben die Durchschnittszahlen in einen Kreis, damit wir sie jederzeit von den anderen Zahlen unterscheiden können, denn sie sind für die Analyse äußerst wichtig. Was ist der Unterschied? Eine offene, also normal gestellte Zahl lässt sich leicht, locker und einfach leben. Sie ist gewichtet, da sie im Datum steht, zeigt uns jedoch „nur" an, dass wir sie und die damit verbundene Energie leben müssen; dies fällt uns zumeist nicht sonderlich schwer. Doch alles das, was wir in unserem Datum als Zahlen gewichtet haben, das müssen wir auch berücksichtigen, und somit ist jede offene, also direkt geschriebene Zahl eine Gewichtung im Gesamten. Das heißt, wir haben bestimmte Zahlen durch unser Datum gewichtet und müssen uns diesen Bereichen besonders widmen. Haben wir mehrere gleiche Zahlen, wie beispielsweise drei mal die drei, dann haben wir auf diesem Gebiet - der Aktivität - ein Übergewicht. Sie sehen nun selbst, dass die Numerologie einiges über unsere Eigenschaften verraten kann. Die offenen Zahlen tragen wir als normal geschriebene Zahlen in den Geburtszehnstern wie folgt ein:

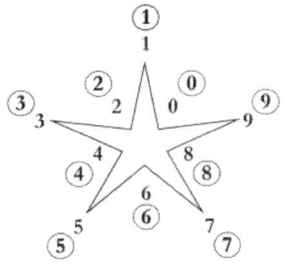

Anders bei der geschlossenen Zahl: Sie stellt unser Problem und somit unsere Lernaufgabe dar. Wir alle müssen bestimmte Aufgaben lernen, und diese Themen werden uns durch die Durchschnittszahl angezeigt. Jeder hat eine Lernaufgabe in seinem Leben und muss sich darum kümmern. Unbewusst kreisen wir immer um unsere Lernproblematik, auch wenn uns das nicht bewusst ist. Alle Themen, mit denen wir uns alltäglich auseinander setzen, resultieren in ihrer Grundproblemstruktur allein aus diesem Problemkern. Die geschlossene Zahl in der Numerologie gibt uns einen entscheidenden Hinweis darauf. Das heißt, wir können anhand dieser Zahl sehr klar erkennen, welches Grundthema in uns angesprochen wird. In späteren Kapiteln werden wir uns intensiv diesem Thema widmen, doch nun noch einmal zur Rechenart. Es folgen ein paar Rechenbeispiele:

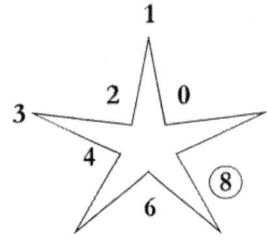

Nehmen wir das Datum 23.10.1964

23.10.1964 $= 2+3+1+0+6+4=16 + 1$ (für 19..)
$= 17 = 1+7 = (8)$

Auch bei dieser Rechenkonstellation kommt die (8) als Problemzahl heraus.

Das Datum 13.7.1966

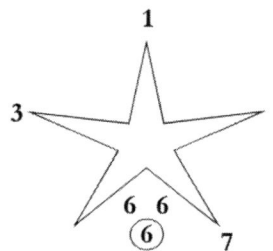

13.7.1966 $= 1+3+7+6+6+ = 23 + 1$ (für 19..)
$= 24 = 2+4 = (6)$

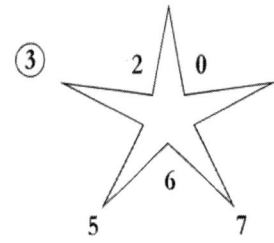

Das Datum 25.7.1960

25.7.1960 $= 2+5+7+6+0 = 20 + 1$ (für 19..)
$= 21 = 2+1 = (3)$

Das Datum 5.6.1960
$5+6+6+0 = 17 + 1$ (für 19..) $= 18 = 1+8 = (9)$

Das Datum der 22.12.1962
$2+2+1+2+6+2 = 15 + 1$ (für 19..) $= 16 = 1+6 = (7)$

Das Datum der 10.9.1984
$1+0+9+8+4 = 22 + 1$ (für 19..) $= 23 = 2+3 = (5)$

Ein anderes Datum, der 25.6.1987 $=$
$2+5+6+8+7 = 28 + 1$ (für 19..) $= 29 = 2+9 = 11= 1+1 = (2)$

Es gibt jedoch auch die Möglichkeit, dass wir bei der Addition der Zahlenkombinationen zwei Zahlen als Ergebnis herausbekommen. Das passiert, wenn als Endergebnis eine 10, 20, 30, 40 oder 50 etc. erscheint. Sie können dies in den folgenden Beispielen erkennen. Sollten Sie solch ein Ergebnis errechnet haben, dann tragen Sie auch beide Zahlen als geschlossene Zahlen ein und umkreisen diese. Das heißt bei 10 eine (1) und eine (0) oder als gesamtes (10). Dazu zwei Beispiele:

Das Datum 30.6.1972
$3+0+6+7+2+= 18 + 1$ (für 19..) $= 19 = 1+9 = (10)$

Das Datum der 19.10.80
$1+9+1+0+8+0 = 19 + 1$ (für 19..) $= 20 = 2+0 = (20)$

Ich wünsche Ihnen viel Spaß beim Rechnen und weiterhin viel Lesevergnügen - jetzt geht es ans Eingemachte. Sie sind sicherlich schon darauf gespannt, für welche Bereiche die einzelnen Zahlen stehen, und genau das möchte ich Ihnen auf den nächsten Seiten schildern.

Die einfache Null

Die Null steht für den Weitblick, die innere Sichtweise, das Hellsehen, ist eine Kopfzahl, entspricht dem weiblichen Prinzip und ist dem Planeten Merkur zugeordnet.

Nuller Menschen haben eine visuelle Gabe und stellen sich alles bildlich vor, was ihnen wiederum ermöglicht, eine andere Perspektive zu einer Sache/Situation zu gewinnen. Somit ist ein Nuller-Mensch ein Sehender, der sich die Themen so plastisch vor Augen führt, dass er sie gedanklich fast materialisieren, also anfassen kann. Er kann, wenn er will und sich auf eine Thematik einstellt, die Situationen durch sein „drittes Auge" sehen. Somit sind Nuller-Menschen auch schriftstellerisch begabt. Sollte ein Nuller-Mensch einen Baum beschreiben wollen, dann kann er sich diesen vor seinem inneren Auge genau visualisieren und hineinspüren, wie es sich anfühlen könnte, ein Baum zu sein; er erweckt in sich diesen Baum zum Leben. Diese Erlebnisse kann er dann auch genauso lebendig in Worte kleiden, also niederschreiben oder auch „nur" erzählen. Ein Nuller-Mensch kann die Energien von allen Lebewesen, auf die er sich einstellt, wahrnehmen. Da auch Bäume leben, kann dieser Mensch alles Mögliche von einem Baum, auf den er sich konzentriert, erfahren und diese Informationen in seiner Vorstellung entsprechend umsetzen. Doch wichtig: Ein Nuller-Mensch ist nicht immer auf Empfang eingestellt, nein, er kann sich nach Belieben in diese Position begeben. Würde er nun anfangen, über seine energetisch wahrgenommene Sichtweise zu schreiben, dann würde dies bestimmt eine lebendige Geschichte werden.

Nuller-Menschen träumen gerne und stellen sich dabei alles Mögliche, was sie in ihren Träume gerne leben, vor. Man könnte fast sagen, dass sie in ihren Tagträumen ein Doppelleben führen, welches ganz anders aussehen kann als das Realitätsleben. In seinen Träumen liebt es der Nuller-Mensch besonders sich vorzustellen, dass ihm bekannte Personen bei seinen hervorragenden Traum-Taten zusehen; dadurch verbindet er die Träume symbolisch mit der Realitätswelt, auch wenn er dabei nach außen ein ganz anderes Leben führt. Somit ist es für ihn besonders wichtig, von seinem Umfeld gesehen und wahrgenommen zu werden. Gesagt, getan und schon erscheint das eigene Leben eines Nuller-Menschen in den schönsten Bildern vor seinem geistigen Auge. Wenn Sie jetzt meinen, dass der Nuller-Mensch nur in der Nacht träumen würde, dann muss ich Sie enttäuschen, nein, er träumt überall dort, wo er einen passenden Platz findet. Es fällt ihm besonders leicht, sich all die erwünschten Bereiche lebhaft vorzustellen, er hat einfach die Begabung sehr schnell in seine Traumwelten abzudriften. Dann ist er in der Lage, sich sein Leben zu erträumen, so wie er es haben möchte. Manche sinken dabei so stark in ihre eigenen Traumwelten ab, dass sie den Blick für die Realität verlieren, und gerade das ist nicht ungefährlich. Denn je mehr der Nuller-Mensch sich vorstellt, ein starker Kämpfer zu sein, desto mehr steht er innerlich unter Druck, diesem Bild auch im Außen gerecht zu werden. Durch diesen Blickwinkel betrachtet, ist er auch ein guter Schauspieler, denn er kann die erforderlichen Rollen perfekt nach seinen eigenen Vorstellungen/Drehbüchern gestalten und umsetzen. Wichtig dabei sind jedoch, wie schon erwähnt, die Zuschauer, und somit braucht der Nuller-Mensch Publikum, das ihn kennt. So kann es ihm passieren, dass er sich in seinen Tagträumen lebhaft vorstellt, mit einem tollen Schlitten vorzufahren und dabei die bewundernden Blicke der anderen auf seinem Körper zu spüren. Allein die Vorstellung, dass den anderen bei diesem Anblick vor Bewunderung der Atem stocken bliebe, ist ein genüssliches Schmunzeln wert. Dieses Phänomen, in den Tagträumen größer und herrlicher zu sein als in der Realität, tritt sehr häufig ein, zumeist jedoch nur bei Menschen, die sich selbst im realen Leben zu wenig leben und sich dadurch ihre inneren Wünsche wenigstens in ihren Träumen gestatten. Diese Personen neigen dazu, mehr in ihren Träumen als in der Realität zu leben. Ein Förderer dieser Konstellation ist mit Sicherheit die Medienwelt. Sie geben oftmals die Traumdrehbücher vor, und somit wird für den Nuller der Film und der Hauptdarsteller lebendig. Hat dieser im Inneren ausgedient, dann muss sofort ein Neuer her. Manko dieser Traumwelt: Der Zuschauer neigt mit der Zeit zur Fernsehsucht, auf der Suche nach neuen bildlichen Abenteuern, und meint dann, ohne diese Traumwelten kaum noch leben zu können. So ähnlich wie ein Kinobesucher, der sich auf den Zuschauerplatz setzt und ein Leben lang dort sitzen bleibt, auf jeden neuen Film, den die anderen gedreht haben, gespannt schaut und jedes Mal danach das Gefühl in sich trägt, als wäre er dabei gewesen. Doch dieser Schein trügt.

Sehen wir uns das Potenzial des Nuller-Menschen in der negativen Form gelebt genauer an. Der Nuller neigt zu extremen Bildern, die mehr und mehr in ein inneres Suchtverhalten gleiten. Sein Problem: Auf Dauer kann er wenig emotionalen Abstand zu den innerlich erlebten Situationen wahren. Dieser Mensch kann sich bildlich in eine Sache so hineinsteigern und sich in allen Farben ausmalen, wie es sich anfühlt, wenn man mit diesem oder jenem etwas zu tun hat, dass er den Blick für die Realität absolut verliert. Da er sich gerne mit Situationen energetisch verbindet und sich emotional vorstellt, „wie es wäre wenn", kann es ihm sehr leicht passieren, dass er sich eine Geschichte so plastisch ausmalt, als wäre sie heute erst geschehen. Das heißt, Nuller-Menschen haben die Begabung, aus einer Mücke einen Elefanten zu kreieren, der sich allein in der eigenen, aus der Fantasie entsprungenen Hexenküche entwickelt hat. Meist merken diese Menschen gar nicht mehr, wie weit sie von der Realität abdriften, denn sie sind innerlich von ihrer eigenen Vision absolut überzeugt. Das heißt also, wenn sich ein Nuller-Mensch in eine Geschichte hineinmanövriert hat, dann ist er davon dermaßen überzeugt, dass ihm kaum einer diese selbst entwickelte Überzeugungskraft streitig machen kann. Das wäre vergeudete Liebesmüh.

Doch nun wieder zu den positiv gelebten Formen der Zahl Null. Menschen mit einer Null können sich in andere gedanklich so hineinversetzen, dass sie deren Themen und Energieverbindungen sehen können. Sie haben im wahrsten Sinne des Wortes hellsichtige Fähigkeiten. Das mag sich jetzt toll anhören, wird jedoch selten so bewusst gelebt. Und jeder, der dies unbewusst in sich spürt, wird davon nicht allzu begeistert sein. Der Grund für diese Ignoranz ist, dass die meisten Menschen vor den so genannten „übersinnlichen Fähigkeiten" Angst haben. Die Menschen, die diese Fähigkeit haben, fühlen sich oftmals mit den empfangenen Bildern überfordert, und diejenigen, die wissen, dass ihr Gegenüber mehr aufnehmen kann, als ihnen lieb ist, werden sich vor seinem hellsichtigen Blick verstecken. Viele mögen es nicht, wenn einer ihr wahres Gesicht erkennen kann, das ihnen zumeist selbst noch fremd ist. Aus diesem Grund entscheiden sich die meisten Menschen gegen ihre Hellsichtigkeit. Übrig bleibt dann bei den Sehenden meist

16

nur noch ein vages Gefühl für die wahrgenommenen Bedürfnisse der Mitmenschen, denn tief im Inneren wissen sie, dass der andere so ist und dass sie mit ihrer Wahrnehmung Recht haben. Doch wie soll der Sehende seine Wahrnehmung dem anderen erklären, wenn dieser ihm nicht zuhören möchte? Mit ziemlicher Sicherheit würde der emotional betroffene Gesprächspartner ihm widersprechen, damit er keine Blöße zeigen muss. Das ist ein häufiges Dilemma für den Nuller-Menschen.

Wir alle entwickeln sehr schnell ein Gefühl für unser Gegenüber. Wir sind es gewohnt, unsere Gesprächspartner/unser Gegenüber in ein inneres Schubladensystem einzusortieren. Jedoch können wir über unterschiedliche Empfangskanäle verschiedene Wahrnehmungen aufnehmen. So „sieht" ein Nuller-Mensch, ob sein Gegenüber zu ihm ehrlich ist oder nicht. Woran er das sieht? Die Frage lässt sich schwer in Worte kleiden, er sieht es halt, ganz einfach, es ist so. Er kann erkennen, ob der andere mogelt - er kann die ausgesandten Energien des anderen wahrnehmen und auch sehen. Er weiß, wann sein Gegenüber ihm etwas verschweigt. Und mal ehrlich gesagt, viele Menschen wissen das. Diese Fähigkeit zu haben, ist nichts allzu Besonderes, doch die meisten denken, dass dieses Phänomen mit übersinnlichen Kräften zu tun haben muss, und das wiederum bereitet ihnen Angst. Je mehr wir uns gegen unsere ureigensten Talente stellen, desto weniger werden wir diese bewusst nutzen können. Sollten Sie jedoch eine Null in ihrem Geburtsdatum haben, dann müssen Sie lernen, Ihrer ureigensten Sichtweise zu glauben und Ihren inneren Bildern zu vertrauen. Sie sehen den Fluss der Energien, und irgendwann kommt der Tag, an dem Sie Ihre innere Wahrheit nicht mehr in sich zurückhalten können.

Die meisten Menschen haben Angst vor jemandem, der sich mit der Hellsichtigkeit auskennt, das heißt, ein Mensch der sich mit dieser Fähigkeit besonders vertraut gemacht und dieses Talent trainiert hat. Solche Menschen können sehr schnell die Themen und Probleme eines anderen erkennen, wenn sie sich auf diese Person eingestellt haben. Es bereitet ihnen dann nicht mehr besonders viel Mühe, ihre hellsichtigen Fähigkeiten für eine fremde Person, mit der sie energetisch nicht verstrickt sind, einzusetzen. Durch diese Gabe können sie sehr leicht die Energieverbindungen zu anderen Personen erkennen und analysieren. Innerlich schalten sie ihren eigenen Monitor an und stellen sich somit auf Empfang. Dafür ist es jedoch besonders wichtig, dass die Person, die mit dem hellsichtigen Röntgenblick „untersucht/durchleuchtet" wird, damit einverstanden ist, denn nur dann kann das System perfekt funktionieren. In so einem Fall sendet der Klient seine Daten aus, und der Hellsichtige kann diese ohne Probleme empfangen, denn er ist auf Empfang eingeschaltet. So kann er genau erkennen, was alles beim Klienten passiert, und er kann, wenn er redegewandt ist, dieses locker und leicht in Worte packen und sich somit mit dem anderen über das Gesehene austauschen. Der Vorteil für den Klienten ist, dass der Sehende die Situationen aus einer anderen Perspektive erfassen kann und daher eine neutrale Möglichkeit der Wahrnehmung bietet. Der Hellsichtige ist nicht emotional betroffen und hat daher ein ganz anderes Spektrum, auf das er zurückgreifen kann. Somit ist seine Chance, die wahrhaftigen Gründe und Ursachen zu erkennen, sehr groß. Er kann all die Zusammenhänge klar und deutlich sehen; jedoch nur, solange er selbst nicht betroffen ist, denn alle für ihn belastenden emotionalen Verbindungen würden seine eigene Sichtweise auch wieder radikal verkleinern. Somit funktioniert die Hellsichtigkeit meist nur nach jahrelangem Training, doch es lohnt sich.

Ein sehender Mensch ist somit für den anderen eine Hilfe zur Selbsthilfe. Er kann die gesamten Zusammenhänge und die energetische Urverstrickung eindeutig, klar und neutral erkennen. Jede noch so kleine emotionale Verstrickung und Anbindung hat irgendwo ihren symbolischen Anfangsfaden, und den gilt es zu finden. Wir alle befinden uns auf unserem Lebensweg und wollen nichts anderes, als uns weiterzuentwickeln. Dafür müssen wir uns jedoch wahrhaftig kennen, und damit wir uns kennen lernen, brauchen wir oftmals andere Personen, die uns auf diesem Weg ein Stück begleiten, um uns die wahrhaftigen, in uns ruhenden Perspektiven aufzuzeigen. Da wir auf diesem Weg zumeist nicht unbedingt freiwillig gewillt sind, uns mit unseren inneren Schattenseiten auseinanderzusetzen, brauchen wir Spiegelpersonen, die uns unsere ungeliebten Themen vor die Nase setzen, damit wir diese erkennen können.

Halten wir uns dies noch plastischer vor Augen: Wir alle tragen dunkle

Schattenseiten in uns, die wir jedoch nicht wahrhaben wollen. Doch wir müssen alles das, was in uns ist, leben. Somit müssen wir auch zwangsläufig diese Schattenseiten leben. Wenn wir uns mit diesen Energiepotenzialen nicht bewusst auseinander setzen wollen - was hier eindeutig der Fall ist, sonst würde es sich nicht um Schattenseiten handeln -, dann suchen sich diese Schattenenergien andere Möglichkeiten, um sich bei uns Gehör zu verschaffen. Das heißt, sie suchen sich ähnlich gelagerte Energien im Außen. Im Klartext: Sie suchen sich andere Menschen, die energetisch ähnlich geartet sind, wie sie selbst. Die Schattenanteile dieser einzelnen Personen verbinden sich miteinander und docken sich somit energetisch gegenseitig an. Die meisten Menschen brauchen ein äußeres Projektionsbild, um ihre innere Thematik erkennen und auch wandeln zu können. Alles das, was in uns ist, hat ein Recht, von uns wahrgenommen und gelebt zu werden; verdrängen wir jedoch diese wertvollen Energien, dann kommen sie über andere, meist äußere Möglichkeiten, wieder in unser Blickfeld, damit wir sie erkennen und gewichten können. Somit brauchen wir oftmals die gespiegelte Problematik über andere. Erst dann haben wir die Möglichkeit, über das Beobachten der Schattenenergien des anderen, uns an unsere eigenen zu erinnern. Leider verstehen immer noch viel zu wenig Menschen, wie das System funktioniert.

Ein Beispiel: Sie treffen auf einen Menschen, und Sie fühlen sich absolut energetisch angezogen, sie sind wie hypnotisiert. Nach einer Weile merken Sie, dass Sie sich emotional immer wieder an diese Person erinnern, sie spukt förmlich in Ihrem Kopf herum. Das kommt daher, dass Sie sich – ein Energieanteil in Ihnen - emotional angedockt haben. Der in Ihnen vorhandene Schattenanteil hat seine emotionale Entsprechung in der anderen Person gefunden. Genauer gesagt hat auch die andere Person Schattenanteile - wer hat das nicht? -, und somit haben die ähnlich gelagerten Teile in den beiden Personen die gegenseitige Faszination ausgestrahlt und sich darüber verbunden. Ein innerer Energieanteil, der sich in Dunkelheit befindet, also nicht bewusst gelebt wird, hat die Ähnlichkeit zu einem Anteil der gegenüberliegenden Person, welcher sich genauso in Dunkelheit befindet, erkannt. Und diese beiden Energieanteile nun, die sich in ihrer Ähnlichkeit erkannt haben, wollen nur eines: Sie wollen bewusst wahrgenommen werden. Da die meisten Menschen nicht an das glauben, was Sie spüren, sondern meist nur an das, was sie sehen und anfassen können, ist es ein Leichtes sich seine eigenen Themen über eine andere Person aus Fleisch und Blut ins Bewusstsein zu rufen. Wie das funktioniert? Unsere beiden Energieanteile erkennen und verbinden sich, sie docken an und spiegeln sich gegenseitig darüber wichtige Lebensthemen. Somit kommen sie über dieses Verhalten direkt in das Bewusstsein der betreffenden Person. Sie sind nicht mehr ignorierbar. Durch das Gegenüber werden sie immer mehr spürbar. Man bekommt das Gefühl, sie fast anfassen zu können. Leider machen die meisten Menschen den Fehler, ihre eigenen Themen beim anderen zu suchen. Nach dem Motto: Wenn der endlich aufhört, dann finde ich wieder zu meiner lang ersehnten Ruhe. Doch der andere hat wiederum nur seine eigene Thematik und Problematik. Immerhin kann jeder nur sein eigenes Leben leben. Der andere ist grundsätzlich nur Spiegel unserer selbst, das heißt, wir können die eigene Thematik – das was uns stört - nicht beim anderen ändern. Wenn wir ein anderes Spiegelbild haben wollen, dann bringt es nichts den Spiegel zu zerschlagen. Denn immerhin bringen Spiegelscherben kein Glück! Nein, wir würden uns rasch einen neuen Spiegel suchen, damit wir wieder die Chance bekommen, unsere eigenen Schattenanteile zu erkennen.

Würden wir allerdings die Situation nutzen, uns unsere nach vorne ins Bewusstsein kommende Energie anschauen und uns mit ihr beschäftigen, dann würden zwangsläufig die unangenehmen Projektionen auf die andere Person in den Hintergrund geraten, und wir würden uns, wie es auch sein soll, mit uns selbst beschäftigen. Die Aufgabe liegt darin, uns selbst zu erkennen und uns mit den in uns, in Dunkelheit lebenden Energien auseinanderzusetzen, diese zu reinigen und zu integrieren. Alles das, was in uns ist, gehört zu uns und muss somit in uns Gehör finden. Je mehr wir Energien und Emotionen in uns verdrängen wollen, desto stärker werden sich diese auf der materiellen Ebene ausbreiten, damit wir sie erkennen können. Somit holen sie sich so oder so unsere Aufmerksamkeit. Solange ich jedoch die eigenen Themen beim Partner lösen möchte, indem ich meinem Partner gute Ratschläge gebe, wie er sich denn nach meinem Geschmack verhalten sollte, solange habe ich noch nicht verstanden, dass das Thema alleine in mir ist und mein Partner mir dieses nur vor Augen führt. Da die meisten Beziehungen auf dieser Basis ablaufen, können wir uns jetzt schon alle vor Augen halten, dass wir, solange wir die Themen beim Partner sehen und nicht bereit sind, uns selbst zu wandeln, den Partner in seiner Komplexität und Individualität gar nicht wahrnehmen können, denn wir kämpfen ja nur permanent - um uns selbst und mit uns selbst. Kein Partner der Welt vermag mein heilender Prinz zu sein, der mich von meinen Problemen erlösen kann, denn das kann ich nur selbst tun. Übrigens sollten wir hierbei nicht vergessen, dass gerade der Partner der direkteste Spiegel ist und mir somit auf gleicher Ebene gegenübersteht. Das heißt, auch er sieht stets sein eigenes Thema in mir.

Sie sehen, dass wir alle hellsichtige Anteile in uns tragen, diesen Vorteil allerdings meist verdrängen; das kann jedoch auf Dauer nicht funktionieren. Somit erkennen wir uns alle gegenseitig und nehmen uns mit all unseren Funktionen und Energieanteilen wahr, allerdings nur so weit, wie unser Fokus füreinander geöffnet ist. Deswegen kann auch ein Hellsichtiger, wenn er selbst emotional verstrickt ist, kaum den anderen komplett wahrnehmen.

Wenn wir uns das vor Augen führen, dann können wir sehr leicht erkennen, dass wir uns mehr mit unserem „sehenden Auge" beschäftigen sollten. Jeder Mensch hat diese Begabung, nur haben Menschen, die eine Null in ihrem Geburtsdatum haben, die Aufgabe, diese Funktion auch zu leben und zu gewichten, sonst hätten sie sich diese Konstellation nicht ausgesucht.

Nuller Menschen sollten also auf drei Augen sehen. Damit wir erkennen können, wie ein Nuller am einfachsten bewusst zu seiner Fähigkeit gelangt, nehmen wir ein Beispiel dazu und zeigen noch einmal die Materialisierung kreativ geistiger Formen. Nuller-Menschen können, wie bereits schon erwähnt, besonders gut schreiben, denn vor ihrem inneren Auge werden sie in die Form des Lesers eintauchen können und erkennen, was der Leser braucht, um das Geschriebene zu verstehen. Ein Schriftsteller schreibt das nieder, was ihm einfällt, und er sollte dies nach Möglichkeit im kreativen Fluss tun, das wird ihm am meisten entsprechen. Somit lernt ein Nuller-Mensch über diese Thematik seine kreative und schöpferische Ausdrucksform gezielt einzusetzen. Irgendein energetischer Anteil in dieser

Person wird für die schriftstellerischen Werke verantwortlich sein, und dieser Teil will sich ausdrücken; sollte sich dabei immer wieder ein anderer Energieanteil einschalten wollen, dann könnte das mehr hinderlich als förderlich sein, denn ein Nuller-Mensch sollte sich innerlich führen lassen, das wird ihm am besten gefallen. Einer, der sich allerdings gerne dazwischen mischt, ist oftmals der Kopf. In der Numerologie entspricht er der Eins. Schauen wir uns das einmal näher an.

Die einfache Eins

Die Eins steht für die Ratio, für alles Mathematische, sie entspricht dem männlichen Prinzip und ist somit aktiv und dem Planeten Merkur zugeordnet.

Ein Einser-Mensch - der Analytiker und Kopfmensch - analysiert immer und kann dabei kaum abschalten. Sein Kopf will sich stetig mit wissenswerten Dingen beschäftigen und braucht somit permanent geistiges Futter. So steht die Eins also in erster Linie für den rational denkenden Menschen, nach dem Motto 1 + 1 = 2. Es werden hierbei ganz klar mathematische Vergleiche aufgestellt, und so brauchen Einser-Menschen klare Regeln und Systeme, an denen sie sich orientieren können. Kopfmenschen sind Rechner, die nach bestimmten Systemen arbeiten und auch leben. Wenn Änderungen eintreten, dann ist es für sie nicht ganz einfach damit umzugehen. Alles was an festgelegten Strukturen und Informationen geändert wird, müssen diese Menschen neu in ihr eigenes System einsortieren, sonst verlieren sie die Orientierung. Sollten somit zu viele Änderungen auf einmal gefordert werden, könnten sie den Überblick verlieren, was wiederum zur Folge hätte, dass sie sich unsortiert und unsicher fühlen. Der Kontrollverlust bedeutet für sie oftmals Gefahr. Sie müssen immer wieder die Möglichkeit haben, zu ordnen und zu erkennen, nach welchen Normen der zukünftige Prozess ablaufen könnte. Auch über das Prinzip der Wahrscheinlichkeitstheorie erfahren sie eine Form von Sicherheit, immerhin haben sie hier die Form des Einplanens und Vorausschauens zur Verfügung. Sie vertrauen sich selbst nur, wenn sie meinen zu wissen, worum es geht. Sie kalkulieren im voraus und reagieren wie bei einem Schachspiel: Sie beobachten den Gegenspieler, um ein strategisches Spiel aufzubauen.

Somit sind Einser-Menschen die Sortierer und Ordner von Wissen; wir können davon ausgehen, dass nichts von diesem wertvollen Gut verloren geht, und das ist wichtig. Jeder, der eine Erfahrung gemacht hat, kann dieses Wissen weitergeben, das heißt, seine Erfahrungswerte entsprechend vervielfältigen und denjenigen zukommen lassen, die von diesem erfahrenen Wissen profitieren können. Etwas anderes macht der Einser-Mensch im

23

Grunde genommen nicht. Er gibt seine Erfahrungswerte weiter und geht davon aus, dass andere seine erlebte Situation genauso erleben und analysieren würden, wie er es tut. Somit lebt er nach dem Bild des Gleichnisses und setzt instinktiv voraus, dass ein anderer genauso denken muss wie er. Das ist sein Sicherheitssystem. Jeder Mensch erkennt und reagiert jedoch anders, und trotzdem: Obwohl wir tief in unserem Inneren wissen, dass wir alle so unterschiedlich sind, halten wir uns mehr oder weniger stark an Normen und Regeln fest. Gerade Einser-Menschen brauchen nun einmal, damit nichts aus den Fugen gerät, Klarheit und die Möglichkeit einer allgemein gültigen Zuordnung der Situation. Aus dieser Angst heraus leben einige Menschen sogar in Ordnungssystemen, die ihnen tief in ihrem Inneren gar nicht entsprechen. Sie selbst pressen sich immer wieder in ihre eigenen Ordnungssysteme hinein, ohne sich selbst zu vertrauen, denn die Angst, dass sie über die Stränge schlagen könnten, steht ihnen ins Gesicht geschrieben. Könnten wir uns alle sicher sein, dass jeder Mensch die Verantwortung für sein eigenes Leben übernimmt, dann bräuchten wir viele Sicherheitsysteme nicht mehr - denn vor wem sollten wir uns dann noch schützen?

Ich gebe Ihnen hier ein kleines Beispiel, das Ihnen die Unterschiede zwischen Null und Eins erklärt. Zwei Personen gehen in ein Möbelhaus und wollen einen Schrank für das Wohnzimmer kaufen. In unserem Fallbeispiel ein Nuller-Mensch, eine Frau, und ein Einser-Mensch, ein Mann. Sie gehen durch die Wohnzimmerabteilung und finden ein passendes Objekt. Die Frau stürmt auf das Objekt der Begierde zu und bricht in Verzückung aus. Sie sieht und erkennt, dass dieser Schrank ihrem Idealbild entspricht, er passt mit allen inneren wie äußeren Vorstellungen überein. Genauso hat sie ihn sich vorgestellt. Gedanklich kopiert sie das Bild von dem Schrank und setzt dieses in ihr Wohnzimmer, um zu sehen, ob er passt oder nicht. Sie kann dies einfach, ohne viele Umstände, sehen. Wir gehen in unserem Beispiel davon aus, dass diese Frau sich ihrer Fähigkeit zumindest in Teilen bewusst ist, und sie sich gewohnheitsgemäß auf ihre Bilder verlassen kann. Sie schaut weder groß nach dem Preis, noch nach Größe oder Material, sie sieht, er passt und das mit allem, was sie braucht.

Der Mann hingegen schaut sich den Schrank näher an. Welcher Preis?

Welches Material? Welche Größe? Passt er an die Wand? Stimmt das Preis-/Leistungsverhältnis? Ist der Schrank in Ordnung? Und so weiter und so fort! Er muss alles analysieren, damit er genau weiß, ob der Schrank nun passt oder nicht. Natürlich hat auch er ein bestimmtes Bild, doch dieses wird sich mehr auf den pragmatisch-wirtschaftlichen Sektor beziehen, als auf sinnliche Stimmigkeit. Er weiß im Vorfeld genau, was er ausgeben möchte. Er weiß, wie groß der Schrank sein darf. Er weiß, welche Qualität er haben sollte. Somit hat auch er ein festgelegtes Muster, nach dem er vorgeht. Doch er kann den Schrank gedanklich nicht so einfach in seinem Wohnzimmer sehen, er könnte ihn sich höchstens eckig und kantig vorstellen, mehr nicht. Doch auch unser Einser-Mensch hat einen riesigen Vorteil: Wenn er, bevor er den Marsch in das Möbelhaus unternimmt, sich selbst genug mit fachlichen Kenntnissen ausgerüstet hat, dann weiß er genau, was er will, und keiner kann ihm etwas vormachen. Sollte er sich auf seinen Kopf und somit auf sein Wissen verlassen, dann weiß er, worum es geht, und er wird nicht lange brauchen, um eventuelle Schwachpunkte klar und deutlich erkennen zu können.

Sie sehen den Unterschied, und so ist er auch. Ein Einser-Mensch ist meist belesen und liebt wissenschaftliche Lektüre. Er analysiert unheimlich gerne und wird überlegen, warum der Partner das Frühstücksei so aufschlägt und nicht anders. Denn er denkt immer und grundsätzlich - meist sogar noch beim Fernsehen. Den Kopf einfach auszuschalten, ist nicht ganz leicht, wie man sich vielleicht vorstellen kann.

Ein unbewusst beliebtes Hobby des Einser ist die Kontrolle. Sie müssen immer alles, was um sie herum geschieht, beobachten. Sie vertrauen sich meist selbst nicht und können dadurch auch keinem anderen trauen. Sie sind die Skeptiker in Person und können anderen noch so schöne, träumerische Ideen durch ihre hervorragende, jedoch nüchterne Analyse mit Genuss zerstören. Denn: Wenn sie was wissen, dann halten sie nicht den Mund und müssen ihr Wissen ausplaudern. Leider haben sie allzu oft Recht, und das ist dann auch nicht immer so einfach. Solange sie was zu sagen haben, werden sie dieses Potenzial auch komplett ausschöpfen, und das wiederum kann schon mal auf die Nerven gehen.

Die andere Seite ist jedoch die Angst vor Kontrollverlust. Sie müssen somit jeden Menschen, mit dem sie etwas zu tun haben, einsortieren können. Begegnet ihnen jemand, der sich nach dem gewohnten Bild verhält, ist dieser einfach zu packen. Doch wehe, einer verlässt die gewohnte Bahn, dann wird es schwierig; der Einser wird alles tun, damit er diesen Menschen für sich wieder einsortieren kann. Fast nach einem Schubladensystem speichert er alle Erlebnisse behutsam und ordentlich in sich ab, das ist sein Job. Es gibt genug Einser-Menschen, die versuchen, andere in ihr eigenes System regelrecht hineinzupressen, damit diese wieder hineinpassen. Da viele sich natürlich nicht freiwillig in eine Rolle zwängen lassen, benutzen die Einser dafür oftmals sogar eine Art von Gewalt. Da sie Redekünstler sind, kann es sehr wohl sein, dass sie einen anderen bewusst „klein" halten, nur damit dieser die gewohnte Rolle nicht verlässt.

In der negativen Form sind Einser-Menschen Rechthaber. Sie pochen auf ihr Recht, auf ihre Sichtweise, da sie sonst Angst haben, umdenken zu müssen. Diese Menschen wollen sich absolut nicht weiterentwickeln und unter keinen Umständen mit anderen Sichtweisen konfrontiert werden. Somit versuchen sie stets nach Möglichkeit, den einfachsten Weg zu gehen, damit sie nichts verändern müssen. Je mehr ihre inneren Themen auf den Tisch kommen, desto mehr werden sie sich dagegen stellen. Ein eingeschränkter Einser-Denker ist davon überzeugt, dass die anderen sich ändern müssen, damit er mit ihrem Verhalten überhaupt leben kann. Also ist der andere für die Disharmonie des Einsers verantwortlich und müsste sich nach seiner Meinung wandeln. Die Aufgabe des Einser-Menschen liegt nun darin zu lernen, genau wie jeder andere auch, sich weiterzuentwickeln. Wir alle haben diese Aufgabe und dürfen niemals auf der Stelle stehen bleiben - das Leben ist dynamisch. Wir alle haben Lernthemen, und jeder, der uns an die Themen heranbringen kann, ist für unser Leben wichtig und wertvoll; ohne diese Menschen sind wir oftmals nicht in der Lage zu erkennen, um was es sich letztlich in unserem eigenen Leben handelt.

In der positiven Form ist der Einser-Mensch offen und interessiert, immer neue wissenswerte Aspekte zu erfahren; das ist es, was er braucht. Dafür ist er letztlich da, immer neues Wissen aufzunehmen. Jeder Mensch, der eine Eins in seinem Datum gewichtet hat, muss lernen, sich selbst stetig analytisch zu durchleuchten und zu betrachten. Er sollte sich vor allen Dingen immer wieder neu sortieren, das ist seine Aufgabe, die er sich selbst gestellt hat. Wissen ist Macht, und darum geht es. Ein Einser-Mensch braucht immer Wissen, mit dem er sich auseinander setzen kann. Wenn er sich nicht erlaubt, die Vielseitigkeit des Lebens zu erfahren, dann hält er sich immer wieder nur an einem Wissenspunkt fest, und das könnte verheerend einengende Folgen für ihn haben.

Es gibt die so genannten Grübler, die kaum einen Gedanken loslassen können. Das sind Menschen, die sich und ihren eigenen Fähigkeiten nicht vertrauen und sich damit gegen sich selbst stellen. Diese Menschen denken, dass sie nicht in der Lage sind, sich auf ihr eigenes Wissen einzulassen. Sie denken, dass sie nicht die Weisheit in sich tragen, sich ihrem Leben voll hinzugeben. Woher das kommt? Meist aus der Kindheit, denn leider erfahren immer noch viel zu viele Kinder von den Erwachsenen, dass sie wohl eher dumm als intelligent sind. Dabei gibt es gar keine dummen Menschen. Jeder Mensch, der ein funktionierendes Gehirn hat, ist im Stande zu denken. Doch Wissen ist Macht, wie es so schön heißt. Die meisten Menschen denken, dass sie energetisch über einem anderen stehen müssen, damit sie sich größer und schlauer fühlen können; dafür brauchen sie einen so genannten Wertmaßstab, und da bieten sich von ihnen abhängige Personen geradezu an. So passiert es, dass einige Erwachsene ihre Kinder für dumm halten, einerseits, um sich selbst schlauer zu fühlen, und andererseits, damit diese nicht schlauer werden und über ihre Köpfe wachsen können. Doch genau das müssen unsere Kinder tun. Wir alle leben in einer fortwährenden Evolution, und somit müssen wir uns immer weiterentwickeln. Wir haben gar keine andere Wahl, sonst würden wir uns gegen die Grundenergien, denen wir alle unterliegen, stellen, und das wäre absolut fatal. Wenn wir uns trotzdem „klein" halten wollen, dann müssten wir uns rein theoretisch emotional und energetisch vergewaltigen, um uns gegen die kosmischen Gesetze stellen zu können. Doch irgendwann holen uns diese sowieso wieder ein. So ist das Leben, und daran können wir nichts ändern.

Wir sollten alle lernen, Wissen nicht nur als Macht, sondern auch als

Weisheit zu betrachten. Wenn wir weise sind, dann können wir viel mehr mit unserem eigenen Leben anfangen. Wir sollten niemals vergessen, dass wir allein die Fäden für unser eigenes Leben in unseren Händen halten. Doch können wir diese Fäden wiederum nur sehen, wenn wir uns gut kennen. Natürlich verleiht uns jede erfahrene Erkenntnis die Freiheit, uns selbst zu entwickeln, und natürlich sind wir somit auch mächtig und zwar über uns selbst. Jedoch sollten wir niemals unser Wissen nutzen, um uns über andere zu stellen. Wenn wir Wissen als Machtwerkzeug nutzen, um andere zu unterdrücken, dann sollten wir uns nicht wundern, wenn auch wir mit einem Gegner konfrontiert werden, der uns geistig herausfordert, damit wir unser Wissen real belegen müssen. Es gibt genug Menschen, die meinen, ausreichend Wissen zu besitzen, und die nicht bereit sind, sich den Veränderungen des Lebens zu stellen. Sie wollen im wahrsten Sinne des Wortes an allem Althergebrachten festhalten, damit das Leben so bleibt, wie sie es kennen. Nur das dies nicht funktionieren kann, da das Leben nun einmal dynamisch und lebendig ist und die einzige Beständigkeit im Leben in der Veränderung liegt.

Wir sollten lernen, uns zu sortieren, die Erlebnisse in uns abzuspeichern, dort wo sie hingehören. Nur so haben wir eine reale Chance, uns in unserem Leben einzuordnen, also einen festen Platz zu belegen. Das ist unsere Aufgabe - insbesonders für einen Einser-Menschen. Er muss sich immer neu sortieren und somit fortwährend in seinem Inneren aufräumen. Wenn wir das nicht tun, dann haben wir nach kurzer Zeit das Gefühl, dass sich in uns alles dreht. Dann sammeln wir in uns Energien in Verbindung mit vergangenen, gegenwärtigen und zukünftigen Bildern und erleben in uns ein absolutes Gefühls-Wirrwarr. Um diesem Durcheinander entgehen zu können, ist es halt besonders wichtig, immer wieder in sich klar zu werden, was die eine oder andere Sache und Begebenheit für uns zu bedeuten hatte und auch heute noch hat; so können die Erlebnisse und die damit gebündelten Energien verarbeitet und dort in uns abspeichert werden, wo sie hingehören. Menschen, die das nicht tun, leiden meist unter Schlafstörungen, da sich die unerledigten Themen und Probleme gerade in der Nacht wieder bemerkbar machen.

Somit müssen wir immer wieder lernen, uns neu zu sortieren, damit wir in uns Klarheit schaffen. Wenn wir in unserem Geburtsdatum eine Eins vorfinden, dann sollten wir diese besonders gewichten, denn wir haben uns schon vor der Geburt festgelegt, dass wir uns mit viel Wissen und klaren Gedanken beschäftigen wollen, und das sollten wir unter keinen Umständen vergessen.

Doch nun zum Gefühl und somit der Zwei in unserem Geburtsdatum.

Die einfache Zwei

Die Zwei steht für das Gefühl, die Intuition, sie entspricht dem weiblichen Prinzip, ist eine Kopfzahl und dem Planeten Mond zugehörig.

Zweier-Menschen fühlen in alle Bereiche des Lebens hinein und müssen ihrem Gefühl vertrauen. Sie können genau spüren und fühlen, ob dieses oder jenes für sie richtig ist oder nicht. Sie können auch die Energie eines anderen emotional wahrnehmen und erkennen, ob sie sich in einem harmonischen Zustand befindet. Diese Menschen fühlen z.B. in ein Auto hinein und können somit genau feststellen, ob das Auto zu ihnen passt. Wenn sie die in ihnen vorhandene Intuition geschult haben, dann können sie sich absolut auf ihr Gefühl verlassen. Sie spüren die Energie eines anderen auf und vergleichen diese mit ihrer eigenen - ob beide Energien im wahrsten Sinne des Wortes kompatibel sind oder nicht. Ein geschulter Zweier-Mensch ist somit in erster Linie auf emotionale Stimmigkeit ausgerichtet.

Da wir Gefühle nun mal nicht anfassen können, fühlen Zweier-Menschen alles das, was nicht greifbar ist. Dabei können sie alle noch so fein strukturierten Emotionen und Energien der anderen wahrnehmen. Sie können mitfühlen, wie sich etwas anfühlt, sie können sich alles gefühlsmäßig vorstellen, sie können in die erlebten Gefühle eines anderen hineinspüren. Sie wissen, wie es sich anfühlt, wenn... .

Meist sind diese Menschen sehr sensibel und sensitiv. Ihr Problem ist dabei oftmals, dass sie sich nicht abgrenzen können, da sie wie ein Sensor die Emotionen der anderen aufnehmen. Genau das ist es, was sie können. Dabei haben sie die Aufgabe, sich selbst emotional zu verstehen. Zumeist haben sie früher, eventuell auch in anderen Leben, von anderen Verständnis erwartet, das sie sich selbst nicht geben wollten. Doch das funktioniert natürlich nicht. Wir selbst müssen uns verstehen und ein Gespür für uns entwickeln, damit wir unsere tiefen Empfindungen wahrnehmen können. Ein Zweier-Mensch ist somit ein absolut warmer, gefühlsbetonter Mensch, der immer und immer wieder hineinfühlen muss.

Viele Zweier-Menschen haben in der Kindheit unbewusst gelernt, die eigenen Bedürfnisse zu Gunsten der Eltern zurückzustecken, ihnen emotional zu dienen und sie stets nach ihren Bedürfnissen nonverbal abzufragen. Zweier-Kinder tun das besonders gerne. Immerhin möchten alle Kinder, dass es den Eltern gut geht - dann geht es auch ihnen gut. Die Energien gut gelaunter Eltern übertragen sich genauso auf die Kinder wie eine miese Laune, die sich in der gesamten Familie breit macht. Somit werden die Eltern immer wieder unbewusst emotional auf ihre Bedürfnisse abgeklopft, damit das Kind ihnen etwas Gutes tun kann. Das passiert häufiger als man denkt: Viele Menschen und somit auch Eltern tragen eigene, emotional belastende Probleme mit sich. Da die wenigstens von uns gelernt haben, die Themen in sich selbst zu finden, sondern gedanklich die Heilung immer noch gern beim anderen suchen, passiert es uns häufig, dass wir die ähnlich gelagerten Problemthemen im anderen erkennen und uns darüber emotional verstricken. Dadurch übernehmen wir oftmals belastete Energien von anderen und legen diese auf uns selbst. Wir üben somit einen Energietransfer aus, der im Endeffekt für uns nur belastend wirken kann; wir übernehmen dunkle Energien des anderen und geben einen Teil unserer Energien im Austausch wieder ab. Ein Energietransfer passiert somit nie einseitig. Woran Sie feststellen können, ob Ihnen jemand Energien abzieht und Sie mit jemandem energetisch verstrickt sind? Fühlen Sie in sich hinein! Denken Sie gezielt an eine bestimmte Person! Sie werden jetzt in sich spüren, ob Sie allein über das intensive Denken einen Verbund zum anderen finden. Sie senden darüber an den Empfänger eine Nachricht aus. Wenn der Empfänger diese erhält und darauf emotional, sprich - energetisch, antwortet, dann haben Sie beide angedockt und tauschen nun Energien miteinander aus. Überlegen Sie, wie oft Ihnen das passiert?

Ein Zweier-Mensch ist dafür prädestiniert Energien auszutauschen; gerade sie meinen oftmals, die Energien der anderen nachleben zu müssen. Somit docken die meisten Zweier-Kinder schon bei den Eltern an und versuchen, diese emotional zu kopieren. Die meisten Eltern sind so mit sich selbst beschäftigt, dass ihnen meist gar nicht auffällt, dass sie sich über die Energien ihrer Kinder reinigen. Ein kleines Kind hat von Grund auf unbelastete, reine Energien in sich. Erst über das emotionale Andocken anderer

Personen und durch den daraus resultierenden Energieaustausch sowie durch die selbst erlebten Erfahrungswerte werden die kindlichen Energien allmählich grau. Unternehmen wir einmal einen kleinen Abstecher in die Welt der Energie: Jeder Mensch, der älter wird, sammelt eigene Erfahrungen, die er für die Reife seines Lebens braucht, und verbindet sich darüber mit anderen Personen. Wir können das sehr gut erkennen, wenn wir geschlechtsreif werden; gerade durch den sexuellen Austausch bekommen wir den höchsten Energietransfer zu einer anderen Person, den wir erreichen können, der dann wiederum die Partnerschaft verbindet. Jedoch zielt diese Aussage darauf ab, dass beide Partner gleichzeitig zum Orgasmus – zum Energietransfer - kommen sollten, damit die Energien sich in höchster Form verbinden können. Nun wieder zurück zu den emotionalen Zweier-Kindern.

Der Energietransfer zwischen Eltern und Kindern wird auch äußerlich sichtbar, denn Kinder, die sich zu früh und zu stark mit den Energien der Erwachsenen auseinander setzen und diese reinigen, sehen meist sehr blässlich aus. Wenn dies der Fall ist, dann sollte so schnell wie möglich gehandelt werden. Man kann dabei nicht erwarten, dass das Kind den ersten Schritt macht, doch man könnte als Erwachsener im Interesse des Kindes darauf Acht geben, dass das Kind kaum noch belastete Energien von einem anderen empfängt, damit dieser fortwährende Energieaustausch nicht länger stattfinden kann.

Um dies noch einmal zu verdeutlichen: Zweier-Menschen suchen sich andere, die sie emotional kopieren und mit denen sie sich energetisch verbinden, um dadurch einen Energieaustausch vornehmen zu können. Wichtig ist hier noch zu erwähnen: Jeder Mensch, der sich energetisch mit einem anderen einlässt oder auch austauscht, macht dieses allein in der Absicht, dem anderen näher zu kommen, denn diese Menschen sehnen sich nach Nähe. Je mehr sie sich mit dem anderen gedanklich befassen, desto mehr sind sie in seinem Leben vorhanden; sie wollen ihm energetisch besonders nahe sein, und das wiederum können sie nur, wenn sie sich mit ihm emotional verbinden. Somit wollen sie die intensive Nähe und einen tiefen Energieaustausch. Vielleicht werden Sie sich jetzt fragen, ob das die Bestimmung des Zweier-Menschen ist? Nein, natürlich nicht.

Wir alle sehnen uns nach einem Zuhause. Wir wollen das Gefühl haben „Da-sein-zu-dürfen" - diese Lebensberechtigung ist für uns eine absolut wichtige Emotion, die uns am Leben erhält. Menschen, die sich mit Suizidgedanken beschäftigen, denen ist dieses Gefühl absolut fremd; sie sehnen sich grenzenlos nach Geborgenheit und Wärme, nach einem Platz, wo sie „da sein" dürfen. Die Frage stellt sich jetzt nur noch: Wo ist unser Zuhause? Wo dürfen wir einfach da sein?

Unser wahrhaftiges Zuhause ist allein nur in uns zu finden. Wir alle haben einen inneren göttlichen Kern, der aus reiner göttlicher Energie besteht, und dort sind wir zu Hause. Somit müssen wir in uns hineinfühlen, wenn wir das Gefühl von Harmonie und Geborgenheit erlangen wollen. Da viele Menschen jedoch nicht an eine höhere Macht glauben, stellen sie sich gegen ihr inneres Gefühl und lehnen sich somit gegen ihr Gottvertrauen auf. Gerade Zweier-Menschen müssen lernen, sich selbst und ihrem inneren Gefühl zu vertrauen. Das ist ihre Aufgabe. Jeder Mensch, der sich auf sein inneres Gefühl einlässt und sich selbst glauben kann, der weiß genau, was zu ihm passt und was nicht. Jeder, der sich jedoch gegen sein Gottvertrauen auflehnt, der kann kaum ein Gefühl für sich entwickeln, denn er lebt in einer Antihaltung zu seiner Urenergie und muss somit alles doppelt energetisch abklopfen, um überhaupt Entscheidungen treffen zu können. Diese Menschen vertrauen sich selbst nicht und haben Angst, Fehlentscheidungen zu treffen; aus diesem Grunde suchen sie sich oftmals andere Personen, denen sie die Verantwortung auferlegen können, für sie Entscheidungen zu treffen. Doch wer vermag schon zu sagen, was für einen anderen richtig ist und was nicht – vor allen Dingen, wenn diese Personen miteinander emotional verbunden sind? Die wenigsten Menschen kennen sich gegenseitig so gut, dass sie dies voneinander wissen könnten. Meist wissen sie es noch nicht einmal für sich selbst, wie können sie es dann für andere wissen? So klopfen also diese, in sich unsicheren Menschen andere ab, die es noch weniger wissen können als sie selbst, um von ihnen wenigstens das Gefühl vermeintlicher Sicherheit zu erlangen.

Das beste Beispiel dafür sind Menschen, die in Fernseh-Game-Shows als Teilnehmer auftreten und sich offensichtlich selbst nicht vertrauen können, denn sie zweifeln an sich und rätseln, welches „Törchen" sie denn nun öffnen sollen oder nicht. Der verzweifelte Blick wandert dann Hilfe suchend zum Publikum, um den einen oder anderen Tipp zu erhaschen - nach dem Motto: Wie viele schreien für rechts oder für links. Dabei handelt es sich doch nur um ein Spiel - doch der Reiz ist zu groß, und man kann als Zuschauer sehr gut erkennen, wie wenig die Menschen in so einem Augenblick der Entscheidung sich selbst vertrauen. Die Schwierigkeit bei einer eigenverantwortlichen Entscheidung ist, dass derjenige, der sich auf sein Gefühl verlässt und eventuell daneben liegt, sich beim Verlust selbst verzeihen muss, dass er sich „falsch" entschieden hat. Dieses fällt bei Menschen, die auf andere gehört haben, selbstverständlich weg, denn die anderen tragen immerhin einen Teil der Verantwortung mit, und zu mehreren trägt es sich leichter. Wollen Sie wissen, woran es wirklich liegt, ob jemand gewinnt oder nicht? Ganz einfach: Sie müssen sich im Inneren absolut klar sein, dass Ihnen der Gewinn auch zusteht, und dann Ihr trainiertes Gefühl einsetzen. Sie dürfen sich unter keinen Umständen emotional beeinflussen lassen und müssen sich absolut auf sich selbst verlassen, nur so haben Sie eine Chance. Jede noch so gute Intuition nützt Ihnen jedoch wenig, wenn Sie emotional betroffen sind, denn dann vermischen sich Ihre Gefühle mit anderen, und Sie wissen nicht mehr, wonach Sie sich richten sollen, nach rechts oder nach links?

Gerade Zweier-Menschen müssen lernen, sich selbst zu vertrauen, und das können sie nur, wenn sie sich mit sich selbst und somit mit ihrem inneren Licht auseinander setzen. Viele Zweier-Menschen vertrauen sich selbst viel zu wenig und fühlen sich allein und verlassen. Das wiederum lässt sie oftmals an ihrer eigenen Lebenseinstellung zweifeln, und sie wirken dadurch leicht stimmungsschwankend, da sie die Meinung der anderen brauchen, auch wenn sie tief im Inneren wissen, dass sie sich darauf auch nicht verlassen können. Somit sind sie immer wieder auf die Gefühle der anderen angewiesen, was dazu führt, dass diese Menschen kaum eine reale Chance haben, sich in ihrem eigenen Leben wohl zu fühlen.

Damit wir wieder lernen, uns auf unser Gefühl zu verlassen, ist es wichtig, auf die innere Stimme und ihre Aussagen zu hören. Wenn die Zweier-

34

Menschen sich selbst vertrauen, dann wissen sie blind, was ihnen gut tut und was nicht. Somit können gut trainierte Zweier-Menschen sich ein Auto allein durch ihr Gefühl gelenkt kaufen, denn es wird hundertprozentig zu ihnen passen. Glauben Sie das? Probieren Sie es aus: Trainieren Sie sich, und Sie werden sehen, wie leicht Sie Ihr Leben koordinieren können.

Bleiben wir bei dem Beispiel „Autokauf". Erinnern Sie sich noch daran, wie der Nuller- und der Einser-Mensch vorgehen würden? Der Nuller-Mensch geht auf das Auto zu, sieht es, findet es toll, Farbe, Out-Fit etc. und stellt sich vor, wie es sein wird, wenn er damit fährt. Wie schon erwähnt: Er will in einem bestimmten Bereich gesehen werden. Somit kann er sehr schnell überblicken, wie es für ihn wäre, wenn er in diesem Auto fahren würde. Wenn der Nuller-Mensch sich auf seine Sichtweise verlassen kann, dann wird er auch einen guten Griff tun, ohne dass er das Auto auf seinen Zustand hin kontrollieren muss, denn er weiß genau, dass dieses Auto in Ordnung ist. Woher? Er hat es vor seinem inneren Auge gesehen. Er weiß genau, er kann kein Auto fahren, das ihm nicht gefällt, denn dann würde er sich unwohl fühlen.

Der Einser-Mensch hingegen würde alles kontrollieren und wahrscheinlich auch noch darauf achten, ob dieses Auto auch den statistischen Marktwert aufweist. Somit wäre beispielsweise die Autofarbe für ihn bei weitem nicht so wichtig wie Alter oder Laufleistung des Fahrzeugs. Er will ein gutes Produkt mit einem hohen Wiederverkaufswert, und danach wird er das Auto bewerten. Also müssen einige Bereiche für ihn stimmig sein, bevor er das Auto kauft. Er wird somit kaum spontan einem Kauf zustimmen, denn er braucht Bedenkzeit, und die wird er sich im Regelfall nehmen, bevor er sich ganz sicher ist, ob er dieses Auto kaufen möchte. Die Wahrscheinlichkeit, dass er sich erst noch mal bei verschiedenen anderen Händlern erkundigt, ist sehr groß, denn er muss sich absolut sicher sein. Es kann ihm dann passieren, dass ein anderer Kunde derweil zugeschlagen hat, und das Auto ist verkauft. Denn, wenn das Auto einem Nuller oder Zweier Menschen gefällt, dann ist es direkt weg. Diese Menschen warten nicht, sie handeln direkt.

Der Zweier-Mensch trifft auf das Auto, fühlt hinein, spürt die Energien des Autos und entscheidet, ob er will oder nicht, denn er weiß sehr schnell, ob das Auto ihm entspricht. Somit braucht er nicht lange zu warten, um eine Entscheidung zu treffen. Wie das passieren kann? Der Zweier-Mensch vertraut in unserem Fall seiner inneren Stimme, und er spürt schon im Vorfeld, dass ihm ein Auto begegnen wird, und so passiert es auch. Er spürt, welches es sein wird, und wenn er dann vor dem Auto steht, dann weiß er einfach, dass dieses sein Auto ist. Solange er jedoch für ein Auto nur ein leichtes, unsicheres Gefühl empfängt, solange passt dieses Objekt der Begierde nicht hundertprozentig zu ihm, und dann sollte er gut überlegen, ob es sich lohnt. Meist jedoch wird dieses Objekt dann zu Recht abgelehnt, denn es wird etwas anderes, besseres kommen, und das spürt er wiederum daran, dass er weiß, wie es sich anfühlt, vor dem ausgesuchten Objekt zu stehen. So einfach ist das.

Interessant wird das ganze System, wenn mehrere Komponenten zusammentreffen und Sie in Ihrem Geburtsdatum eine Eins, eine Null und sogar eine Zwei haben. Wie sich das anfühlt, werde ich Ihnen in einem späteren Kapitel schildern. Doch nun zu den Aktivitäten im Leben, unserer Handlungsfähigkeit und somit zu der Drei in der Numerologie.

Die einfache Drei

Die Aktivität, die Power, das Durchsetzungsvermögen, der rechte Arm, ist dem männlichen Prinzip zugeordnet, der dazugehörige Planet ist der Mars.

Die Drei steht für die Aktivität und somit für unsere Handlungsfähigkeit. Das heißt, wir können handeln und alles das tun, was wir für richtig und wichtig halten. Wir können Sport treiben, unseren Körper trainieren und uns bewegen. Gerade Dreier-Menschen müssen immer irgendetwas tun, sie sind stets in Bewegung, und die brauchen sie auch. Sie müssen handeln können, und dabei sind sie oftmals ungeduldig, denn es gibt viele Menschen, die nicht so handlungsfähig sind wie sie. Das wiederum ist eine schwere Aufgabe für die Dreier-Menschen, denn sie wissen nicht, wie sie mit anderen, die nicht so schnell und praktisch handeln können, umgehen sollen. Genau darin liegt oftmals ihr Problem: Sie sind einfach in der Lage, viele Dinge leicht und locker zu erledigen, es fällt ihnen nicht schwer, und sie erwarten dasselbe von ihrem Umfeld. Da sie außerdem zumeist von klein auf gewohnt sind, eigenständig zu handeln, meinen sie auch, dass dies automatisch zum Leben dazugehören muss, und rechnen nicht damit, dass andere handlungsunfähig sein könnten. Somit sind sie in der Lage, andere an ihrer Seite einfach zu überrennen, ohne es im geringsten zu bemerken. Sie sind nun mal aktiv, und das müssen sie auch immer sein können.

Würden sich diese Menschen ihre eigene Bewegungsfreiheit nicht erlauben, würden sie automatisch versuchen, andere zu Handlungen zu bewegen, denn auch das ist eine Form der Aktivität, auch wenn diese wohl kaum dauerhaften Erfolg versprechen kann. Die anderen sollen dann das ausüben, was sie sich selbst nicht gestatten. Das heißt, sie treiben andere an, um selbst das Gefühl zu bekommen, etwas getan zu haben, denn sie sind nicht in der Lage, ihre Energien zu bremsen. Stellen wir uns das einmal vor: Wir warten unruhig auf unseren Partner, damit dieser die eigens für ihn aufgestellte Aktivitätenliste abarbeiten kann; die Zeit rast, und er kommt einfach nicht - Unverschämtheit. Können Sie sich vorstellen, wie viel eigene Energien wir für das Warten aufwenden, bis der Partner endlich erscheint und in den passenden Arbeitsrhythmus kommt? Da die Dreier-Menschen nun zudem in ihrem tiefsten Inneren sehr aktiv sind, kann ohnehin kaum ein anderer ihnen die Stange halten und es ihnen recht machen, so dass sie letztlich immer unzufriedener werden. Das hat zur Folge, dass sie sich energetisch gegen die anderen, die es ihnen nicht recht machen können, auflehnen. Das kann so schlimm werden, dass sie nur noch an den Leistungen der anderen herumnörgeln, um ihre eigene Unzufriedenheit kund zu tun. Dann setzen sie ihre wertvollen Energien hauptsächlich nur noch dafür ein, um sich permanent über andere zu ärgern. Wenn ein Dreier-Mensch seine eigene Unzufriedenheit über die anderen lebt, dann ist mit ihm nicht mehr gut „Kirschen-Essen“, denn er ist auf der ständigen Kritiksuche und findet hundertprozentig etwas. Das wiederum ist ein sichtbares Zeichen dafür, dass dieser Mensch seine eigenen Energien gegen sich selbst richtet und sie dabei gleichzeitig staut. Er beschwert sich am liebsten über die Handlungen oder Nicht-Handlungen anderer, darauf hat er seinen Fokus gerichtet. Er sucht letztlich sein eigenes Thema bei anderen und trifft auf die, die den Ärger wiederum brauchen. Somit entsprechen sich beide stets gegenseitig. Der Dreier-Mensch wiederum ärgert sich in Wahrheit aber nur über seine eigene Nicht-Aktivität, die er nur schwer aushalten kann, denn er muss immer etwas tun, er kommt gar nicht daran vorbei. Sollte er zu wenig eigene Aktivität anstreben, dann wird er seine Energien anderweitig entladen müssen, und eine absolut beliebte Form dafür ist halt Wut. Man kann sich Wut so vorstellen, als würde ein Vulkan explodieren und seine Lava herausschleudern. Damit unser Dreier nun einen Grund zum Explodieren hat, braucht er wiederum einen anderen, der ihm auf die Nerven geht und somit auf seine Wutblase Druck ausübt. Somit begibt er sich auf die Suche nach einem passenden Wutempfänger, um seine Unzufriedenheit und somit seine gestaute Energie entladen zu können. Für diesen Zweck sucht er sich allerdings nicht unbedingt einen anderen Dreier-Menschen als Gegenspieler - dafür kann auch jeder andere, der sich auf das Spiel einlassen will, genügen. Der andere – also der Gegenspieler - wird sich zumindest in seinem Inneren so fühlen, als würde er zu wenig tun. Denn immerhin geht es bei diesem sinnlosen Kampf um das Thema der Tatkraft, also der Handlungs- oder nicht Handlungsfähigkeit. In einer Hinsicht ist der Gegenspieler zumindest bequem genug, immerhin stellt er sich als energetischer Prellbock der unzufriedenen Dreier-Person zur Verfügung. Wir sollten jedoch hierbei nicht vergessen, dass beide

Personen sich gegenseitig brauchen werden. Denn spielen können wir immer nur, wenn alle Teilnehmer dazu bereit sind.

Sie werden sich jetzt fragen, wie es denn so weit kommen kann, dass sich ein Dreier-Mensch derart negativ mit anderen beschäftigt. Die Antwort ist ganz einfach, denn alles, was wir machen, entscheiden wir über unseren Kopf, und somit können wir uns sehr wohl mittels Kopfentscheidungen von unserer eigenen Aktivität ablenken lassen. Dieses ist jedoch für den Dreier-Menschen eine absolute Katastrophe; wenn sich dieser Mensch nicht selbst erlaubt, aktiv zu sein, dann wird er sein Energiepotenzial auf eine andere Person legen, und dann kann genau das passieren, was ich oben beschrieben habe.

Tatsache ist, dass Dreier-Menschen immer aktiv sein müssen, denn sie brauchen die Aktivität und das Gefühl, handeln zu können. Somit brauchen sie auch immer das Gefühl, etwas tun zu können. Dreier-Menschen liegen überhaupt nicht gerne krank im Bett; gerade dann haben sie das Gefühl, eben nichts tun zu können, und ihre Energien würden sich nur negativ auf ihren Körper legen. Also, sollten diese Menschen das Bedürfnis haben, etwas tun zu wollen, dann sollten sie sich nicht daran hindern lassen.

Dreier-Menschen sind jedoch oftmals so aktiv, dass man das Gefühl bekommen könnte, von ihrer Aktivität überrollt zu werden. Viele Dreier haben die Begabung, durch ihre permanente Aktivität andere Personen in ihrer Umgebung nervös zu machen. Denn ein Dreier muss einfach immer etwas tun und kann kaum ruhig sitzen bleiben. Das kann natürlich dem einen oder anderen ganz schön auf die Nerven gehen. In der Arbeitswelt ist ein Dreier-Mensch auf der einen Seite ein guter und aktiver Arbeitnehmer, doch auf der anderen Seite kann er die anderen Mitarbeiter und somit das Arbeitsklima mit seiner beweglichen Art ganz schön unruhig machen.

Ein Dreier-Mensch lässt sich nicht gerne blockieren. Er braucht Freiraum, damit er das tun kann, was er tun will. Im Klartext: Er lässt sich nicht aufhalten, und sollte ihm trotzdem einer in die Quere kommen, dann kann es sein, dass der Dreier-Mensch ihn überrennt, ohne es bemerkt zu haben.

Der Makel an der ganzen Sache: Er fragt nicht, welchen Lohn er bekommt. Ein Dreier-Mensch ist einfach aktiv, muss jedoch bei weitem nicht darauf achten, welchen materiellen Ausgleich er für die mühevolle Arbeit erhält, er ist überhaupt nicht auf Profit aus. Hauptsache, er hat etwas zu tun. Somit entfällt die Frage, was der Lohn seiner Arbeit ist. Dreier-Menschen ist das jedoch nicht bewusst, deswegen kann es sehr wohl sein, dass sie gar nicht mitbekommen, wie sie sich für andere aufopfern und sich teilweise sogar ausnutzen lassen. Immerhin brauchen sie die Aktivität in erster Linie für sich selbst. So gibt es Dreier-Menschen, die permanent irgend etwas tun müssen, egal was - Hauptsache in Bewegung. Gerade auch in Partnerschaften kann es sehr wohl sein, dass diese Menschen immer in Bewegung sind, damit sie das Familienleben kompensieren können, denn es fällt ihnen zumeist schwer, innezuhalten und zu genießen. Somit müssen die ausgeführten Arbeiten eines Dreier-Menschen auch nicht immer Sinn machen.

Am besten ist es für einen Dreier, sich mit Sport zu beschäftigen. Das hat den Vorteil, dass er seine eigenen Energien sinnvoll einsetzen kann. Wenn er dann energetisch ausgeglichen ist, kann er sogar nach dem Lohn fragen. Doch muss der Dreier sich besonders vor faulen Menschen in Acht nehmen! Es gibt einige Menschen, die eher langsam und gemächlich ihren Lebensweg beschreiten, ohne sich dessen bewusst zu sein. Diese Menschen suchen dann gerne wiederum aktive Personen, damit diese für sie mitarbeiten, ohne ihnen hier eine bewusst berechnende Art unterstellen zu wollen. Einen Partner zu haben, dem die Arbeit schnell von der Hand geht und der garantiert alles wieder in Ordnung bringt, macht es sehr einfach, denn man kann so tun, als ob man helfen würde, ohne wirklich etwas zu machen. Einem aktiven Dreier-Menschen wird dies erst sehr spät auffallen.

Rein spirituell gesehen bedeutet die Möglichkeit der Eigenaktivität auch die Chance, die eigenen Fäden des Lebens in den Händen zu halten. Und genau darum geht es. Immer noch viel zu viele Menschen glauben daran, dass sie selbst nicht handlungsfähig sind und somit andere brauchen, die sich um sie und ihre Belange kümmern müssen. Sie glauben, dass sie ihr Leben ohne einen anderen nicht schaffen können. Wenn das wirklich so wäre, dann wären wir alleine gar nicht lebensfähig. Doch genau hier liegt der

Fehlgedanke: Wir alle sind alleine lebensfähig; auch unser Körper braucht keinen anderen, um zu leben. Höchstens um das Leben zu erschaffen, dafür brauchen wir eine Mutter, die uns ihren Körper zur Verfügung stellt und einen Vater, der den notwendigen Samen spendet. Dann brauchen wir nur noch liebevolle Eltern, die sich um uns kümmern und uns somit die Möglichkeit gewähren, uns selbst zu entwickeln. Doch unser Körper ist autark und sorgt selbst dafür, dass er sich am Leben erhält. Wenn das so ist, warum sollten wir dann einen anderen für unsere Seele brauchen?

Die beste Lösung eines Problems ist es, handlungsfähig zu werden. Sich also selbst zu fragen: Was kann ich tun? Solange ich erwarte, dass mein Partner oder eine andere Person diesen Job übernimmt, solange bin ich ausgeliefert, denn wir warten auf die Handlung des anderen. Da die meisten in so einem Fall gerne trotzig miteinander umgehen, können sie schließlich warten, bis sie schwarz werden oder anders gesagt, bis sich ihre eigene Energie immer mehr verdunkelt hat. Erst, wenn wir verstehen, dass nur wir selbst in unserem Leben handlungsfähig sind, können wir uns so entwickeln, wie wir das brauchen, dann sind wir der Realität entsprechend frei.

Doch was nützt all die Aktivität, wenn wir nicht wissen, für welches Glück oder für welche Emotion wir uns abrackern, und damit sind wir schon bei der Zahl Vier.

Die einfache Vier

Das Glücksempfinden, das Gefühl für sich selbst, die innere Verarbeitung, der innere Heiler, entspricht dem weiblichen Prinzip, ist dem Planeten Jupiter zugeordnet.

Die Vier steht für das innere Glücksempfinden. Was ist denn eigentlich Glück? Jeder kann Glück nur für sich selbst definieren. Es handelt sich um eine Empfindung, in der wir uns rund und harmonisch fühlen. Man könnte es so beschreiben, als würden alle Energieanteile in uns miteinander in Harmonie sein, als würden wir in uns „heile" sein. Dieses Gefühl erleben wir immer mal wieder und zwar dann, wenn wir uns in uns harmonisch und komplett fühlen. Doch wann erleben wir dieses Gefühl? Für jeden ist das anders, doch viele fühlen dieses glückliche Ganz-sein beispielsweise in einer beginnenden Partnerschaft. Was passiert hier? Wir sind polar und tragen somit verschiedene Persönlichkeitsanteile in uns. Wenn sich diese Teilkomponenten in uns verbinden, dann fühlen wir uns in unserer Mitte, in unserer Einheit. Da wir uns jedoch meist gar nicht bewusst sind, dass wir uns selbst mit uns verbinden müssen, erleben wir zumeist diese Emotionen über Verbindungen zu anderen Menschen.

Doch kein Mensch der Welt vermag uns zu unserer inneren Komplexität und Ganzheit zu verhelfen, das können wir nur selbst. Gerade dafür ist es wichtig, dass wir uns mit uns selbst beschäftigen, was allerdings den meisten Menschen schwer fällt, da sie es noch nie erfahren haben. Dann meinen wir oftmals, die anderen zu brauchen, die uns unseren inneren Weg zeigen, die uns helfen, uns zu erinnern, wie es ist, glücklich zu sein. Denn dieses Gefühl braucht jeder. Immer wieder müssen wir uns daran erinnern, wie es ist, dieses lebendige Gefühl in uns zu spüren. Gerade ein neuer Partner kann einem dieses Gefühl wieder nach vorne ins Bewusstsein bringen. Wie das funktioniert? Ganz einfach, wir selbst haben männliche wie weibliche Anteile in uns, doch meist leben wir nur mit einem dieser polaren Anteile in Harmonie. Diese beliebte Seite gewichten wir, und die andere versuchen wir stetig zu unterdrücken. Zu merken ist das daran, dass wir uns gerne über das andere Geschlecht in der Außenwelt und somit über den anderen Anteil in uns – gespiegelt durch unseren Partner - beklagen, doch tief im Inneren beklagen wir uns nur über uns selbst und mehr nicht. Die unterdrückten Anteile in uns klagen über die anderen, die Unterdrücker. Das bedeutet, solange wir uns über einen anderen beklagen, solange klagen wir in uns uns selbst an. Die Frage stellt sich dann nur noch, wer über wen klagt und warum?

Die energetischen Komponenten, die wir an uns lieben, das sind unsere Lieblingskinder, mit denen wir uns am liebsten auseinander setzen. Die anderen jedoch, die wir nicht sehen wollen, die setzen alles daran, um genauso gesehen und gewichtet zu werden wie unsere Lieblingskinder. Wir können nichts, was in uns ist, einfach unterdrücken, und somit bahnen sich die ungeliebten, dunklen Seiten ihren Weg, um an die Oberfläche zu gelangen. Damit das System funktionieren kann, brauchen wir eine äußere Person, mit der wir genau diese Bereiche leben können.

Das sieht dann so aus: Wir treffen auf den vermeintlich passenden Partner, und wir beginnen eine Partnerschaft. Da wir alle den Naturgesetzen unterliegen, müssen wir uns diesem unwiderruflichen Urprinzip stellen und uns für einen Partner öffnen; das ist eine Aufgabe, der wir Folge leisten müssen. Nach diesem Prinzip werden wir uns einem anderen Menschen öffnen, egal ob es sich dabei nun um eine Mann-Frau-Beziehung, gleichgeschlechtliche Beziehung oder eine nicht sexuell gelebte Partnerschaft zu einer anderen, innig geliebten Person handelt. Wir haben keine andere Wahl, denn wir müssen lernen, uns in unserem Inneren wie auch im Äußeren zu verbinden, damit wir zum einen unserer Aufgabe, zum anderen auch der Urverpflichtung, uns zu vermehren, gerecht werden. Die Verpflichtung der Vermehrung bezieht sich hier wirklich auf das „Kinderkriegen", denn wir müssen auch anderen Seelen die Möglichkeit gewähren, einen Körper zu erhalten, sowie auch wir selbst diese Möglichkeit in Anspruch genommen haben. Wir müssen jedoch nicht in jedem Leben Kinder bekommen, doch sollten wir darüber nachdenken, was unsere Aufgabe ist. Woran wir feststellen können, ob das in unserem Leben eine wichtige Rolle spielt. Die Antwort hierauf ist einfach: Fühlen Sie in sich hinein, und Sie werden, gelenkt durch Ihr inneres Licht, Ihre Antwort erhalten.

Wenn wir uns nun verlieben, dann öffnen wir uns emotional dem anderen „Geschlecht". Ein Urgesetz lautet: Wie innen - so auch außen und umgekehrt, was heißt, dass wir uns nicht nur dem Partner öffnen, sondern gerade auch uns selbst. Somit öffnen wir uns in unserem Inneren für den anderen Part in uns, den anderen Partner, die polare Energie, sonst könnten wir keine Form von Partnerschaft im Außen leben. Das heißt aber auch, dass wir mit Anteilen in uns konfrontiert werden, mit denen wir uns im Grunde genommen gar nicht auseinander setzen wollten. Doch genau diese Themenbereiche kommen jetzt nach oben und wollen gelebt werden. Und somit kommt oftmals nach dem Hochgefühl die tiefe Trauer, meist gepaart mit gestauter Energie, also Wut. Diese Wut verlagert sich zumeist auf den Partner, doch gerade der kann doch gar nichts dafür. Der Partner spiegelt nur die inneren Themen, die sowieso schon in uns vorhanden sind. Viele verstehen das jedoch nicht und trennen sich im Extremfall von dem Partner, um den es hierbei eigentlich gar nicht geht. Dabei sollten wir nicht vergessen, dass auch der Partner eine ähnliche Thematik in sich tragen wird und sich somit genauso durch seine wach gewordenen Energieanteile belästigt fühlt, wie wir selbst auch.

So gelangen wir also über die Thematik „Partnerschaft" an unsere eigenen inneren Anteile, mit denen wir nicht besonders viel zu tun haben wollen. Damit wir lernen, wieder zu unserer inneren Einheit zu finden, brauchen wir Partner, die uns an unser Gefühl heranführen. Und damit wir überhaupt freiwillig bereit sind, uns mit unseren tiefen – oftmals belasteten - Liebesgefühlen auseinanderzusetzen, bekommen wir zu Beginn einer Partnerschaft die Belohnung, das Sahnebonbon, damit wir nicht vergessen, wie es sich anfühlt, wenn wir glücklich sind. Die meisten Menschen suchen lange nach diesen so lebensnotwendigen Emotionen, ohne einen wirklichen Erfolg zu verspüren, denn sie suchen im Außen, bei anderen, in der Hoffnung, endlich den wahren Überbringer zu finden. Es ist heutzutage mehr und mehr die Regel, die eigenen Probleme beim Partner zu suchen statt bei sich selbst, und natürlich werden wir da auch immer wieder schnell fündig. Dann trennen wir uns oftmals wieder viel zu schnell und auch viel zu früh, um einen „besseren" Partner und unser Glück erneut zu suchen, das Alte hat wohl nicht funktioniert. Wir befinden uns heute in einer Wegwerfgesellschaft, und wir sind es gewohnt, uns der Sachen, die wir nicht mehr brauchen, zu entledigen. Warum dann nicht auch in der Partnerschaft? Wenn wir so oberflächlich mit uns und unseren Mitmenschen umgehen, dann müssen wir uns nicht wundern, wenn wir selbst keinen Partner finden, der uns ernst nehmen möchte. Es gibt keinen Partner, der uns glücklich machen kann, das können wir nur selbst, und das sollten wir nie vergessen.

Solange wir nicht bereit sind, uns mit uns selbst und mit unseren eigenen Aufgaben in Bezug auf die innere Partnerschaftsthematik auseinanderzusetzen, solange werden wir immer nur Probleme und Themen in unserem Gegenüber finden. Wenn wir wirklich Partnerschaft leben wollen, dann müssen wir lernen, uns mit uns selbst auseinanderzusetzen und den Partner nicht mehr als Erfüllungsgehilfen oder Glücksbringer zu benutzen; nur so haben wir überhaupt eine Chance, einen Partner in seiner Individualität zu erkennen und auch wirklich Partnerschaft mit ihm zu leben.

Doch nach diesem wichtigen Exkurs nun zurück zum Vierer-Menschen. Hier ist es notwendig zu unterscheiden und darauf hinzuweisen, dass die Sechs in der Numerologie das Thema der Partnerschaft beinhaltet, wie wir später noch sehen werden; die Vier hingegen steht viel mehr für das innere Glücksgefühl wie auch für die innere Harmonie. Sie steht somit in besonderem Maße für den inneren Heiler, der dazu da ist, dass wir uns im Inneren immer wieder klären und entstandene Disharmonien ausgleichen. Somit muss der Vierer-Mensch sich mit seinem inneren Heiler in Verbindung mit seinem inneren Licht leben, das heißt, er muss sich im Besonderen von seinem inneren Licht führen lassen, dann ist er glücklich und zufrieden, und nichts in seinem Leben kann ihn mehr aus seiner Lebensbahn werfen.

Viele Menschen leben jedoch den inneren Heiler viel lieber über andere aus - nach dem Motto: Wenn ich anderen helfe, dann können diese mir auch wiederum helfen, eine Hand wäscht die andere - doch diese Hilfe kann keinem etwas nützen. Wir können uns nur selbst helfen, und genau dafür haben wir diesen Energieanteil in uns, der uns dabei behilflich ist, unser inneres Glück zu finden. Dann sind wir in der Lage, mit unserem Glücksempfinden andere anzustecken, die uns dann als Spiegel wiederum ein glückliches Gefühl entgegenbringen werden. Eine Partnerschaft, in der jeder mit sich selbst glücklich ist, wird somit eine erfüllte Partnerschaftsebene in der Zweierbeziehung darstellen. Also, wenn wir glücklich leben wollen, dann nur, wenn wir es im eigenen Inneren wirklich wollen und können, alles andere wäre ein Bemogeln unserer eigenen Persönlichkeit. Und wer will das schon bewusst tun?

Vierer-Menschen müssen lernen, sich mit sich selbst immer wieder zu beschäftigen und auf diesem Weg erlebte Problemthemen zu bearbeiten. Das heißt, sie müssen negative Erlebnisse verstehen und diese entsprechend im Inneren wandeln, damit sich nicht immer wieder belastende Energien ins Bewusstsein vordrängen, um den Menschen an seiner eigenen Entwicklung zu hindern. Hier hilft der innere Heiler, uns zu uns selbst zu führen und uns mit den erlebten Themen zu versöhnen.

Ein Vierer-Mensch hat die Aufgabe sich auszuheilen, um endlich glücklich zu sein. Doch der Glaube an sich selbst ist nicht einfach, zumal die Gesellschaft der inneren Therapie immer noch mit vollem Misstrauen gegenübersteht. Somit suchen nach wie vor viele Menschen die Hilfe, also die Gesundung von Körper, Seele und Geist, allein bei anderen, die sie für kompetenter halten, als sich selbst. Doch allein der innere Heiler gelangt immer wieder nach vorne ins Bewusstsein, um die Person auf ihre Problemthemen hinzuweisen – das ist seine Energie. Voller Angst und Selbstzweifel versuchen viele Menschen daraufhin dieses unangenehme, immer wieder auftretende Gefühl durch Alkohol oder andere Suchtmittel abzutöten, damit die Stimme des Heilers endlich Ruhe gibt. Das ist eine häufig anzutreffende Abwehr bei Vierer-Menschen. So kann sich ein süchtiger Vierer-Mensch, der sich gegen diese Aufgabe stellt, auch nur von seiner Sucht befreien, wenn er die Mütze am Zipfel packt und sich mit dem, was in ihm ist und zu Wort kommen will, auseinander setzt; das ist seine einzige Chance, sich von der Sucht und somit der permanenten Suche zu befreien. Er muss herausfinden, warum er mit der Sucht angefangen hat, und vor allen Dingen, welche Problemsituation er durch das Suchtmittel zu kompensieren versucht.

Ganz anders ein Fünfer-Mensch. Er bleibt sich selbst, seiner eigenen Verbindung und Verbindlichkeit treu.

Die einfache Fünf

Die Fünf steht für die Stabilität, die äußere und somit auch materialisierte Sicherheit, die Treue, das rechte Standbein, das Lebensschicksal, sie entspricht der männlichen Energie und ist dem Planeten Saturn zugeordnet.

Ein Fünfer-Mensch braucht seine Sicherheit. Er muss den Boden unter seinen Füßen spüren, genauso wie er sich gerne an festen Dogmen und Prinzipien festhält. Er muss wissen, wo er steht und was auf ihn zukommt. Er braucht die Gewohnheit, die klare Struktur, das Gefühl der Verbindlichkeit, die Sicherheit im Absoluten. Ohne seine gewohnte Sicherheit, fühlt er sich unwohl und weiß nicht mehr, wo er ansetzen soll. Somit muss er sich ganz besonders auf vertraute Personen verlassen können. Er braucht die für ihn „sichtbare" Sicherheit, dass die anderen ihre gewohnte Rolle nicht zu schnell verlassen, ebenso wie er Zeit braucht, um eine andere, ihm noch fremde Person, in sein System einsortieren zu können. Er ist nicht der Schnellste, denn er hat immer wieder Angst, Fehler zu machen, und gerade das hindert ihn enorm an seiner Beweglichkeit. Er investiert grundsätzlich keine Energien, wenn er nicht vorher weiß, was er definitiv zurückbekommt. Auch hier braucht er immer seine Sicherheit, damit er von vornherein weiß, was er ernten kann und auch wird.

Ein Fünfer-Mensch wirkt auf die meisten sicher, denn er strahlt diese Sicherheit auch bewusst aus; er verbreitet das Gefühl, dass er sich offenbar in seinem Inneren absolut sicher ist - der Fels in der Brandung. Das muss realistisch betrachtet natürlich nicht ganz stimmen. Tief im Inneren ist ein Fünfer-Mensch gerne unsicher und strahlt trotzdem Sicherheit aus. Je mehr Menschen an ihn glauben, desto sicherer wird er sich fühlen. Als Gegenleistung übernimmt er gerne Verantwortung für andere, es macht ihn stolz und sicher, wenn andere auf ihn bauen, sich auf ihn verlassen, gleichzeitig jedoch wird ihm diese Übernahme wieder zur Last fallen und ihn noch unbeweglicher machen, als er eh schon ist. Da er allerdings kaum Veränderungen liebt, wird er alles tun, damit diese Last keinem bewusst auffällt. So kann er sich kaum einer Person entziehen, die er emotional trägt und die sich energetisch auf ihn verlässt, selbst wenn er das Gefühl hat, überfordert zu sein.

Fünfer-Menschen können träge sein, denn sie mögen keine großen Veränderungen, das ist ihnen alles viel zu viel. Sie halten am Althergebrachten fest und meinen, dass ihr Leben immer so weiter gehen müsste. Jede noch so kleine Abweichung von inneren wie auch äußeren Lebenswegen wird dann mit Argwohn betrachtet, denn eine Veränderung bedeutet umdenken, und das verursacht dem Fünfer Kopfschmerzen. Er hat die fortwährende Angst, dass sich sein Leben aus den Fugen hebt und er dann nicht mehr genau weiß, wo er steht, wo sein fester Platz im Leben ist. Da er gerne aus emotionalen Abhängigkeiten zu anderen Menschen heraus sein eigenes Leben aufbaut, braucht er somit den festen Platz in der Gesellschaft; er wird öfter darüber nachdenken, wie die anderen ihn sehen; er braucht das Umfeld, um zu wissen, wo er steht. Damit er energetisch genug Unterstützung erhält, sucht er sich gerne Menschen, die an ihn glauben, damit er selbst an sich glauben kann. Von diesen Menschen erwartet er dann, dass sie sich besonders liebevoll um ihn kümmern und bedingungslos an ihn glauben.

Partnerschaft zu leben, ist somit für einen Fünfer-Menschen sehr wichtig, doch der Partner darf nicht zu viel Eigendynamik in sein Leben bringen. Auf der einen Seite fasziniert es den Fünfer-Menschen, wenn er auf einen Menschen trifft, der im Inneren viel Halt hat und sich lebt, auf der anderen Seite bedeutet gerade das für ihn Unsicherheit. Er fühlt sich emotional schnell ausgeliefert, wenn eine in seiner Nähe lebende Person sich einfach mal eben so, weil ihr danach ist, ein wenig wandelt und dadurch eigenmächtige Entscheidungen trifft. Zwangsläufig werden diese Entscheidungen auch seine Person mit betreffen, und gerade damit kommt er nicht so einfach klar. Er braucht das Gefühl, immer die Kontrolle zu haben, und deshalb ist es für ihn so schwierig, die Individualität einer anderen Person anzuerkennen. Er fühlt sich ausgesprochen schnell emotional angegriffen, obwohl kein äußerer Angriff gegen ihn gestartet wurde.

Stellen wir uns vor, ein Fünfer-Mensch geht eine Partnerschaft ein. Anfangs meint er zu wissen, wie die von ihm auserwählte Person ist, welche Charaktereigenschaften sie besitzt. Er beobachtet den Partner und glaubt nach kurzer Zeit, genau zu wissen, warum dieser Mensch bestimmte Handlungen vollzieht. Er glaubt, die für ihn sichtbar gewordenen Abläufe zu kennen. Das heißt, er hat seines Erachtens einen Partner gewählt, den er sehr leicht einordnen kann. Nun geht er davon aus, dass der auserwählte Partner auch weiterhin so bleibt, wie er ihn sieht, denn er ist gewillt, sich auf diese Beziehung emotional einzulassen. Da das Leben jedoch dynamisch ist und jeder sich entwickeln muss, springt sein Partner nach einiger Zeit aus dem vorgegebenen Rahmen heraus. Natürlich kann der Partner nicht persönlich aus dem Rahmen springen, jedoch wird unser Fünfer-Mensch dieses so empfinden. Jede noch so kleine Wandlung bedeutet für ihn: umdenken. Solange er über den Partner nachdenkt, solange ist er mit ihm beschäftigt, ihn gedanklich wieder in sein Schubladensystem zu pressen. Gelingt ihm das jedoch nicht so einfach, wie er sich das gedacht hat, dann kann unser Fünfer-Mensch ganz schön sauer werden. Er fühlt sich dann durch die Wandlung und den damit verbundenen Kontrollverlust in seiner eigenen Handlungsweise eingeschränkt. Sollte er dann nicht verstanden haben, dass es keinen Menschen auf der Welt gibt, der ihn einschränken kann, dann kann es sehr wohl sein, dass er nicht mehr weiß, wie er vorgehen soll. Er fühlt sich innerlich absolut bedrängt und aus seiner Bahn geworfen. Natürlich bedrängen ihn bloß seine eigenen Themen, doch das wissen die wenigsten in so einem Moment. In unserem Fall haben wir es dann mit einem Sturkopf zu tun, der meint, seinen einst vertrauen Partner wieder ändern zu müssen.

Ein Fünfer-Mensch kann sehr stur und starr sein und zwar immer dann, wenn er das Gefühl hat, irgendein anderer, der ihm wichtig ist, hat etwas gegen ihn. Dann schaltet er um und erstarrt. Als Partner bekommt man dann sehr leicht das Gefühl, gegen eine Wand zu prallen. Natürlich ist das Absicht, denn ein Fünfer-Mensch braucht die Aufmerksamkeit. Bewegt ein sturer Fünfer sich selbst zu wenig, dann wird er nach einer Weile sehr träge wirken, er ist dann mehr darauf bedacht, die Menschen in seiner Nähe in ihrer Freiheit einzuengen, als sich selbst seinem eigenen Lebensrhythmus anzupassen und Spaß am Leben zu haben. Der Grund dafür: Er fühlt sich in sich und ist auch durch sich selbst eingeengt. Somit kann es passieren, dass ein Fünfer-Mensch so stark auf seinen Partner fixiert ist, dass dieser kaum noch Luft zum Atmen bekommt. Wenn wir uns das vor Augen halten und daran denken, dass es hier letztlich nur um das Thema der Unsicherheit geht, dann dürfte uns jetzt schon klar sein, dass diese Menschen lernen müssen, sich absolut selbst zu vertrauen und sich ihrer eigenen inneren Stabilität sicher zu werden.

In unserem Beispiel wird der Partner dann zum Unsicherheitsfaktor auserkoren und einer ständigen Beobachtung unterzogen, denn jede noch so kleine Wandlung bedeutet für den Fünfer Gefahr. So wird er alles tun, damit der Partner keine Kraft mehr hat, stark zu sein, um sich verändern zu können. Im extremsten Fall würde unser Fünfer sogar zum Energie-Vampir mutieren, um sein Opfer immer mehr und effektiver unterdrücken zu können. Es hört sich schrecklich an, ist jedoch leider keine Seltenheit.

Sie werden sich bestimmt fragen, was denn die Aufgabe des Fünfer-Menschen ist? Die wichtigste Aufgabe in seinem Leben ist: Zu erkennen, dass das Leben dynamisch und beweglich ist und dass nur über diese fortwährende Evolution eine Möglichkeit der Weiterentwicklung für alle Lebewesen gegeben ist. Somit muss er sich in den Fluss und somit in die Energien des Lebens hineinbegeben, damit auch er lernen kann. Denn tief im Inneren ist er dafür viel zu bequem. Er möchte lieber festhalten, als loszulassen. Doch genau das ist der Punkt. Er muss lernen, sich innerlich sicher zu sein und diese Sicherheit im Außen manifestiert zu leben.

Wir alle haben einen bestimmten Schicksalsweg als Lernaufgabe für dieses Leben erhalten. Bevor wir in dieses Leben inkarniert sind, haben wir uns vorgenommen, bestimmte Lebensbereiche zu erfahren und zu erlernen. Somit brauchen wir die Begegnungen im Außen wie im Innen, damit wir unsere Erfahrungen sammeln können. Der Planet Saturn steht genau für diese Thematik, denn er engt die Lebensenergie der Menschen ein, damit sie durch ihren teilweise sehr eng angelegten Karmakanal durchschlüpfen können. Wir alle erhalten die für uns passenden astrologischen Konstellationen, damit wir für unser Leben alles das bekommen, was wir brauchen. Gerade der Planet Saturn steht als Lernplanet und bringt uns bei, wie wir mit Geduld und zielgerichteter Energie unseren Lebensweg beschreiten müssen. Somit bekommt jeder Mensch seine Themen zu spüren, damit er sie auch erkennen kann. Ein Fünfer-Mensch muss insbesondere lernen, sich dem Leben zu fügen und mit einer inneren Festigkeit sein Leben zu meistern. Nur wenn er wirklich bereit ist, die Gesetze des Kosmos zu akzeptieren, dann hat er eine reale Chance, mit Stabilität sein Leben so zu gestalten, wie er es möchte. Er ist dann ein erfahrener, aufrichtiger Mensch, der sich den Themen des Lebens stellt und sich genau um die Belange kümmert, die anstehen.

Damit ein Fünfer-Mensch lernt, flexibel zu werden, braucht er andere Menschen, die ihn auf diesem Weg begleiten. Ein Partner, den er anders eingeschätzt hat und der sich dann im Laufe der Zeit als ein wenig flippig, also als sehr dynamisch herausstellt, ist ideal dafür. So muss der Fünfer-Mensch lernen, beweglich zu werden und sich den Aufgaben seines Lebens zu stellen. Meist sind diese Menschen jedoch viel zu ängstlich, sich auf die lebendigen Bereiche des Lebens einzulassen. Doch sie müssen es lernen; ihre Angst werden sie erst verlieren, wenn sie bereit sind, ein Risiko einzugehen. Denn wer außer den kosmischen Gesetzen vermag schon vorher zu sagen, was auf uns individuell zukommen wird. Keiner, nur die Wahrheit in uns selbst, und deshalb sollten wir uns auf die Themen des Lebens einlassen, damit wir uns selbst leben und auch finden können.

Wenden wir uns nun den schönen Partnerschaftsseiten in uns zu - der Liebe und Sexualität und damit der Zahl Sechs in der Numerologie.

Die einfache Sechs

Die Sechs steht für die Liebe, die Sexualität, für den Genuss, die schönen Dinge des Lebens, die Kreativität, die Sexualorgane, sie entspricht dem weiblichen Prinzip und ist dem Planeten Venus zugeordnet.

Sechser-Menschen müssen genießen können. Sie brauchen das Gefühl von Harmonie, von einer schönen Atmosphäre. Es muss alles passend sein, sonst fehlt ihnen etwas. Tief im Inneren versuchen sie die perfekte Harmonie zu finden, und sie tun oftmals sehr viel dafür, um dies erleben zu können. Sie müssen Partnerschaft leben, denn sie müssen sich einlassen, sie können nicht alleine bleiben. Sie müssen einen anderen Menschen energetisch tief spüren können, der ihnen dann wiederum das Gefühl von Liebe, Harmonie und Anerkennung entgegenbringt. Ihre Aufgabe ist jedoch die Eigenliebe! Doch die meisten wissen das nicht und sind stets auf der Suche nach Liebe im Außen (siehe auch Ausführungen über die Vier, im Zusammenhang mit Glückserwartung in der Partnerschaft).

So passiert es oftmals einem Sechser-Menschen, dass er viel Energie dafür aufwendet, um mit anderen die ersehnte Harmonie leben zu können. Sechser-Menschen neigen auch zur Sucht, zur süchtigen Suche nach Liebe und Harmonie. Sie entwickeln sich zumindest gerne zu Harmoniesüchtigen und geben viel dafür, dem anderen zu gefallen. Je mehr diese Menschen sich dabei von ihrer eigenen Kreativität entfernen, desto mehr brauchen sie das Gefühl, durch andere Menschen kreativ leben zu können. Das bedeutet, dass der sonst so lebenslustige Sechser-Typ seine ganze Kraft in eine andere Person investiert und meint, diesen zu brauchen, damit er seine eigene Kreativität und Liebesfähigkeit über den Spiegel des anderen erfährt.

Die negativste Form des Sechser-Typen ist es, sich eindeutig auf andere so weit einzulassen, dass er fast im emotionalen Schattenbereich des anderen lebt. Um sich dann selbst wieder zu spüren, muss er versuchen, alle Emotionen des anderen zu erhaschen, denn das vermittelt ihm wiederum das Gefühl von vermeintlicher Lebendigkeit und Lebensfreude. Somit finden wir bei unserem Sechser-Typ oftmals das zwanghafte Verhalten, sich anderen absolut anzupassen und die eigenen Bedürfnisse unter den Scheffel zu stellen. Dies passiert jedoch nie ohne Eigennutz, denn den hat er schon, wenn ein anderer von ihm abhängig geworden ist. Dann ist er unentbehrlich und das gesponnene Netz zieht sich langsam immer mehr und mehr zu. Der andere kann ihm nicht mehr entweichen, und er wird alles dafür tun, damit das auch so bleibt. Die Angst seines Gegenübers wird enorm groß sein, denn immerhin möchte keiner einem anderen eine Besitzurkunde über die eigene Person überreichen; auch wenn das Ehedokument/die Heiratsurkunde hier ähnliche Gedanken zu erzeugen vermag, so heißt dies noch lange nicht, dass die Besitzrechte dadurch gewandelt werden. Immerhin gehört sich nur jeder selbst, und so muss es auch für alle Zeiten bleiben.

Das Hauptproblem des Sechser ist die Eigenliebe. Viele lieben sich selbst zu wenig und tun dann alles dafür, damit andere sie lieben, um wenigstens ein bisschen Liebesenergie zu bekommen. Durch die Liebe des anderen/des Partners spüren sie dann letztlich ihre eigene Liebesenergie, die dadurch zum Leben erweckt wird. Das wiederum ist für Sechser besonders wichtig und schön, doch zumeist verbinden sie dieses tiefe Gefühlserleben mit dem anderen, der es allerdings nur in ihnen ausgelöst hat; darum können sie auch schwer wieder loslassen; sie geraten dann oftmals in einen inneren Zwang, dem anderen immer wieder Liebesgefühle entlocken zu müssen. Leider wissen sie nicht, dass der Partner lediglich ihre eigenen, tief in ihrem Inneren schlummernden Gefühle hervorgeholt hat und mehr nicht. All die aufgebauten inneren Eisberge und die dann durch Liebesgefühle dahinschmelzenden Energien kommen nicht vom Partner - der kann sie lediglich nur in uns auslösen, nein – sie kommen von uns selbst, denn wir alleine bringen das Eis zum Schmelzen. Das heißt, gerade der Sechser-Mensch trägt diese tiefen Liebesgefühle in sich und muss lernen, sich ihrer wieder bewusst zu werden, um sie dann im alltäglichen Leben zu nutzen; er muss sich sozusagen wieder an seine eigene Liebesenergiequelle anschließen - das macht ihn frei und unabhängig.

Erst wenn diese Menschen lernen, sich selbst zu lieben, dann können sie auch genießen und sich auf die Menschen einlassen, die ihnen gut tun. Da jedoch viele Menschen nicht gelernt haben, sich selbst zu lieben, ist es

54

nicht selten, dass sie alles tun, um sich mit anderen in einem zwanghaften Verhalten auseinanderzusetzen. In der negativsten Form schadet sich der Sechser-Typ, indem er sich mit anderen Menschen einlässt, die ihm schaden könnten. Deshalb sollte jeder Sechser-Typ sich einmal im Inneren fragen, ob er fürsorglich mit sich selbst umgeht. Sollte bei dieser Selbstanalyse ein „nein" herauskommen, dann sollte er sich schnell überlegen, warum er so mit sich umgeht, und vor allen Dingen, was er sich selbst wert ist. Er sollte in einem solchen Fall dringend an seiner Wertstellung arbeiten; nur so hat er eine Chance, zu sich selbst und somit zu seinem eigenen Wert zu finden. Dieser wird ihm dann wiederum im Außen gespiegelt werden.

Die Aufgabe des Sechser-Menschen ist somit, sich selbst zu lieben und zu sich selbst zu stehen, seine eigene Kreativität zu entwickeln und sich bewusst zu sein, was er sich selbst wert ist. Nur so ist eine gesunde Basis im Leben eines Sechser-Menschen möglich. Dann kann dieser Mensch mit seiner absoluten Harmonie und Liebesfähigkeit eine schöne Energie versprühen, in der sich die anderen Menschen sehr wohl fühlen werden. Ein Sechser-Mensch ist somit auf gewisse Art und Weise auch sehr mütterlich und fürsorglich, wenn er sich seiner Liebesfähigkeit bewusst ist; dann kann er diese auch an seine Mitmenschen weitergeben; er ist ein guter Zuhörer, ein Seelsorger, der viel Verständnis für die Themen der anderen hat.

Doch bevor dieser Mensch sich mit den anderen beschäftigen sollte, ist es dringend angebracht, die eigene Liebesfähigkeit, die eigene Mütterlichkeit und das eigene Verständnis für sich selbst zu überprüfen. Solange ein Sechser-Mensch nicht lernt, dass er der wichtigste Mensch in seinem Leben ist, solange läuft er Gefahr, sich für und durch andere ausnehmen zu lassen. Dann neigt er dazu, die Mütterlichkeit nach außen zu legen und sich große erwachsene Kinder zu suchen, mit denen er das Mutter-Kind-Spiel leben kann. Er würde für diese Person sein gesamtes Verständnis aufbringen, was ihn jedoch daran hindert, für sich selbst zu sorgen. Das darf unter keinen Umständen sein, sonst würde der ach so liebenswerte Sechser-Typ zur grausamen Bestie mutieren – doch das stets nur gegenüber der eigenen Person. Dann fängt er an, sich selbst zu bestrafen und sich die schönen Dinge des Lebens zu vermiesen, sich immer wieder die dunklen Löcher zu suchen, in die er hineinkrabbeln kann, damit ihn keiner mehr sieht – dabei liegt er jedoch auch auf der Lauer, ob sich kein anderer findet, der den „armen" Sechser-Typen aus seinem Loch herausholt und ihm das Verständnis entgegenbringt, das er sich selbst nicht geben möchte.

So kann es durchaus sein, dass ein Sechser-Typ Ewigkeiten damit verbringt, eine Person zu suchen, die ihn liebt, damit er seine Liebesfähigkeit über den Spiegel des anderen entwickeln kann. Denn: Wenn ein anderer ihn liebt, dann muss doch an unserem Sechser-Typ etwas dran sein, was die Liebe ausmacht – und so kommt dann auch er auf die Idee, sich selbst zu lieben. Da er sich jedoch von Grund auf mit Skepsis begegnet oder sich meist gegen die eigene Liebe stellt, wird er sich dauerhaft mit der Unsicherheit herumquälen, ob denn die Liebe des anderen, des Partners, hält oder nicht. Von daher können Sechser-Typen oftmals in Ungläubigkeit oder sogar im Extremfall in Eifersucht verfallen. Sie suchen nach Hinweisen, ob der Partner nicht etwas Besseres finden könnte. Nach dem Motto: Es kann doch nicht sein, dass er mit mir wirklich Partnerschaft leben will, oder?

Dies ist ein typisches Phänomen für alle Menschen, die sich gegen die eigene Liebesfähigkeit auflehnen und nichts davon wissen wollen. Die meisten glauben einfach nicht, dass sie sich solche Gefühle nur selbst geben können. Kein Mensch der Welt vermag einem anderen das Gefühl der Liebe zu geben, wenn der andere dieses Gefühl nicht annehmen möchte. Doch genau das tut er, wenn er sich selbst nicht liebt, dann verneint er seine eigene Persönlichkeit und stellt sich innerlich unbewusst gegen jeden, der ihn lieben will. Nach dem Motto, wenn ich mich nicht liebe, wie kann mich dann ein anderer lieben, das kann doch nicht sein.

Somit treffen wir immer wieder auf Personen, die dieses Gefühl in uns reflektieren und unsere innere Liebesfähigkeit erwecken; doch nur, wenn wir uns auf uns selbst einlassen und uns selbst lieben, dann werden wir die Liebe eines anderen auch empfangen können; erst dann können wir auch ernsthaft über Partnerschaft nachdenken und uns mit den partnerschaftlichen Verbindungsenergien auseinander setzen; erst dann sind wir ferner in der Lage, uns in einer Partnerschaft zu entwickeln und auch zu reifen. Eine

Partnerschaft muss sich aufbauen, und dafür braucht sie Zeit. Bedenken Sie bitte: Solange sie jemanden suchen, der Ihnen die Erfüllung Ihrer eigenen Liebessehnsucht geben soll - was nicht funktionieren kann -, solange werden Sie immer wieder auf Menschen stoßen, die dasselbe von Ihnen erwarten; damit sind Sie beide gar nicht in der Lage, die gegenseitigen Ansprüche erfüllen zu können, doch nach dem Gesetz der Resonanz wird das ihr Gegenüber sein.

Wir können nicht die Schuld für unser eigenes Versagen dem Partner geben, sondern wir müssen lernen, uns selbst das zu geben, was wir brauchen. Das ist unsere einzige Möglichkeit, die wir haben, um mit uns und unseren inneren Energieanteilen in Harmonie zu kommen. Das ist unser Ziel. Oftmals haben wir uns durch Erlebnisse, insbesondere aus der Kindheit, Glaubenssätze angeeignet, die bis zum heutigen Tage nicht an Intensität und Überzeugungskraft verloren haben. Beispielsweise können solche Glaubenssätze uns dazu veranlassen, dass wir uns selbst nicht lieben und unsere Verfehlungen und Schattenseiten nicht annehmen wollen. Wenn das der Fall ist, dann würden wir zwangsweise eine andere Person brauchen, die uns verzeiht und uns liebt – so wie wir sind. Wir können sehr wohl auf andere Menschen stoßen, die uns lieben und uns erklären, wie toll wir sind; nur egal was diese sagen, wir werden es eh nicht glauben, da wir uns innerlich gegen uns gestellt haben. Gerade das ist der Grund, weswegen wir uns nur selbst die Erfüllung geben können – denn auch nur wir selbst haben sie uns genommen und kein anderer. Wir alle waren einmal komplett und haben dann angefangen, uns zu spalten; und nur wir können uns wieder kitten und heilen, wenn wir es wollen. Ich will. Sie auch?

Sollten Sie also ein Sechser-Typ sein, dann lernen Sie, sich selbst zu lieben, lernen Sie, sich zu verstehen und fürsorglich mit sich selbst umzugehen, dann haben Sie für alle Zeiten die so lang ersehnte Harmonie in ihrem Inneren wie auch im Äußeren. Einen erfüllten Sechser-Mensch in seiner Nähe zu haben ist eine Wonne des Gefühls, denn die Emotionen, die diese Menschen verbreiten, sind einfach wunderschön. Leider leben sich viel zu wenige Sechser-Menschen positiv, deswegen habe ich mich in der Beschreibung hauptsächlich mit der negativ gelebten Sechser-Konstellation auseinander gesetzt. Sollte der Sechser-Mensch sich innerlich leben können, dann ist er lustig, frei und locker, ähnlich dem Siebener-Typ, um den wir uns jetzt kümmern werden.

Die einfache Sieben

Die Sieben steht für alle flexiblen, dynamisch fortwährenden Veränderungen, das Tänzeln in unserem Leben, das linke Bein, das Tanzbein, sie entspricht der männlichen Energie und ist dem Planeten Uranus zugeordnet.

Siebener-Menschen brauchen ein leichtes, beschwingtes Leben. Sie lieben die Power der Weiterentwicklung, der ständigen Fortbewegung. Sie können nicht auf einem Fleck stehen bleiben, sie brauchen die dauernde Dynamik des Lebens. Sie lieben die Veränderung und lehnen sich gegen die Stagnation auf. Einen Siebener-Menschen kann man nicht einsperren oder in starre Formen hineinpressen, er muss sich leben können, er muss das Gefühl: „Ich darf" in sich tragen. Das Hauptproblem dieser Menschen liegt vor allem darin, sich diese Erlaubnis auch zu geben. Wenn sie nämlich meinen, sich nicht leben zu dürfen, und sich somit selbst einsperren, dann erleben sie in sich das Gefühl der Stagnation.

Ein Siebener-Typ ist ein Tänzer, der tänzelnd durch sein Leben schwebt, leicht und locker, wie er es braucht. Jede noch so kleine Stagnation in einer Richtung ist für ihn gleichzusetzen mit dem Gefühl des Festgebundenseins, und damit kann er überhaupt nicht gut umgehen. Bei diesen Menschen geht es lediglich nur darum, dass sie immer wissen, was sie tun können, um aus sämtlichen einengenden Lebenssituationen wieder herauszukommen. Im Klartext bedeutet das, dass der Siebener-Typ immer die Möglichkeit der Lösung vor Augen haben muss.

Sollte ein Siebener-Mensch einen Vertrag eingehen, dann muss er schon von Anbeginn der Verknüpfung wissen, was er tun kann, um aus dieser Verbindlichkeit wieder herauszugehen. Nur diese eventuelle Möglichkeit gewährt ihm letztlich das Gefühl von Freiheit und somit das andauernde Gefühl von Beweglichkeit. Nur unter solchen Umständen gehen diese Menschen Verbindungen ein. Je länger diese Verbindung dann dauert, desto besser, denn es muss einfach passieren und darf nicht mit einer großen Planung einhergehen. Würden diese Menschen die Dauer der Beziehung von vornherein planen, dann würde dies für sie eine große Belastung darstellen. Symbolisch könnte man den Siebener-Typ mit einem Lebenskünstler gleichsetzen, der sich die Schwere des Lebens gar nicht erst auferlegt; er will sich frei entfalten, und dafür braucht er die Möglichkeit der permanenten Freiheit. Er braucht somit das Gefühl, in den Tag hinein leben zu können. Das ist seine einzige Wahl; alles andere würde an Selbstgeißelung grenzen.

Für die anderen ist es daher meist nicht ganz einfach, mit einem Siebener-Menschen eine feste Verbindung einzugehen, denn sie spüren, dass dieser Mensch sich nicht verbindlich einlassen will. Somit könnte sehr leicht das Gefühl entstehen, dass der Siebener-Typ nur eine unverbindliche Ebene der Partnerschaft sucht. Doch das stimmt nicht ganz. Der Siebener-Typ will sich nur im Vorfeld nicht schon binden; er will die Freiheit haben, dass sich diese Ebene locker und leicht entwickeln kann, und genau das braucht er auch, damit in ihm die Zufriedenheit bleibt.

Würde nun ein Partner das Bedürfnis haben, den Siebener in eine verbindliche Richtung zu bewegen, dann kann es sehr wohl sein, dass er sich schon im Vorfeld löst, da er die Verbindung nicht überschauen kann. Das heißt im Klartext: Man kann keinen Siebener einbinden, das wäre das Ende der Verbindung. Besonders auf dem partnerschaftlichen Sektor kann ein Siebener nur Harmonie finden, wenn er so sein darf, wie er ist. Er muss in die Beziehung hineinwachsen dürfen, und dann stellt er beispielsweise nach 10 Jahren fest, dass er immer noch in der Beziehung ist und dabei wirklich viel Glück empfindet. Gerade mit einem Siebener-Typ zusammen zu sein, bedeutet auch sehr viel Flexibilität. Dieser Mensch wird automatisch immer Spannung und Bewegung in die Partnerschaft bringen; das ist sein Leben, und er kann sich dem nicht widersetzen.

Sollte sich ein Siebener-Typ wirklich eingesperrt fühlen und sich aus dieser Lage nicht bewusst befreien können, dann kann es passieren, dass er sich innerlich wie ein Hamster im Käfig fühlt und dann – dem Bild entsprechend - im eigenen Rad des Lebens seine Energien austobt. Die Energie eines Siebener-Menschen zu blockieren, ist so, als wollte man einen Stöpsel auf einen Vulkan drücken, der kurz vor einem Ausbruch steht. Man kann ihn nicht aufhalten, er explodiert sowieso, doch wollte man ihn davor bewahren, dann richtet er dabei großen Schaden an, da all die gestaute Energie dann auf einen Schlag aus ihm herausbricht, ohne Rücksicht auf Verluste. Und genau damit rechnet bei einem Siebener-Typ so schnell keiner. Wann es so weit ist, ist meist daran zu spüren, dass er innerlich kribbelig und nervös erscheint. Genauso fühlt er sich dann auch. In ihm brodelt sich die gesamte Energie zusammen, und er ist nicht mehr in der Lage, sich richtig zu konzentrieren.

Siebener-Menschen müssen ihre Freiheit und somit ihre Wandlungsfähigkeit leben. Nur so kommen sie vorwärts und nicht anders. Das heißt eindeutig, dass die Sieben dafür steht, dass wir uns immer wieder von alten Vorstellungen und Dogmen lösen müssen, damit wir uns neuen Themen widmen können, anders geht es nicht. Wir alle leben in einem permanenten Rhythmus, der uns immer wieder neue Entfaltungsmöglichkeiten unterbreitet. Das Leben ist so vielseitig, und wir müssen lernen, uns der Vielfalt des Lebens zu stellen. Siebener-Menschen müssen dies insbesondere lernen, denn das ist ihre Aufgabe.

Für manch andere mögen diese Menschen oberflächlich wirken, doch das sind sie bei weitem nicht. Sie schauen sich höchstens immer wieder gerne um, damit sie entdecken können, ob es noch andere Möglichkeiten gibt, die interessanter sein könnten, als das, was sie jetzt leben. Somit sind sie wandelbar und immer auf der Suche nach dem Neuen - jedoch nicht zwanghaft, sondern leicht und locker, das ist ihr Erfolgsrezept. Dies bezieht sich jedoch nicht auf das Thema Partnerschaft, denn Siebener-Menschen brauchen nicht immer wieder einen neuen Partner, um sich auszuprobieren, sie brauchen nur die Möglichkeit, einen Menschen zum Partner zu haben, der sich selbst erlaubt, frei zu leben - nicht frei von Partnerschaft, sondern frei von Vorstellungen, die ihn in einer Rolle ersticken lassen würden.

Somit kann eine dauerhafte Partnerschaft, bei der sich beide individuell entwickeln wollen und können, mit einem Siebener-Menschen sehr wohl gut funktionieren. Der Siebener ist nicht auf Zerstörung aus. Nein, er braucht auch sein Zuhause, damit er weiß, wo er hingehört, doch das kann er nur, wenn er es darf. Sehr schnell spürt er, ob er willkommen ist oder nicht. Sollte er sich nicht willkommen fühlen, dann muss er gehen, denn er kann sich keinem Zwang aussetzen – wie etwa, einfach nur aus moralischen Gründen anwesend zu bleiben. Er würde sich in seiner Haut unwohl fühlen. Bliebe er dort, obwohl er genau weiß, dass er nicht gerne gesehen ist, dann ist ihm klar, dass er dies nur tut, um dem anderen zu gefallen. Er würde somit eine an ihn gestellte Erwartungshaltung erfüllen, und das wiederum bedeutet für ihn Druck. Genau für solche emotionale Abhängigkeiten hat unser Siebener einen Riecher, und schon wird er das Weite suchen, damit er sich leben kann.

Ganz wichtig für alle, die mit Siebener-Menschen zusammenleben: Man kann ihn nicht einfangen, man kann ihn nicht festnageln, man muss ihn gehen lassen - und er wird immer wiederkommen. So einfach ist das. Wenn Sie selbst ein Siebener-Typ sind, dann erlauben Sie sich zu leben. Egal, was Sie erfahren wollen, machen Sie Ihre Erfahrungen, denn nur so können Sie lernen und nicht anders. Sie müssen Ihrem Gefühl Folge leisten und sich mit der Vielfalt des Lebens auseinander setzen, sie kennen lernen. Sollten Sie sich trotzdem gewissen Zwängen aussetzen, da Sie denken, dass Sie dieses leben müssen, dann werden Sie den äußeren Rahmen verlieren, denn tief im Inneren sprengen Sie immer wieder alle Ketten, die sich um Sie legen und Sie binden wollen. Und somit werden Sie automatisch auch die äußeren Ketten sprengen. Das eine geht ohne das andere nicht.

Sie werden bestimmt auf Personen treffen, die Ihnen vorhalten, dass Sie Ihr Leben zu leicht nehmen. Das stimmt jedoch nicht, denn Sie müssen die Leichtigkeit leben, und darüber können Sie sich und Ihrem Umfeld zeigen, wie einfach das Leben zu leben ist. Gerade die Fünfer-Menschen halten an allem fest, und sie werden neugierig, vielleicht auch ein wenig erbost auf den Siebener schauen, da sie nicht verstehen können, wie einfach das Leben gelebt werden kann. Doch Sie wissen das, deswegen leben Sie es. Stecken Sie doch einfach alle anderen in Ihrem Umfeld mit Ihrer Leichtigkeit an, dann wissen Sie, wie schön es ist, mit anderen leicht und locker zu leben. Keiner wird sich den von Ihnen ausgesandten Energien erwehren können, Sie bringen einfach eine zu schöne Energie mit sich.

Und nun zu den Achter-Menschen, den Egoisten, die sich leben, und dennoch lernen müssen, bei sich zu bleiben.

Die einfache Acht

Die Acht steht für Egoismus, Kreativität und künstlerische Begabung, entspricht der Herzenergie, die Energiekomponente ist weiblich und dem Planeten/Fixstern Sonne zugeordnet.

Achter-Menschen sind Egoisten und müssen sich leben. Ein Egoist zu sein heißt, seine Energien bewusst einzusetzen, sich auf sich selbst zu besinnen und mit der eigenen Kraft alle Vorhaben zu bewältigen. Viele Menschen verstehen das Wort „Egoismus" falsch. Sie denken, es handele sich dabei um Menschen, die sich mit der Energie anderer ernähren und füttern lassen, um mit diesem Kraftpotenzial ihre ureigensten Pläne durchzusetzen. Ein Egoist würde niemals auf die Idee kommen, die Energien der anderen mit einzubinden, denn ihm ist bewusst, dass er autark ist und somit keinen braucht und auch keinen bei seinen Projekten unbedingt dabei haben will. Das was er schaffen will, schafft er alleine und kassiert auch alleine die dazugehörige Ernte.

Nehmen wir ein Beispiel: Ein Ehepaar, schon lange miteinander verheiratet. Der Mann geht einer erfolgreichen Arbeit nach, die Frau ist zufrieden in ihrer Aufgabe der Kindererziehung und der häuslichen Pflege. Beide unterstützen sich gegenseitig, indem sie bewusst darauf achten, was der andere braucht. Das heißt, der Mann fühlt sich bei seiner Frau geborgen, und die Frau fühlt sich bei ihrem Mann wohl und sicher. Sie spürt genau, wann er sie braucht, und kümmert sich dann gerne um ihn, umgekehrt ist dies genauso. Das ist das Idealbild einer Beziehung, denn beide wirtschaften zusammen und unterstützen sich gegenseitig, einerseits zum Wohle des Partners, andererseits zum Wohle der eigenen Person. Wenn jeder Partner individuell glücklich ist, dann können sie auch miteinander ein harmonisches Leben führen. Sie freuen sich dann über alles, was in ihrem Leben auf sie zukommt. Sie denken, das geht nicht? Oh doch, wir müssen es nur wieder erlernen.

Viel zu viele Menschen suchen gerne die Probleme beim Partner und erwarten, dass der Partner eine Unterstützung gewährt, ohne dabei auf seine individuellen Bedürfnisse einzugehen. Und genau an diesem Punkt wandeln sich die Energien und drehen sich ins Negative um. Wir wollen, dass der Partner uns hilft, und verschränken zur Gegenwehr die Arme, wenn er nicht dazu bereit ist - dann nämlich sind auch wir zu keiner Hilfe bereit. Nach dem Motto: Du wirst schon sehen. Wie du mir, so ich dir. Diese Auseinandersetzungen kann man oftmals schon bei Kleinkindern im Sandkasten beobachten. Doch hier geht es nicht um irgendwelche Förmchen, sondern um eine Partnerschaft, und das wiederum bedeutet, dass sich jeder so gut wie möglich selbst kennen sollte. Dann wird er automatisch seine eigenen Themen nicht mehr mit Trotzenergie auf den Partner legen. Erst dann können beide beginnen, Partnerschaft zu leben, können sich freundschaftlich begegnen und sich wirklich auch unterstützende Kraft anbieten, denn die brauchen wir alle schon mal zu gewissen Zeiten. So ist das einfach.

Wenn wir uns also mit uns selbst beschäftigen, dann haben wir die Möglichkeit, uns authentisch zu leben, denn wir müssen keinen anderen mit uns herumschleppen. Das wiederum machen Achter-Menschen jedoch besonders gerne. Sie haben eine strahlende Energie, dies schon von Geburt an, und mit dieser Energieform ziehen sie auch wiederum jede Menge Menschen an. Durch ihr ausgeprägtes Selbstbewusstsein kann es ihnen durchaus passieren, dass sie auf Neider stoßen. Es gibt immer Menschen, die mehr nach den Energien eines anderen trachten, als auf sich selbst zu achten. Im Schattenbereich eines strahlenden Menschen zu stehen, gibt einem immerhin das Gefühl, selbst ein wenig zu strahlen, auch wenn es sich hierbei um einen Trugschluss handelt. Doch auf den anderen zu schauen, ist für viele immer noch einfacher, als einen Blick in das innere „Ich" zu riskieren. Tief im Inneren spüren wir alle instinktiv, was dort alles vorzufinden ist, und ob wir das immer so gerne sehen wollen, ist fraglich. Somit ist es für viele einfacher sich mit anderen intensiv zu beschäftigen, und gerade Achter-Menschen sind dafür prädestiniert, denn dummerweise bemerken sie dies oftmals viel zu spät. So kann es passieren, dass die anderen schon energetisch, emotional angedockt haben, ohne dass es dem Achter bewusst wäre. Er schleppt dann die anderen als Ballast mit sich herum, was letztlich jedoch nur beide Seiten von ihren eigenen Lebenswerken abhalten wird.

Ein Achter-Mensch muss sich kreativ leben. Er muss seine Werke - entstanden aus seinem inneren „Ich-Kern" - demonstrieren, um sich bewusst zu werden, zu was er fähig ist, und gerade das zu leben, ist nicht so einfach. Die meisten Menschen glauben viel zu wenig an ihre eigenen Fähigkeiten, und so passiert es, dass sie diesen schöpferischen Ehrgeiz auf die Nachkommenschaft übertragen. Ein Beispiel: Es ist oftmals wirklich keine Talentsache, wenn der Sohn in die Schuhe des Vaters schlüpft und auch Schauspieler wird. Hier - in dieser Familie - gehört eben die Schauspielerei zum alltäglichen Leben und ist so gesehen nichts Besonderes mehr. Wir alle haben Talente und Fähigkeiten, nur glauben die meisten, dass sie selbst nicht zu kreativen Handlungen befähigt seien. Doch denken Sie jetzt mal nach: Jeder Mensch ist so individuell und einzigartig, dass es eine Wonne ist ihm zuzuschauen. Und somit sind wir alle Schauspieler auf der großen Bühne unseres eigenen Lebens, und nur darauf kommt es an. Wir alle sollten Spaß haben, unserem Leben zu begegnen und alle damit verbundenen, interessanten Themen und Energieanteile in uns zu leben. Die Achter-Menschen haben sogar die Pflicht, ihre kreativen Talente zu leben, sie kommen nicht drum herum.

Somit müssen Achter-Menschen also in ihrem Sonnenlicht strahlen und Egoisten sein, damit sie sich leben können. Wenn ein Achter-Mensch sich nicht erlaubt zu leben, dann steht er sich selbst im Weg und projiziert dies gern auch auf andere Personen. Er meint dann oftmals, es diesen Menschen nicht antun zu können, „sich einfach mal eben so, kreativ zu leben", nach dem Motto: Dann haben die ein Problem. Was für ein Unsinn. Es ist doch so spannend, einem Menschen zuzusehen, wie er sich entwickelt und gerade seinen kreativen Leidenschaften freien Lauf lässt. Somit kann man sich als Partner eines solchen Menschen nur über seinen Werdegang erfreuen. Doch gerade viele Achter-Menschen brauchen andere, die ihnen angeblich im Wege stehen, damit sie sich nicht leben müssen, und somit haben sie eine Alibifunktion, die jedoch keinem etwas nützt.

Im extremsten Fall würde unser Achter-Mensch sich so dermaßen einengen, dass er Herzprobleme bekommt, und die wären dann nicht ungefährlich, denn er würde sich so sehr einengen, dass er sich kaum noch die Freiheit und Lebensberechtigung gestattet. Und genau das ist der Punkt.

Die Aufgabe des Achter-Menschen ist es, egal was passiert, die eigene Lebensberechtigung und somit das Recht und den Willen auf das eigene Leben zu demonstrieren. Er ist ein König und muss entsprechend stolz auf sein Leben sein, grazil sollte er seinen Lebensweg beschreiten. Doch leider treffen wir viel zu häufig auf Achter-Menschen, die eher das Gegenteil leben, denn sollte er sich, angeblich durch seine Mitmenschen, daran hindern lassen seinen Stolz zu leben, dann kann es sehr wohl sein, dass er sein Lebenszentrum, sein Herz, so stark verletzt, dass dieses lebensnotwendige Organ Probleme bereitet. Er ist dann emotional absolut verletzt und legt bewusst negative Energiebelastungen auf sein eigenes Herz; er fügt sich dadurch selbst sehr großen Schaden zu.

Damit er das nicht mehr macht, ist es besonders wichtig, dass er lernt, sich nur auf sich selbst zu konzentrieren, also ein Egoist zu sein. Gerade das ist besonders wichtig. Je mehr er sich und seine Energien für sich lebt, desto besser ist das für ihn. Er kann sich nicht hinter anderen verstecken, denn gerade er muss sich emotional um sich selbst kümmern; er hat keine andere Wahl, ihn treffen die eigenen Verfehlungen und Versäumnisse am härtesten. Er bestraft sich selbst am meisten, und gerade er muss lernen, sich zu lieben und zu leben; dafür braucht er insbesondere seine Kreativität. Durch die Freiheit, aus sich heraus Dinge zu erschaffen, wird er erfahren, was für ein wichtiger Mensch er in seinem Leben ist. Doch generell gesehen: Sich kreativ dem Leben zu widmen, ist so wichtig und interessant, dass es wirklich keinen Menschen geben sollte, der um seine eigenen Talente weiß und diese nicht leben möchte, da er meint, dass die Alltagsthemen wichtiger seien, und somit kein Platz für seine Kreativität da sein kann.

So muss ein Achter-Mensch stolz inmitten seines Lebens stehen, damit er für sein Leben ausgesprochen dankbar ist. Wir alle sollten dankbar sein, dass wir leben dürfen, und auf Grund dessen unserem Leben einen realen Sinn verleihen. Wenn wir selbst nicht auf uns stolz sein können - wer soll es dann sein? Achter-Menschen sind herzlich und gefühlsbetont und bringen somit andere zu ihrer eigenen Herzenswärme, wenn diese sich innerlich darauf einlassen. Somit kann es für jeden nur eine Bereicherung sein, mit einem herzlichen Menschen zusammen zu sein, das wiederum steckt nämlich an.

Es gibt genug Menschen, die unzufrieden sind, deshalb können wir uns alle über jeden erfreuen, der dem entgegenwirkt und sich selbst mit Freude und Dankbarkeit lebt.

Nun wollen wir uns mit der letzten Zahl der Numerologie, der Neun, auseinander setzen. Die Neuner sind die Chefs des Ganzen und wollen immer in den Vordergrund.

Die einfache Neun

Die Neun steht für den inneren Chef, Achtung und Respekt, der linke Arm, die Grundenergie ist männlich, die Neun ist dem Planeten Pluto zugeordnet.

Die Neuner sind die Regierenden unter uns. Sie wollen immer den Überblick behalten und andere lenken und leiten. Sie brauchen das Gefühl, wichtig zu sein, und genau das sind sie zumeist auch. Sie können nicht damit umgehen, wenn ihnen ein Mensch begegnet, dem sie nicht genügend wert sind. Sie wollen gesehen und geachtet werden. Sie sind stolz auf die Leistung, die sie erbracht haben, und die wollen sie auch bezahlt bekommen. So streben sie danach, die Aufmerksamkeit in Form von materiellen Gütern zu erlangen, denn sie wollen ihre Lorbeeren nach Außen tragen, um das Gefühl zu haben, gesehen und anerkannt zu werden.

Neuner-Menschen brauchen Prinzipien, nach denen sie sich richten können. So sind sie die Sortierer, die dafür sorgen, dass sie genug Gegenleistung für ihre erbrachte Leistung/Arbeit erhalten. Sie wollen gerne der Chef sein und sind auch bereit, einiges dafür zu tun. Ihre innere und äußere Kraft ist so stark, dass sie kaum etwas aufhalten kann, wenn sie sich für eine Sache entschieden haben. Dann nämlich tun sie alles dafür, um ihre Prinzipien durchzusetzen und an den „Mann" zu bringen. Sie scheuen sich nicht davor, alle ihnen zur Verfügung stehenden Mittel einzusetzen, um das Ziel zu erreichen. Und trotzdem können sie, am Ziel angelangt, immer noch keine Ruhe geben, denn sie sind rastlos und immer wieder auf der Suche nach neuen Zielen, die ein weiteres Objekt der Begierde darstellen können. Schon legt der Neuner wieder mit viel Taktik und allen möglichen geschickten Handlungen, die ihm gebräuchlich sind, los, denn er kennt sich in seinen Verführungskünsten bestens aus. Er ist ein wahrhaftiger Künstler, und sein Hauptfach ist die Erotik. Er weiß, was er will, und er setzt es durch, koste es, was es wolle. Doch hat er sein Ziel erreicht, dann kann es ihm auch schon wieder reichen, und er wirft das erst vor kurzem so teuer erworbene Stück einfach weg, denn er braucht es nicht mehr, es hat seinen Zweck erfüllt.

Fragt man einen Neuner, warum er das so macht, dann wird die Antwort einen Fremdling erschüttern: Es geht ihm nie um Besitz oder um das wirkliche Erschaffen, sondern nur um die Versuchung, wie weit er gehen kann, bis er sein Ziel erreicht hat. Je mehr Aufwand er betreiben muss, desto besser für ihn, denn er liebt die Herausforderung, die Versuchung, das ist sein Zuhause. Es geht ihm im Besonderen um den Kick im Leben, hier oftmals auch gerade etwas Verbotenes zu tun - etwas, was die anderen nie tun würden; das ist sein Objekt der Begierde/sein Ziel, und danach strebt er. Er will wissen, was er erreichen kann, und dafür braucht er die Projektion, die Herausforderung.

Ein Neuner, der in einem Angestelltenverhältnis steht, wird, wenn er ein wirkliches Interesse an seinem Job hat, sehr viel dafür tun, um die Firma nach vorne zu bringen. Er ist dementsprechend strebsam und wird sich um alle Belange kümmern, die er selbst, aus seiner Perspektive heraus, für nötig hält. Er übernimmt nicht gerne gestellte Aufgaben, denn tief in seinem Inneren denkt er, dass er es ohnehin besser kann. Somit kann ein Neuner für eine Firma eine absolute Bereicherung darstellen, für den Chef jedoch oftmals auch den Streitpunkt schlechthin, denn gerade, wenn der Chef von ihm erwartet, dass er ihn gebührend hofiert, dann wird er mit den geballten Energien eines Neuner rechnen müssen, und die sind nicht ohne.

Ein Neuner, der sich nicht lebt, ist schlimmer als ein Vulkanausbruch. Der Neuner würde niemals seine Energien einfach so verpuffen, sondern er wird diese im Extremfall taktisch einsetzen, um sein Gegenüber zu vernichten. Deshalb kann ein Streit mit einem Neuner für seinen Gegner unangenehm ausfallen. Kaum einer rechnet damit, wirklich geistig angegriffen zu werden; doch dann plötzlich, ehe man sich versieht, erhält man einen energetischen Hieb zwischen die Augen und wundert sich, aus welcher Richtung das gekommen sein mag. Sollte man also das Streitziel eines Neuners geworden sein, dann kann man davon ausgehen, dass er alles tun wird, was er tun kann, damit sein Vorhaben gelingt. Einen Neuner von seinem Vorhaben abzuhalten, hat zumeist wenig Sinn; hat er sich etwas in den Kopf gesetzt, dann ist das so, auch wenn sich die Frage stellt, ob es Sinn macht oder nicht. Davon könnte man einen wütenden Neuner sowieso nicht überzeugen, wenn dieser auf Rache sinnt. Denken Sie jedoch bitte immer daran, dass Sie, sollten Sie sich in einen Kampf mit einbinden, genauso eine Resonanz in sich tragen, wie der andere auch, denn ein Kampf kann nur beidseitig sein.

Nun gibt es jedoch genug Neuner-Typen, die eher in ihrem Inneren kämpfen statt im Außen; sie richten ihre Energien nach innen und könnten sich somit im schlimmsten Fall selbst zerstören. Entsprechende Glaubenssätze sind hier meist schon in der Kindheit entstanden und werden über viele Jahre hinweg treu weitergelebt, ohne an die Folgen zu denken. Gerade Neuner-Typen sind bestens dafür geeignet, diese eingeimpften Sätze anzunehmen und fortwährend auszuführen.

Neuner-Menschen sind einfach heftig und wollen sich immer durchsetzen. Wir alle tragen diese Kraft in uns, die wir natürlich in Teilen auch leben müssen. Wenn wir uns nicht durchsetzen, dann haben wir kaum eine Chance weiterzukommen, denn wir würden uns immer wieder als Opfer zur Verfügung stellen, und es kann kein Leben wert sein, dass wir so negativ mit uns selbst verfahren. Neuner sind gerne Täter und spielen ein Opferdasein, um das vermeintliche Opfer zu täuschen. Das hört sich grausam an, ist aber einfach so. Der Planet Pluto steht astrologisch für die Zerstörung, für die Versuchung und die Verführung, und da sind wir bei einem Thema, das den Neuner besonders betrifft.

Er ist der erotische Verführer schlechthin, denn er kann all seine Energien zentrieren und seinen Partner willenlos und abhängig machen. Somit steht er auch für die Süchte. Das heißt nicht, dass er unbedingt selbst süchtig wird, sondern viel mehr, dass er andere in die Sucht zu sich treibt. Er will seine Opfer willenlos machen, damit er sich an ihnen laben kann - wie eine Spinne, die ihr nächstes Opfer/Fressen einspinnt und darauf wartet, bis die Zeit gekommen ist. Die ganze Zeit über weiß das Opfer, dass es sterben wird, und die Spinne labt sich an seiner Energie und Hilflosigkeit. So ähnlich muss man sich einen Neuner vorstellen; er ist ein Vampir, will seine Opfer im Opferstatus behalten und nach Belieben nutzen, ganz wie es ihm gefällt.

Die Energie, mit der er sich dem Objekt seiner Begierde nähert, ist faszinierend, er ist ein Verwandlungskünstler wie kein anderer. Er ist fast fanatisch und setzt alles auf eine Karte, wenn es sein muss. Wann es sein muss, das bestimmt er selbst, denn nur er kann wissen, was er will. So setzt er alles daran, um sein Ziel zu erreichen: Er sammelt alle seine Energien und setzt die gesamte Ladung, wie beim Roulett, komplett auf eine Farbe, am besten auf Schwarz, denn diese Farbe liebt er am meisten. Entweder er gewinnt, oder er verliert. Es ist egal, Hauptsache er konnte spielen, denn nur das zählt für ihn.

So demonstriert er uns, was für eine geballte Kraft wir in uns haben, wenn wir Herr unserer Energien sind. Das jedoch können wir wiederum nur sein, wenn wir uns unserer Energien bewusst sind. Wussten Sie, dass man an jeden, an den man denkt, Energien sendet, die einem dann selbst fehlen? Das würde einem Neuner nicht einfallen. Deshalb nutzt und lenkt er auch besonders gerne die Energien der anderen, denn er bestimmt einfach allzu gerne, wo es langgeht. Er meint, er wüsste „fast" alles besser. Danach lebt er und ist immer wieder auf der Suche nach neuen Opfern, bis er dann ein neues anzuvisierendes Ziel gefunden hat und wieder alle seine Energien einsetzt, um sein Objekt willenlos zu machen. Er weiß genau, was ein Mensch braucht, denn er erkennt die Schwächen der anderen und macht sich dieses Wissen zunutze. Für ihn ist es einfach, andere zu durchschauen und ihnen zu zeigen, wohin der Weg geht. Nur er selbst möchte nicht unbedingt auf sich schauen. Damit er immer genug Energien hat, braucht er die energetische Unterstützung anderer; deswegen lässt er Menschen, die ihm treue Dienste geleistet haben, selten los. Warum auch, man kann nie wissen, wofür man diese Personen noch mal brauchen wird.

Für Neuner-Menschen ist es sehr wichtig, dass sie sich ihrer Kraft bewusst sind und immer wieder die eigenen Gedanken kontrollieren. Vergessen Sie nicht: An jeden, an den wir denken, geben wir Energien ab und bekommen im Austausch Energien zurück. Doch je mehr wir über Fremdenergien leben, desto weniger haben wir eine reale Chance, unsere eigenen zu finden. Schauen wir uns nun dieses Schema allein in seiner inneren Entsprechung an, dann erkennen wir, dass ein Neuner dazu neigt, seine eigenen Energien selbst zu missbrauchen, und da stellt sich natürlich die Frage: War-

72

um? Der Grund dafür kann sehr unterschiedlich sein, jedoch ist der Missbrauch selten auf einen Grund zurückzuführen, als viel mehr auf die fanatische Haltung, die ein Neuner an den Tag legen kann. Wenn er von einer Sache überzeugt ist, dann setzt er einfach alles daran, um seine Belange durchzusetzen. Wir alle sollten immer mal wieder gucken, was wir mit unseren wertvollen Energien machen und was nicht. Je mehr wir uns selbst leben, desto besser für uns, und dahin wollen wir doch alle kommen, oder?

Sie haben jetzt einiges über die Zahlen erfahren. Sie kennen nun die positiven wie die negativen Formen. In der Ursubstanz wird eine bestehende Zahl im Positiven gewertet, jedoch das Blatt kann sich wenden, und damit gehen wir ein Stück weiter in der Numerologie und widmen uns den geschlossenen Zahlen.

Die Geschlossenen – die Durchschnittszahlen

Die errechneten Zahlen, wie zu Beginn schon erwähnt, stehen für unsere Problemthemen, mit denen wir uns auseinander setzen müssen. Sie weisen auf unsere Lern- und Lebensthematik hin. Somit können wir anhand dieser errechneten Konstellationen erkennen, über welche Bereiche wir verletzbar sind. Denn egal, mit was für einem Thema wir konfrontiert werden, es kommt zumeist über unsere verletzbare Stelle auf uns zu, und darüber können wir dann wiederum sehen, dass es sich bei dieser Thematik um das Erkennen unserer Lernaufgabe handelt. Wir sind somit handlungsfähig, wenn wir den Sinn hinter der Problematik verstehen. In den letzten Kapiteln des Buches werden Sie eine Reihe von Analysemöglichkeiten zur Verwendbarkeit von Geschlossenen, also Durchschnittszahlen, finden. Damit wir die geschlossene Zahl jedoch errechnen können, wenden wir uns zuerst noch einigen Rechenbeispielen zu:

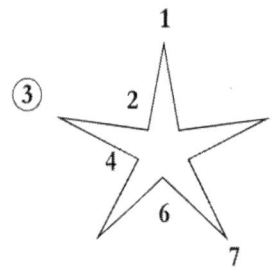

Beispiel: 12.4.1967; wir rechnen:

12.4.1967 $= 1+2+4+6+7 = 20 + 1$ (für 19..)
$= 21 = 2+1 = (3),$

die Durchschnittszahl ist somit (3).

Beispiel: 15.6.1976; wir rechnen:
$1+5+6+7+6 = 25 + 1$ (für 19..) $= 26 = 2+6 = (8)$

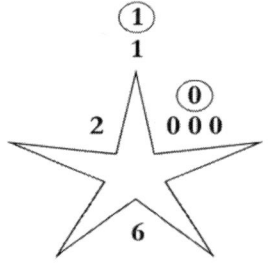

Beispiel: 20.10.60; wir rechnen:

20.10.60 $= 2+0+1+0+6+0 = 9 + 1$ (für 19..)
$= 10 = 1+0 = (10),$

in diesem Fall haben wir eine Eins und eine Null als Problemzahl. Sie werden gleich erkennen, was es damit auf sich hat.

Beispiel: 3.9.1981; wir rechnen:
3+9+8+1 = 21 + 1 (für 19..) = 22 = 2+2 = (4)

Rechnen Sie selbst, und Sie werden Ihre eigene Durchschnittszahl erfahren.

Doch nun noch ein paar allgemeine Regeln: Bei den geschlossenen Zahlen handelt es sich also um den errechneten Durchschnittswert des entsprechenden Datums. Das Rechnungsergebnis entsteht, wenn wir alle Zahlen addieren und für das 19te Jahrhundert eine Eins beziehungsweise für das 20te Jahrhundert eine Zwei hinzuzählen. Dann haben wir eine Durchschnittszahl, die wir solange addieren (Quersumme), bis wir eine Endzahl erhalten. Im Extremfall kann das Endergebnis auch eine 10, eine 20, eine 30 oder sogar eine 40 sein, was bedeutet, dass wir in diesen Ausnahmefällen jeweils zwei Zahlen als Problemfall einkreisen und auch werten müssen. Wir haben dann also eine 1, 2, 3 oder sogar eine 4 und eine Null. Wir können niemals eine Null alleine als Ergebnis erhalten, das heißt, die Null kann nur in Verbindung mit anderen Zahlen auftreten. Ich zeige Ihnen gleich dazu ein paar Beispiele.

Die geschlossenen Zahlen zeigen eindeutig unsere Lernthemen an, deshalb sind sie in der Analyse auch so besonders wichtig und wertvoll. Wir können in den meisten Fällen davon ausgehen, dass wir unsere Lernthemen schon aus anderen Inkarnationen mitgebracht haben. Deshalb können wir auch mit Leichtigkeit sagen, dass es sich bei den Geschlossenen um Karmathemen handelt, also Lernbereiche, die wir aus mehreren Leben gesammelt haben - man könnte sie somit auch als Altlasten bezeichnen, als Aufgaben, die wir schon länger kennen und die wir mit Sicherheit zu Beginn unserer jetzigen Inkarnation erneut abgelehnt haben. Hätten wir diese Themen nämlich angenommen, dann müssten wir auf diesem Gebiet keine Erfahrungen mehr machen. Ein Lernthema zeigt immer an, dass ich lernen muss und es somit bestimmt nicht freiwillig möchte. Die meisten alltäglichen Verletzungen können wir auf diesen Themenbereich beziehen. Da wir uns selten mit ihm bewusst auseinander setzen, muss er immer wieder nach vorne kommen und unsere Aufmerksamkeit fordern. So werden wir immer wieder mit unseren inneren Schmerzthemen, die stets ähnlich gelagert sind, konfrontiert – so lange, bis wir es verstanden haben, uns anders zu leben. Dieses Thema wird uns von Geburt an ein Leben lang begleiten. Wir werden zwar im Laufe der Zeit die dahinter liegenden Information verstehen lernen, danach leben und deshalb bei weitem nicht mehr so leiden wie bisher, und trotzdem werden wir diesen schmerzvollen Themenbereich bis zum Ende unseres Daseins spüren. Das ist so.

Doch nun kommen wir zu den einzelnen Aussagen der geschlossenen Zahlen. Viel Spaß bei den Deutungen der Geschlossenen, unseren so genannten Problemzonen, mit denen wir uns besonders sanft auseinander setzen sollten.

Die geschlossene Null

Die Null kann immer nur in Verbindung mit einer anderen Zahl auftauchen, da sie als Endergebnis alleine nicht auftreten kann. Die Null zeigt jedoch - egal mit welcher anderen Zahl kombiniert - immer an, dass wir uns in Fantasiewelten befinden und gerne träumen. Hierbei handelt es sich meist nicht um besonders schöne Träume, nein, im Gegenteil, in uns tauchen immer wieder alte Bilder auf, die wir innerlich ablehnen, also nicht sehen wollen; deshalb versperren wir uns den bewussten Blick und leben in einer Scheinwelt, die wir uns selbst zurechtgelegt haben.

Oftmals tragen wir nicht verarbeitete Erlebnisse aus früheren Inkarnationen noch in uns. Diese tauchen dann zeitweise immer wieder auf, um sich bemerkbar zu machen, bis wir lernen, dorthin zu schauen. Doch meist versperren wir uns den eigenen Blick aus Angst, aus Scham oder sonstigen verletzten Gefühlen. Meist handelt es sich bei der geschlossenen Null um Menschen, die schon früher eher Beobachter von schwierig zu verarbeitenden Erlebnissen waren, teils immer noch unter emotionalem Schock stehen und das Gesehene nicht mehr sehen wollen. Das heißt, hier geht es in den meisten Fällen nicht um das am eigenen Leib Erlebte, sondern viel mehr um das Mitansehen der Qual einer geliebten Person. In Ausnahmefällen kann das natürlich auch anders sein. Der geschlossene Nuller muss auf jeden Fall lernen hinzugucken, da er sich sonst immer weiter den Blick für sein gesamtes Leben versperrt. Irgendwann zieht sich der Karmablick zu, und dann kommen die Bilder von ganz alleine. Deshalb kann ich geschlossenen Nuller-Menschen nur raten, sich mit den inneren Bilder auseinanderzusetzen.

Lösung: Genau hinschauen, damit klar wird, worum es geht.

10 (eins und null)

Bei dieser doch sehr häufig auftretenden Konstellation handelt es sich wirklich um eine verklärte Sichtweise; nicht nur die Eins, also die Unlogik, taucht auf, sondern auch der verklärte Blick. Somit können geschlossene Eins-Nuller-Menschen regelrecht den Blick für die Realität verlieren - das jedoch nicht immer und nicht auf allen Ebenen; doch sollte das Thema, das sie im Inneren verstecken wollen, nach vorne kommen, dann machen sie im wahrsten Sinne des Wortes die Schotten dicht, und dann kommt nichts mehr an sie heran. Deshalb wirken geschlossene Eins-Nuller-Menschen oftmals schwer greifbar. Nicht selten tauchen im Kommunikationsbereich Missverständnisse auf, da die meisten aneinander vorbeireden. Das heißt jedoch bei weitem nicht, dass das auf jedem Gebiet so sein muss, denn häufig sind diese Menschen sehr wissend, interessiert und absolut intelligent; nur wenn man sie - wie gesagt - direkt auf das Thema (das sie tief im Inneren vor sich selbst verbergen) anspricht, dann taucht Unverständnis auf, und der Eins-Nuller steht da, als könnte er kein Wässerchen trüben.

Der geschlossene Eins-Nuller schaltet häufig innerlich auf stur, nach dem Motto: Der Rasen ist blau. Egal, wie viele Menschen ihn vom Gegenteil überzeugen wollen, wenn er auf seiner Meinung besteht, dann ist das so und Punkt. Er lässt sich dann auf keine Diskussion ein, er bleibt stur und beharrlich auf seinem Standpunkt stehen. Bei solch tiefen kommunikativen Auseinandersetzungen kommt in ihm sehr schnell das Gefühl auf, als wollte der Gesprächspartner etwas von ihm, als wollte sein Gegenüber ihm seine eigene Meinung aufs Auge drücken, und damit kann er wiederum nicht gut umgehen. In einer solchen Konstellation wehrt er ab; tief im Inneren fühlt er sich schuldig und weiß nicht, wieso diese unangenehme Emotion immer wieder, wie aus dem Nichts, auftaucht und teilweise sein Leben regiert.

Lösung: Genau hinschauen und in sich hineinspüren. Vor was habe ich Angst? Was möchte ich nicht sehen? Wichtig wäre es, sich langsam an das Thema - und sei es über eine geführte Meditation - heranzutasten. Die andere Möglichkeit wäre mit Hilfe eines erfahrenen Reinkarnationsanalytikers an das Altlastenthema heranzugehen. Die Angst davor ist meist viel größer, als das, was sich real dahinter verbirgt – das heißt, durchzugehen ist einfacher, als immer davor zu stehen und Angst zu haben, in den Abgrund zu rutschen.

20 (zwei und null)

Auch bei der geschlossenen Zwei-Null geht es um den eingeschränkten Blick (0), hier jedoch in Verbindung mit der eingeschränkten Intuition (2). Das bedeutet, dass sich dieser Mensch innerlich sehr schnell versperrt, wenn ganz bestimmte, zumeist verletzte Gefühle in ihm angesprochen werden. Dann nämlich fühlt er sich in eine Zeit zurückversetzt, die ihm wirklich emotionale Schmerzen bereitet hat. In den meisten Fällen haben sich diese geschlossenen Zwei-Nuller Menschen in einer früheren Inkarnation mit einer anderen Person emotional eingelassen, durch die sie starken Kummer und tiefen Schmerz erfahren mussten, was gerne darauf hindeutet, dass sie in dem anderen etwas anderes gesehen haben, als er in Wirklichkeit war. Nun müssen sie lernen, der Realität ins Auge zu schauen, doch da sie auf einem Auge (0) blind sind, müssen sie dazu ihr Gefühl einsetzen; darüber spüren und sehen sie diesmal genau, wie andere Personen wirklich zu ihnen stehen. Geschlossene Zwei-Nuller Menschen müssen in dieser Inkarnation also genauer in den anderen hineinfühlen und auch -sehen, bevor sie sich emotional einlassen.

Die Angst vor emotionaler Verletzung ist beim geschlossenen Zwei-Nuller enorm groß, so dass seine inneren Bilder immer wieder wie Warnsignale wirken, damit er achtsam ist, dies auch bleibt und sich emotional nicht wieder einfach so einlässt. Er muss genauer hinschauen, denn sich emotional einzulassen heißt auch, sich emotional zu öffnen, und das geht nur, wenn er es wirklich will, alles andere ist eine Selbstlüge. Doch tief im Inneren träumt er von der großen Liebe und sehnt sich somit nach tiefer emotionaler Verbundenheit; und trotzdem, wie schon gesagt, da unser geschlossener Zwei-Nuller Mensch karmische, emotionale Themen in sich abgespeichert hat, bekommt er immer wieder Warnhinweise, die ihn letztlich davon abhalten, sich mit einer Person tief einzulassen. Angesichts dieser „Altlast" ist seine Intuition im Hier und Jetzt empfindlich gestört; dies zeigt eindeutig an, dass er sich selbst nicht unbedingt vertrauen kann.

Lösung: Der geschlossene Zwei-Nuller Mensch muss lernen, auf sein Gefühl und seine Bilder zu achten. Auch hier ist es sinnvoll in Entspannungssitzungen in die Thematik hineinzugehen, damit klar erkannt werden kann, um was es sich im ursprünglichen Sinne gehandelt hat und wer daran beteiligt war. Meist treffen wir die Personen, mit denen wir uns in einer anderen Inkarnation verstrickt haben, wieder – und nur diese haben tatsächlich etwas mit dem alten Schmerz zu tun; jeden anderen, der lediglich an den Schmerz erinnert, würde die Heftigkeit der verletzten Gefühle zu Unrecht treffen. Deshalb lieber hinsehen und Klarheit bekommen; das ist in einer solchen Konstellation immer hilfreich.

30 (drei und null)

Diese Konstellation zeigt an, dass die entsprechende Person sich und ihrem eigenen Energieeinsatz nicht vertraut. Auch hier sind karmische Ursachen wirksam: In einem früheren Leben hat der geschlossene Drei-Nuller aufgrund seiner Aktivität etwas „angerichtet", so dass er zukünftig erst einmal genau hinsehen sollte, bevor er handelt. Aus diesem Grund sind diese Menschen in gewisser Weise in ihrer Tatkraft eingeschränkt, damit sie keinen weiteren Schaden anrichten können. Das heißt, der innere Schutzmechanismus sorgt dafür, dass nichts passieren kann.

Der geschlossene Drei-Nuller Mensch kann teilweise ganz normal seiner gewohnten Aktivität nachgehen, doch je mehr er an sein inneres Karma/Thema heranrückt, desto mehr wird er sich selbst blockieren. Er steht sich dann im wahrsten Sinne des Wortes selbst im Weg. Dies ist für jeden Außenstehenden sehr schnell sichtbar, doch der wahrhaftige Grund wird lange Zeit verborgen bleiben.

Lösung: Auch hier gilt wieder: Hinschauen und lernen, sich die Aktivität zu erlauben. Sie können, nachdem Sie ungefähr wissen, auf welchem Gebiet Sie sich blockieren, anfangen, Ihr Leben bewusster zu leben, indem Sie sich selbst versprechen, mehr und bewusst Verantwortung für Ihre Taten zu übernehmen. Damit haben Sie den Trumpf in der Hand und können langsam wieder handlungsfähiger werden; denn: Ihr Karma/Thema konnte sich nur aufgrund einer ehemals gelebten Verantwortungslosigkeit aufbauen.

40 (vier und null)

Hier geht es um das Thema der eigenen Unzufriedenheit. Der geschlossene Vier-Nuller wird sich mit ziemlicher Sicherheit in einer früheren Inkarnation mehr mit dem vermeintlichen Glück anderer beschäftigt haben, als mit sich selbst. Somit stehen diese Menschen ihrem eigenen Glück stets selbst im Weg und müssen lernen, mit dem, was sie sind und was sie haben, glücklich zu sein. Das ist ihre Aufgabe. So sind sie jedes Mal, wenn sie wieder auf einen anderen schauen, fast blind, sie können sich nur noch schwerlich tief emotional anbinden, sie müssen immer wieder lernen, auf sich selbst zu schauen. Ob ihnen das, was sie dann sehen, gefällt oder nicht, spielt hierbei keine Rolle. Hauptsache die geschlossenen Vier-Nuller Menschen lernen, sich zu leben und auf sich selbst stolz zu sein.

Das ist ihr Weg, und so sind sie zunächst auf der permanenten Suche nach dem äußerlich geankerten, tiefen Glück, ohne es so wirklich im Außen finden zu können, egal, was sie auch alles dafür tun sollten. Tatsache ist: Sie können es nur in ihrem Inneren finden, und genau das müssen diese Personen erst einmal erkennen; aus diesem Grund haben sie für dieses Leben diese Konstellation gewählt.

Lösung: Beachten Sie alles das, was Sie haben. Ihr wichtigster Ausgangspunkt ist, damit glücklich und zufrieden zu sein. Die innere und äußere Dankbarkeit ist eines der höchsten Güter, die wir leben können und uns nichts mehr auf Erden entbehren lassen. Im Extremfall könnten Sie, wie auch in den zuvor genannten Fällen, über eine Entspannung in die frühere Inkarnation hineinsehen und die Augenklappe lösen, damit Sie klarer erkennen können, um was es sich genau handelte und auch heute noch handelt.

Die geschlossene Eins

Ebenso wie die Null kann auch die Eins nicht als Durchschnittszahl errechnet werden, das heißt, die geschlossene Eins tritt nur als Eins-Nuller Konstellation auf. Hier steht sie grundsätzlich für die eingeschränkte Denkweise eines Menschen. Geschlossene Eins-Nuller Menschen haben wirklich die Begabung, sich so stark an ihre eigene Denk- und Sichtweise festzubeißen, dass ihnen alles andere und somit auch andere Meinungen völlig egal erscheinen. Wenn diese Menschen also (wie ich bei der offenen Eins schon erwähnt habe) der Meinung sind, der Baum ist rosa, dann ist es für sie auch so. Auch wenn es statistische oder andere objektive Beweise dafür gibt, dass dieser Baum grün ist, für sie ist er rosa und damit basta. So ist das halt, denn ein geschlossener Einser-Mensch lässt sich von keinem etwas sagen; er hat Angst vor der eigenen Wahrheit, und deshalb unterdrückt er alle, für ihn doch wichtigen Punkte in seinem Leben, die er nicht sehen will. So kann er versuchen, seine Gedankenwelt so lange wie möglich am Leben zu erhalten; wenn es dann nicht mehr geht, dann muss er zwar umdenken, doch bis dahin kann es ja noch lange dauern, oder?

Ein geschlossener Einser-Mensch lebt in seiner eigenen Gedankenwelt und will aus dieser auch nicht heraus. Auch als Partner oder Freund kann man nichts ausrichten, er ist halt so, und damit muss man leben. Einen geschlossenen Einser-Menschen überzeugen zu wollen, würde viel zu viel Kraft kosten und außerdem doch nichts bringen, deswegen lassen Sie es am besten gleich und akzeptieren Sie diesen Menschen, so wie er ist; er muss sich sein eigenes Bild machen, und das kann er nur, wenn er es will.

Diese Menschen haben meist in früheren Inkarnationen Situationen mit ansehen müssen, die sie nicht verarbeiten konnten. Aus diesem Grund wollen sie nicht sehen, denn die Angst vor dem, was da kommen könnte, ist größer. Also ist ein geschlossener Eins-Nuller Mensch eine Person, die Angst hat, etwas zu erleben, was sie früher als Beobachter mitbekommen hat. Erst eine andere Sichtweise würde ihr eine Änderung gewähren, doch dafür müsste sie bereit sein, den Blick zu öffnen und nach Innen zu schauen.

Lösung: Der geschlossene Eins-Nuller Mensch muss lernen, sich zu öffnen, und sollte immer wieder darüber nachdenken, ob die andere Denk-/Sichtweise, die er von anderen empfängt, einen Funken Wahrheit beinhalten könnte. Hier gilt: Je mehr ich mich auch aus einer anderen Perspektive betrachten kann, desto besser geht es mir, denn ich lasse dann von meiner eigenen, starren Sichtweise ein Stückchen los und öffne mich meiner kollektiven Wahrheit.

Die geschlossene Zwei

Die geschlossene Zwei steht für Menschen, die sich selbst nicht glauben wie auch ihrer eigenen Intuition nicht vertrauen. Sie haben ihre Intuition und ihren Glauben an sich selbst verloren und müssen diesen wiederfinden - das ist ihre Aufgabe. Sie wissen daher oftmals nicht, ob sie sich selbst und auch anderen vertrauen können. Tief in ihrem Inneren sind sie sehr offen und unterstellen keinem etwas Böses. In den meisten Fällen haben diese Menschen jedoch in früheren Leben genau das Gegenteil, also etwas Negatives für sich durch andere erfahren und können sich und der eigenen Intuition daher nicht mehr trauen. So haben sie diese Konstellation gewählt, um sich wieder zu finden und an sich selbst zu glauben.

Wie sie das machen können? Meist haben sich diese Menschen die Schuld für das schicksalhafte Ereignis aus dem früheren Leben gegeben, das heißt, kein Verständnis oder Mitgefühl für sich selbst entwickelt. Im tiefsten Inneren sind sie über sich selbst sauer und enttäuscht; sie sind der Meinung, sie hätten „es" doch wissen müssen, sie hätten spüren müssen, dass Gefahr droht. Doch so einfach ist das mit unserer Intuition nicht. Das jedoch kann man einem Menschen, der sich in einer solchen Konstellation befindet, schlecht erklären, denn er muss selbst lernen, sich zu verzeihen und die Altlasten zu akzeptieren. Wenn er das nicht tut, dann hat er immer wieder Angst, dass ihm erneut etwas Ähnliches passieren könnte - und Vorsicht: Manchmal bewahrheiten sich solche düsteren Prophezeiungen im Alltag.

Lösung: Für Menschen mit einer geschlossenen Zwei ist es am besten, über eine Entspannung in die alte Geschichte reinzusehen. Werden Sie sich darüber klar, dass Sie persönlich nicht die Schuld an der damaligen Problematik tragen. Wichtig ist, sich selbst zu verzeihen, die alten Wunden auszuheilen und innerlich endlich zur Ruhe zu kommen. Weiterhin ist es wichtig, langsam wieder anzufangen, an die eigene Intuition und somit an das eigene Gefühl zu glauben. Wenn sie das geschafft haben, dann werden Sie sich wieder mit Leichtigkeit vertrauen können.

Die geschlossene Drei

Diese Zahl steht für eine problematische Eigenaktivität. Oftmals fühlen sich Menschen mit einer geschlossenen Drei handlungsunfähig, denn sie stellen sich unbewusst energetisch gegen ihre eigene Aktivität. Somit brauchen sie enorm viel Kraft, um bestimmte Themen und Aufgabengebiete erledigen zu können. Sie wundern sich dann, warum sie ein Thema/eine Aufgabe nicht so einfach anpacken und erledigen können, wie andere. Doch genau darum geht es: Diese Menschen stehen sich selber aus Selbstschutz im Weg, denn etwas falsch zu machen, ist ihre tiefste innere Angst. Diese wiederum zeigt nur allzu deutlich an, dass sie ihre eigenaktive Handlung in einer früheren Inkarnation nicht verstanden haben.

Oftmals üben wir Handlungen aus, ohne über die darauf folgenden Konsequenzen nachzudenken. Gerade eine geschlossene Drei weist auf dieses Thema hin. Dieser Mensch hat in früheren Inkarnationen Handlungen vollzogen, die er nicht hätte vollziehen sollen. Damit er nun lernt, dies nicht noch einmal zu tun, hat er sich quasi als Schutz einen Riegel vor seine Eigenaktivität geschoben; so kann er nicht einfach unüberlegt handeln. Natürlich wird er sich in seinem gesamten Leben mit dem Thema: „Eigenaktiv sein oder nicht" beschäftigen. Seine Aufgabe ist es, dass er wieder lernen muss, sich selbst zu vertrauen und darüber auch zu seiner Berufung zu finden. Meist haben es diese Menschen versäumt, schon in früheren Leben ihr Potenzial voll zum Einsatz zu bringen; in diesem Leben wäre es also an der Zeit. Somit sollte der geschlossene Dreier-Typ hinter allem, was er tut, hundertprozentig stehen.

Lösung: Lernen Sie, genauer auf Ihre eigenen Aktivitäten zu achten. Achten Sie immer wieder darauf, ob Sie voll hinter Ihren Taten stehen können. Die Kontrolle und bewusste Achtsamkeit sind besonders wichtig. Vor allen Dingen stellt sich immer wieder die Frage, was Sie denn tun könnten. Somit kann es sehr wohl sein, dass Sie auf diesem Wege Ihre Bestimmung finden, denn wir alle haben Fähigkeiten, die wir einsetzen können, und gerade geschlossene Dreier-Menschen sollten überlegen, was sie denn gerne tun würden und wie sie zu ihren inneren Wünschen gelangen können.

Die geschlossene Vier

In dieser Konstellation geht es um das eigene Mitgefühl. Diese Menschen haben nicht gelernt, sich um sich selbst zu kümmern, sie warten somit auf den äußeren Heiler, der kommen und sie retten soll. Oftmals tun sie fast alles dafür, um bei den Menschen, die sie dafür auserkoren haben, Gehör zu finden. Sie denken, dass sie einen äußeren Heiler finden müssen, der ihnen hilft, alte Wunden und Verletzungen auszuheilen, erst dann können sie endlich glücklich und zufrieden leben. Nur so funktioniert das natürlich nicht, und somit erleben diese Menschen eine fortwährende Enttäuschung. Oftmals investieren sie enorm viel Energie, um dem vermeintlichen, äußeren Heiler, also ihrem Gegenüber, das Gefühl von Glück zu vermitteln, damit sie dies als Reflexion zurückbekommen. Um gesehen zu werden, opfern sie sich gerne auf, damit sie wenigstens darüber Aufmerksamkeit erhalten.

Im Extremfall versucht der geschlossene Vierer-Mensch, sich bewusst zu betäuben, indem er zu gewohnten Kompensations - oder auch Suchtmitteln greift. Es ist wie in einem Teufelskreis: Er versteht die Welt nicht mehr; er hat einen hohen Energieeinsatz erbracht, um von den anderen gesehen und geliebt zu werden; folgt dann keine entsprechende Resonanz, dann zieht er sich in sein inneres Schneckenhaus zurück, um sich grollend in seiner Höhle zu verkriechen. Somit reagiert dieser Mensch auf Resonanzen sehr schnell mit verletzten Emotionen und ist tief beleidigt. Oftmals wirkt er zudem auch unsicher, denn er versucht immer wieder, dem anderen zu gefallen, damit das Gefühl der vermeintlichen Harmonie bestehen bleiben kann. Seine Aufgabe ist es, mit sich selbst glücklich zu sein und das Leben als schön zu betrachten, denn er muss den Wert des Lebens schätzen lernen; wenn er das verstanden hat, dann ist er ein absolut glücklicher Mensch, den andere um sein Glück beneiden werden.

Lösung: Lernen Sie, mit sich und Ihrem Leben glücklich zu sein. Wichtig: Führen Sie sich immer wieder die positiven Bereiche des Lebens vor Augen. Wenn die innere, emotional abgespeicherte Trauer auftaucht, dann muss diese Trauer nach vorne ins Bewusstsein gelassen werden, damit die alten Tränen endlich geweint werden dürfen. Verhindern Sie nach Möglichkeit, dass Sie zu Betäubungsmitteln greifen, und geben Sie besonders Acht darauf, dass Sie nicht andere Menschen zu Ihrem Heiler auserwählen und dadurch in emotionale Abhängigkeiten geraten. Denken Sie daran, Ihr Heiler lebt in Ihnen, und er wird Ihnen immer dann helfen, wenn Sie diese innere Hilfe auch haben wollen.

Die geschlossene Fünf

Hierbei handelt es sich um Menschen, die sich absolut festhalten wollen und dadurch unbeweglich wirken. Sie vertrauen nicht auf sich selbst, sondern versuchen stets andere als Haltegriff zu benutzen. Sie bauen nicht auf sich, sondern auf die anderen, was zur Folge hat, dass diese Menschen in einer solchen Abhängigkeit zu anderen stehen, dass sie sich selbst kaum noch leben können. Sie müssen immer darauf achten, was der andere tut, damit sie entsprechend früh handeln können. Jede noch so kleine Umwandlung kann in dem geschlossenen Fünfer Angst auslösen, denn er hat Panik davor, die gewohnten Rollen verlassen zu müssen.

Da er jedoch lernen muss, die eigene Sicherheit und Verantwortlichkeit in sich selbst zu finden, wird er die vermeintlich äußere Sicherheit immer wieder verlieren müssen, sonst hat er keine Chance, zu sich selbst zu finden und seine eigene Meinung zu vertreten. Genau das ist sein Thema: Er muss hinter sich und seiner eigenen Meinung stehen. Wir können davon ausgehen, dass diese Person in früheren Inkarnationen ein Mitläufer war und das, was die anderen gesagt oder auch getan haben, nachgelebt hat. So versucht er das in diesem Leben auch wieder, was heißt, er wird Personen, die ihm das Gefühl von Sicherheit vermitteln, zwangsläufig immer wieder verlieren müssen. Es gibt für ihn niemanden, an den er sich einfach andocken kann. Somit muss er lernen, hinter sich und in seiner eigenen Sicherheit zu stehen, denn die Masse kann nie eine Sicherheit darstellen.

Lösung: Lernen Sie, auf die eigene Meinung Acht zu geben und diese auch nach außen zu repräsentieren. Achten Sie darauf, dass Sie sich keinen anderen aussuchen, den Sie einfach so nachleben können. Sie müssen lernen, zu sich selbst zu finden und sich immer wieder überprüfen, ob Sie nun wirklich ihre eigene oder schon wieder eine übernommene Meinung vertreten. Nur so haben Sie eine Chance, wirklich ihre eigene Meinung zu finden und diese auch zu leben. Dann ruht die Stabilität für ihr eigenes Leben auf ihren eigenen Beinen, und nur darauf kommt es bei Ihnen an!

Die geschlossene Sechs

Diese Konstellation zeigt eindeutig an, dass diese Person sich selbst nicht liebt und somit zwanghaft die Liebe von anderen erwartet. Geschlossene Sechser-Menschen neigen dazu, bewusst gezielte Attacken gegen ihre eigene Liebesfähigkeit auszuüben und sich damit letztlich auch selbst zu verletzen. Meist dienen dazu ausgewogene Eifersuchtsattacken, denn tief im Inneren haben sie immer wieder Angst, dass ihnen jemand die geliebte Person abspenstig machen könnte.

Es kann alles noch so schön sein, und trotzdem: Sie finden immer etwas, was sie bemängeln und gegen sich richten können. Darauf sind sie ausgerichtet, sie suchen und wollen, dass ihr Leben schwer ist. Tief im Inneren hoffen sie, darüber Mitgefühl von anderen zu bekommen, damit sie über die Liebesenergie des anderen gesunden können. Meistens sehen sie ihre eigene Problematik nicht und versuchen, dem anderen zu erklären, dass er sie nicht liebt, ja, gar nicht lieben kann. Einem geschlossenen Sechser-Menschen zu erklären, dass man ihn liebt, ist auch wirklich nicht einfach: Er trägt tief im Inneren Selbstzweifel an seiner eigenen Liebesfähigkeit und glaubt, nicht fähig zu sein, die Liebe eines anderen empfangen zu können.

Die Aufgabe ist jedoch, sich selbst zu lieben und das Leben in Harmonie zu gestalten. Tief im Inneren sind geschlossene Sechser-Typen herzlich und kreativ, genau das sollten sie auch leben. In den meisten Fällen haben sich diese Menschen auch schon in früheren Leben gegen sich selbst gestellt und müssen jetzt endlich lernen, sich wieder Gutes zu tun, das Leben als lebenswert zu empfinden und zu genießen. So können wir davon ausgehen, dass sie die karmische Altlast tragen, jemand anderen mehr geliebt zu haben, als sich selbst. Schon in früheren Inkarnationen haben sie sich verstrickt und sind sich selbst untreu geworden. Auch in diesem Leben suchen sie immer noch die eigene Erfüllung beim anderen. Das kann natürlich nicht funktionieren, und somit müssen diese Menschen lernen, sich selbst zu finden und sich selbst zu lieben, erst dann sind sie partnerschaftsfähig. Das heißt auch, dass sie den anderen nicht wichtiger nehmen dürfen, als sich selbst. Ein zwanghaft nach außen gelebtes Partnerschaftsbild kann somit nur zerstörerisch wirken. Erst wenn diese Menschen lernen, dass es keinen wichtigeren Menschen in ihrem Leben geben darf, als sie selbst, dann haben sie sich von ihren eigenen Zwängen befreit.

Lösung: Lernen Sie, sich selbst zu lieben. Machen Sie sich Gedanken darüber, wie Sie zu Ihrer Eigenliebe und Ihrem Lebensgenuss finden können. Wer ist der wichtigste Mensch in Ihrem Leben? Die Antwort: Das müssen Sie selbst sein! Nur so haben Sie eine Chance, sich aus zwanghaftem Beziehungsverhalten zu lösen. Es liegt nicht allein am Partner, wenn die Beziehung für Sie nicht funktionieren sollte, sondern viel mehr an Ihrem eigenen internen Beziehungsverhalten.

Die geschlossene Sieben

Bei Menschen mit geschlossener Sieben geht es um eine blockierte Flexibilität. Sie trauen sich nicht, locker und leicht das zu tun, was sie gerne tun möchten. Sie denken, dass sie sich aus bestimmten, eigentlich unwichtigen Gründen nicht so einfach frei und locker leben können. Oftmals versuchen sie sich krampfhaft an bestimmte Regeln und Normen festzuhalten, was in dieser Form nie vorteilhaft sein kann. Sie versperren somit vielmehr ihre eigene Spontaneität. Da sie oftmals keine realen Gründe für ihre eigene Einengung haben, suchen sie sich meist andere Menschen, die sie tatsächlich einengen. Das funktioniert eine Zeit lang, und sie werden dann vermeintlich für die eigene Freiheit gegen diesen anderen Menschen kämpfen; natürlich ist dies ein sinnloser Kampf, denn keiner kann den anderen wirklich aufhalten oder bremsen, wenn er das nicht selber will. Und somit steht der geschlossene Siebener sich immer nur selbst im Weg, doch das weiß er nicht, zumeist noch nicht, oder aber er will es nicht glauben. Er braucht den anderen/den Grund als Alibi, damit er sich nicht spontan und beweglich leben muss; so kann er dauerhaft davon träumen, wie es sein würde, wenn er sich leben könnte. Doch wenn er dann davor steht, endlich seine Träume in die Realität umzusetzen, dann versagen ihm die Knie, und er begibt sich wieder in die altbewährte Rolle zurück; dort träumt er weiterhin davon, wie es sein würde, wenn er seine Träume realisieren könnte.

Auch schon in früheren Inkarnationen hat er sich angeblich durch andere bremsen und blockieren lassen. Nun wartet er endlich darauf, er selbst zu sein, um sein Leben frei zu gestalten. Er muss lernen, sich dieses hohe Gut selbst zu erlauben und treu seinen eigenen Weg in voller Eigenverantwortung zu gehen. Oftmals wirken diese Menschen oberflächlich, da sie selbst an ihre eigene Tiefe nicht glauben. Doch ihre Aufgabe ist es zu lernen, sich selbst zu vertrauen und all das, was sie tun möchten, so zu tun, wie sie es wollen - das heißt, spontan und kreativ ihr eigenes Leben zu gestalten.

Lösung: Lernen Sie, sich selbst die eigene Beweglichkeit zu erlauben. Warten Sie nicht darauf, was die anderen tun, die ihre Beweglichkeit angeblich blockieren. Das ist ein Trugschluss. Sie müssen sich selbst erlauben, ihre eigene Beweglichkeit zu leben und zu ihrer eigenen Freiheit zu finden wie auch zu stehen.

Die geschlossene Acht

Menschen mit geschlossener Acht müssen lernen, sich als die wichtigsten Menschen in ihrem Leben zu achten. Gerne suchen sie sich jedoch andere, für die sie das Leben gestalten können. Sie kümmern sich dann komplett um sie, sorgen, machen und tun - alles in Gedanken für den anderen, und genau das ist ihr Problem. Sie müssen lernen, stolz auf sich selbst zu sein und sich in vollen Zügen zu leben, nur so können sie zu sich selbst finden. Bei der geschlossenen Acht gilt: Sollte dieser Mensch sich mehr für andere aufopfern, als sein eigenes Leben zu leben, dann wird er die anderen verlieren, damit er zu sich selbst finden kann. So kommen dann Trennungen zu Stande, die letztlich nur dazu dienlich sind, dass die Partner - voneinander getrennt - jeder wieder zu sich selbst finden kann.

Die geschlossenen Achter-Menschen haben sich in einer früheren Inkarnation für einen anderen aufgegeben und sich von ihrem Glauben an das Licht und auch an die eigene Persönlichkeit abgewandt; in diesem Leben müssen sie nun wieder zu sich selbst finden. Doch wie so oft werden auch diese Menschen immer wieder versuchen, einen anderen zu finden, den sie mehr vergöttern können, als sich selbst. Das heißt, sie setzen wieder eine andere Person auf einen Podest/Thron und geben ihr mehr Achtung und Anerkennung, als der eigenen Person. Natürlich müssen sie diesen Menschen dann zwangsläufig auch wieder verlieren, um zu erkennen, dass es keinen anderen neben ihnen gibt, der wichtiger sein könnte, als sie selbst. Sie sollten übrigens jetzt nicht glauben, dass die geschlossenen Achter-Menschen vom Schicksal gebeutelt werden und dadurch ständig ihre Partner verlieren müssen. Nein, das machen sie schon selber. Sie können dann so ekelig werden, dass es kein Mensch auf Dauer bei ihnen aushalten kann. Immerhin ist unser geschlossener Achter sehr dominant und will die permanente Anerkennung und Aufmerksamkeit, also möchte er eigentlich ständig selbst vergöttert werden, und wer hat darauf schon Lust?

Lösung: Lernen Sie, zu sich selbst zu stehen, sich selbst als den wichtigsten Menschen in Ihrem Leben zu betrachten, stolz auf sich zu sein und alles dafür zu tun, damit die eigene Wertung nur positiv ausfallen kann. Überlegen Sie, was Sie in sich negativ geankert haben: Welcher Glaubenssatz steckt dahinter? Warum machen Sie sich beispielsweise immer wieder gerne kleiner, als Sie in Wirklichkeit sind? Es ist wichtig, dass Sie erkennen, dass Sie keinem anderen helfen können, wenn Sie sich selbst nicht helfen wollen.

Die geschlossene Neun

Diese Konstellation betrifft Menschen, die sich nicht durchsetzen wollen und deshalb immer einen anderen brauchen, der das für sie tut. Sie denken, dass sie selbst dazu nicht in der Lage sind. Das stimmt natürlich nicht. Doch es ist für diese Menschen einfacher, sich klein zu machen, damit sie nicht gesehen werden. Je kleiner sie sich darstellen, desto mehr Menschen finden sie, die die Verantwortung für sie automatisch mit übernehmen. Dann zieht sich die Schlinge zu, und der geschlossene Neuner zeigt sein wahres Gesicht: Er manipuliert seine Opfer und wird alles dafür tun, dass diese Menschen so funktionieren, wie er das will. Meist merken das die anderen nicht rechtzeitig und sind dann oftmals schon mit Themen des angedockten Neuners verstrickt, häufig sogar als vorgeführter Prellbock. Der Gipfel der Verstrickung ist dann, wenn der andere sich auch noch für Schäden, verursacht durch den geschlossenen Neuner verantwortlich fühlt und dafür die Haftung übernimmt. Das passiert öfter als man denkt.

Karmisch gesehen haben diese Menschen auch schon in früheren Zeiten ihre eigenen Themen auf andere abgelegt, teilweise sogar auf deren energetische Kosten gelebt und somit immer nur das getan, was sie für richtig hielten. Meist wurden sie dafür nicht verantwortlich gemacht. In diesem Leben nun müssen sie lernen, ehrlich zu sich zu sein, Eigenverantwortung zu übernehmen, auch wenn das bedeutet, Fehler und Schuld eingestehen zu müssen. Sie sollten sich dessen bewusst werden, dass sie selbst stark genug sind, zu dem zu stehen, was in ihnen steckt. Sie haben viel mehr Kraft, als sie eigentlich zeigen wollen. Je mehr die geschlossenen Neuner also zu dem stehen, was sie haben, desto besser werden sie sich zukünftig in ihrem Leben fühlen.

Lösung: Lernen Sie, die eigene Kraft zu spüren und zu den eigenen Taten zu stehen, das ist das Wichtigste in dieser Konstellation. Sie müssen lernen, zu Ihren Kraftpotenzialen zu stehen und sich diese immer wieder ins Bewusstsein zu rufen, damit Sie genau wissen, was Sie mit ihrer geballten Energie machen. Dann werden Sie sich stark und selbstbewusst fühlen und werden alles dafür tun, um sich in diesem Leben in ihrer vollen Kraft und

Stärke zu zeigen. Sie können sich sehr wohl selbst wehren. Sie brauchen keinen anderen, der sich schützend vor Sie stellt.

Die einzelnen Zahlen

Die einfachen, doppelten, dreifachen, vierfachen, offenen und geschlossenen Zahlen

Wenn wir uns nun bewusst machen, dass jede in unserem Geburtsdatum besetzte Zahl eine individuelle Aussage hat, dann können wir uns vorstellen, wie viele verschiedene Energien in uns hausen. Gehen wir noch einen Schritt weiter und betrachten jede besetzte Zahl symbolisch als Energieanteil. Das bedeutet, wir haben unterschiedliche Teilenergien in uns, die uns regieren. Jeder Mensch stellt symbolisch betrachtet keine energetische Einheit dar, sondern besteht zumeist aus sehr unterschiedlichen Energieaspekten, die jeweils unterschiedliche Aussagen und Aufgaben haben. Somit vernehmen wir in uns oftmals verschiedene Meinungen und wissen dann nicht mehr, worauf wir hören sollen. So kann es sein, dass ein Energieanteil für einen Bereich verantwortlich ist und ein anderer dieses gar nicht mitbekommen hat. Somit sind nicht alle Energieanteile in uns immer darüber informiert, was gerade passiert. Sie selbst kennen doch bestimmt die in Ihnen laut werdenden selbstkritischen Fragen: Wer zweifelt jetzt schon wieder in mir? Wer ist für den jetzt nach vorne kommenden Spieltrieb zuständig? Wer konnte schon wieder nicht Maß halten und hat mich dazu veranlasst, noch ein Stück Kuchen mehr zu essen, das mir nun quer im Magen liegt? Kennen Sie das? Bestimmt. Ich persönlich erkläre dieses Phänomen der unterschiedlichen inneren Stimmen damit, dass diese Teilenergien in uns, entsprechend ihrer verschiedenartigen Aufgabenbereiche, durchaus sehr unterschiedliche Meinungen vertreten. Wie oft diskutieren wir, beziehungsweise diese Energieanteile in uns, über bestimmte Bereiche, die wir uns bis dato viel zu wenig bewusst angeschaut haben. In der Numerologie haben wir die Möglichkeit, diese Teilenergien und ihre speziellen Aufgaben wie auch ihre Qualitäten genauer zu betrachten. Dabei möchte ich hier vorab noch einmal erwähnen, dass die Numerologie nicht der einzige Schlüssel zur Klärung und Lösung sein kann, sondern eine Form der Analyse ist, die uns einen gewissen Einblick in unsere Thematik gewährt. Wenn Sie also noch viel mehr über sich wissen wollen, dann sollten Sie sich noch mehr mit sich und Ihren eigenen Möglichkeiten auseinander setzen.

Doch nun zurück zur Numerologie. Wir gehen also davon aus, dass wir anhand der einzelnen Zahlen Aufgabengebiete bestimmter Teilenergien in uns definieren können. Wenn wir dieses Phänomen betrachten, dann kommt es uns oftmals so vor, als würde sich eine Schar verschiedenster Energieanteile in uns tummeln, und keiner weiß mehr so recht, was er vom anderen halten soll. Dann wissen wir oftmals selbst nicht mehr ein noch aus; damit wir uns jedoch in unserem Leben zurecht finden können, suchen sich die meisten andere Personen, an die sie sich halten können. Somit trägt der andere ein Stück zur eigenen Ordnung bei. Doch allein unsere Teilenergien regieren in uns und wollen somit an unserem inneren Rednerpult zu Wort kommen. Manche Stimmen machen sich dann erst nachts ans Werk, wenn alle anderen schlafen, um ihre Meinung zu präsentieren. Andere melden sich tagsüber lauthals zu Wort, und andere wiederum bringen nur den leidenden Gesichtsausdruck nach vorne, der den anderen bewusst zeigt, dass es diesem Teil nicht gut geht. Eine Person dann nur einseitig zu betrachten, wäre fatal. Denn immerhin bestehen wir aus vielen Energiepotenzialen und müssen uns auch so anerkennen.

Die Numerologie zeigt uns also lediglich die unterschiedlichen Aspekte an und gibt uns somit die Möglichkeit zu erkennen, was für Aufgaben unsere Anteile haben. So können wir beispielsweise schon allein anhand der Anzahl ungerader/männlicher oder gerader/weiblicher Zahlen in unserem Geburtsdatum erkennen, ob wir mehr weibliche oder männliche Energieanteile in uns haben. Dabei gilt, wie bei jeder anderen Teilenergie auch: Anteile, mit denen wir uns gerne beschäftigen, leben wir bewusst; die anderen wiederum, die wir eher ignorieren, möchten wir am liebsten verstecken. Gerne begegnen uns diese „ungeachteten, oftmals ungeliebten Kinder" dann als Projektion im Außen, um auf ihre Existenz aufmerksam zu machen. All das gehört zu uns – so auch unser Hauptproblem, das wir anhand der geschlossenen Zahlen erkennen können, wie ich in den vorangegangenen Kapiteln bereits beschrieben habe. Angesichts der unterschiedlichen Seiten in uns können wir jetzt schon erkennen, dass die Numerologie uns eine entsprechend vielseitige Analyse unserer Teilenergien zu geben vermag – und da wir alles, was in uns ist, auch leben müssen, ist es wichtig, sich damit auseinanderzusetzen. Gerade wenn wir eine Zahl doppelt oder sogar dreifach besetzt haben - wie zum Beispiel bei dem Datum 11.1.66 - tritt diese Kombination äußerst dominant in unserem Zahlensystem auf, und wir müssen uns besonders intensiv mit ihr beschäftigen. Hier können wir jedoch nicht davon ausgehen, dass sich eine doppelte Eins nur als eine verstärkte Eins anfühlt. Nein, vielmehr haben wir hier zwei unterschiedliche Anteile, die durch die Eins, also durch den Kopf, repräsentiert werden, das heißt, zwei Energieanteile, die eine Eins darstellen. Hierbei könnte es sein, dass der eine Anteil so und der andere so kommuniziert, sie also eine voneinander abweichende Meinung vertreten. Wenn wir eine solche Konstellation haben, bedeutet das, dass wir immer wieder schlichtend auf uns, also unsere Einser-Anteile einwirken müssen. Genauso müssen wir diese Thematik werten. Oftmals ist es nicht einfach, eine Doppelbesetzung zu leben. Deshalb ist es besonders wichtig, sich mit diesen Themen genauer auseinanderzusetzen.

Grundsätzlich gilt: Wenn wir in der Numerologie eine Zahl in einfacher Form dargestellt haben, dann wird diese meist auch einfach und offen gelebt. Hierbei handelt es schlichtweg um eine positive Gewichtung. Das bedeutet, dass wir einen Energieanteil in uns haben, der durch diese Konstellation zu uns Kontakt hat und sich in diesem entsprechenden Bereich — wie beispielsweise die 3, die der Aktivität entspricht - lebt. Ein wenig komplizierter wird es jedoch, wenn es im Datum eine bestimmte Zahl - zum Beispiel die 3 - offen und zusätzlich geschlossen gibt, also das Beispiel: Eine offene 3 und eine geschlossene (3); das heißt, wir haben dann zwei ganz verschiedene Energieanteile in uns; die Offene wird leicht gewichtet gelebt und die Geschlossene wird die Offene boykottieren und sich ihr somit in den Weg stellen. Sie können sich jetzt schon lebhaft vorstellen, wie schwer dies zu leben sein kann. Immerhin würden wir in einem solchen Fall über unsere eigenen Hinkelsteine fallen. Doch was machen wir mit einer solchen Konstellation? Wir müssen erkennen, dass wir einen energetischen Zwiespalt in uns haben, und entsprechende Maßnahmen treffen, damit wir mit beiden Anteilen gut leben können. Schon alleine das Erkennen und Verstehen der in uns befindlichen Energiekonstellationen wird uns helfen uns ein Stück näher zu bringen.

Fassen wir nochmal zusammen: Die Zahlen in unserem Geburtsdatum zeigen lediglich an, dass wir verschiedene Energieanteile in uns tragen, die alle zu Wort kommen wollen. Alles das, was wir in uns haben, müssen wir somit leben, das ist unsere Aufgabe, der wir uns stellen müssen. Wenn wir nun eine Mehrfachbesetzung einer Zahl haben, dann haben wir entsprechend viele verschiedene Teilenergien, die alle gelebt werden wollen. Wir kommen dann nicht drum herum, diese Energieanteile in uns zu sortieren und entsprechend zu leben. Die Numerologie gibt dabei immer wieder einen Ansatzpunkt, was in uns ist und was wir leben müssen. Somit bedeutet zweimal die gleiche Zahl, dass wir zwei Energieanteile in uns tragen, die beide dieselbe Grundsubstanz in sich haben und entsprechend gelebt werden wollen. Schon bei einer solchen Komponente müssen wir aufpassen, dass diese Energieanteile miteinander in Harmonie sind. Denn bedenken Sie, wie schnell können sich zwei streiten!

Die Zahl dreifach zeigt eine absolute Übergewichtung an und schlägt zum Teil oftmals schon ins Negative um. Das heißt, wenn wir drei Einser haben, dann haben wir drei verschiedene Kopfanteile, die alle durcheinander reden. Auf wen will man da noch hören? Hier muss besonders darauf geachtet werden, dass diese Energieanteile sich nicht streiten, sonst könnte einem symbolisch der Schädel vor lauter Kommunikation und Wirrwarr platzen.

Bei der vierfach Konstellation dreht sich das gesamte Zahlensystem hauptsächlich nur noch um den gewichteten Bereich. Diese Konstellation ist jedoch sehr selten anzutreffen. Für Außenstehende sieht dies immer schwer zu leben aus, doch derjenige, der diese Konstellation hat, wird sich in seinem Leben damit zurechtfinden. Er merkt oftmals gar nicht mehr, wie er nach Außen wirkt. So kann es einem, der vier Einser hat, beispielsweise passieren, dass er nichts mehr in sich sortiert bekommt, da er alle seine Einser gegen sich selbst gerichtet hat. Denn egal, welches Lebensthema wir uns gesetzt haben, wir tun alles dafür, um es zu verstehen. Bei einer solchen Konstellation liegt der Gedanke nahe, dass dieser Mensch trotz seines hohen Kopfpotenzials dumm und verständnislos wirkt. Doch alles das, was wir in uns tragen, haben wir uns zu Recht aufgebürdet. Wir wollen daraus lernen, und somit muss eine Person, die sich eine solche Konstellation gewählt hat, lernen damit umzugehen. Gerade diese Konstellation weist sie besonders daraufhin, dass sie sich mit vielen verschiedenen wissenswerten Themenbereichen in ihrem Leben auseinander setzen sollte, damit alle ihre Einser eine Sättigung erfahren. Sie sehen, egal was wir uns auf unserem Lebensweg mitgegeben haben, wir alleine haben die Möglichkeit, mit diesen Konstellationen sinnvoll zu leben. Wir können noch so viel analysieren, doch letztlich können wir nur erahnen, wie sich die Konstellation unseres Nachbarn anfühlt; jedoch wissen kann er das nur selbst.

Damit wir unsere Lernthemen im Leben verstehen können, werden wir uns all die Konstellationen wählen, die wir brauchen, um die dahinter liegende Lebensaufgabe erkennen zu können. Sollten wir uns dann für unser heutiges Leben eine solch schwierige Konstellation gegeben haben, wie die vier Einser etwa, dann liegt es nur daran, dass wir uns vorher, also in früheren Leben, nicht geglaubt und uns somit immer wieder vor unseren eigenen Themenstellungen gedrückt haben. Wenn das der Fall ist, dann suchen wir uns oftmals eine Vierer-Konstellation, die uns den unausweichlichen Weg weist. Der Weg, den man dann nicht mehr übersehen kann. Jeder, der eine solche Konstellation hat, sollte mal darüber nachdenken, vielleicht kann er sich sogar an frühere Leben erinnern, die ihm vergeblich sein Thema immer wieder vor die Nase zu setzen versucht haben.

Die geschlossene Zahl will ich hier noch einmal kurz erklären: Sie ist von der Grundenergie her negativ geankert, schwierig zu leben und weist auf das Lernthema hin - wie ich bereits in den vorangegangenen Kapiteln beschrieben habe. Sollte sie jedoch mit einer Offenen identischen Zahl gemeinsam auftreten, dann bedeutet das, dass wir ein Pro und Kontra, ein Für und Wider in uns tragen; und das bedeutet, eine immer wiederkehrende, disharmonische Kommunikation. Die Aufgabe dahinter: Wir müssen lernen, in diesem Themenbereich genau hinzusehen; wir müssen erkennen, um was es sich handelt. Gerade die geschlossene Zahl hat etwas mit unserem Karma zu tun und deutet darauf hin, dass wir uns in diesem Bereich besonders leben müssen. Sollten wir nun eine Offene und eine identische Geschlossene haben, dann zeigt dies eindeutig an, dass wir schon länger an

dem Thema arbeiten, sonst hätten wir uns nicht diese Konstellation gewählt. Wir müssen somit lernen, die Aufgabe der Geschlossenen in eine
positive Richtung zu lenken, damit sich diese Energie nicht mehr gegen
uns richten kann.

Doch nun die einzelnen Erklärungen zu den numerologischen Zahlen
der einfachen, doppelten, dreifachen, vierfachen wie auch der offenen im
Verbund mit der geschlossenen Konstellation.

Die 0

Die einfache, doppelte, dreifache, vierfache, offene und geschlossene 0

Die 0 – zeigt letztlich nur an, dass diese Person ein sehr gutes Vorstellungsvermögen und somit eine rege Fantasie hat. Nuller-Menschen träumen gerne in den Tag hinein und können trotzdem die zu erledigenden Arbeiten bewältigen. Äußerlich sieht man dann den fleißigen Arbeiter; doch innerlich liegt unser Nuller gerade am Sandstrand und hört das Meeresrauschen in seinen Ohren. Der Witz daran: Andere merken das meist noch nicht einmal, der Nuller kann trotz seiner Tagträume ganz normal dem Alltagsgeschehen folgen.

Die 00 – zeigt an, dass diese Person zwei Energieanteile in sich trägt, die eine visuelle Vorstellungsgabe haben. Das bedeutet, dass dieser Mensch sehr viel über die sehende und Vorstellungs-Komponente lebt. Er wird fast hellsichtig sein, denn seine beiden Nuller werden sich auf unterschiedliche Wahrnehmungsbereiche einstellen. Deshalb ist es besonders wichtig, dass diese Menschen sich auch immer wieder erden, sonst haben sie das Gefühl zeitweise abzuheben; immerhin könnten sie vor lauter Sehen schnell den Boden unter den Füßen verlieren.

Die 000 – ist aus unserer Perspektive betrachtet, sehr schwer zu leben. Diese Menschen leben zumeist in ihrer eigenen Welt und allein mit ihrer eigenen Vorstellungskraft. Oftmals verlieren sie den Realitätsbezug, den stabilen Halt und wissen nicht, wie sie mit alltäglichen Situationen umgehen sollen. Sie leben mehr in ihren eigenen Traumwelten, als in der Realität. Channeln und Kontakte zu anderen Dimensionen fallen diesen Menschen besonders leicht. Ihre Lernaufgabe ist, mit dieser doch sehr selten anzutreffenden Form zu leben und sich den herausragenden Qualitäten der Dreifach-Null zu stellen. Für Außenstehende ist es meist besonders schwierig, Menschen mit einer solchen Konstellationen zu verstehen. Wenn der Dreifach-Nuller sich bewusst lebt, dann hat er hervorragende Fähigkeiten und kann absolut revolutionäre, wissenschaftliche Entdeckungen hervorbringen

- immerhin ist ihm die Welt der Entdeckung und der Erfindung besonders nah.

Die 0000 – ist schon fast nicht mehr greifbar, könnte jedoch bei einem Datum wie zum Beispiel dem 10.10.00 auftreten; hier hätten wir dann das Beispiel viermal Null, zweimal die Eins und ein Durchschnittswert von (4). Eine Person mit dieser Geburtskonstellation wäre absolut hellsichtig, jedoch auch kopflastig und müsste lernen, ihr eigenes Glücksgefühl zu entwickeln. Das ist jedoch nur eine oberflächliche Kurzbeschreibung, um die Thematik anzureißen. Wahrscheinlich wird kaum ein Außenstehender diese Person verstehen können. Sie lebt dann so stark in ihrer eigenen Welt und müsste dazu auch noch lernen, ihr Leben als etwas Besonderes zu empfinden und zu lieben. Tief im Inneren wird sie sich bestimmt stets als Außenseiter fühlen, ohne unbedingt zu wissen, warum. Doch sollte ihr Kopf (die doppelte Eins) hier Unterstützung gewähren, so dass sie sich selbst die absolute Erlaubnis gibt, sich visuell leben zu dürfen – das heißt, dass sie an das, was sie sieht, auch glaubt - dann hat sie eine reelle Chance, mit dieser außergewöhnlichen Konstellation glücklich zu werden - und das ist wiederum die Aufgabe dieser Menschen, wie uns die geschlossene (4) zeigt.

Wenn wir eine offene 0 und eine geschlossene (0) haben, dann widerspricht sich diese Konstellation in sich selbst. Das heißt, die eine Null kann klar und deutlich erkennen, worum es geht, und die andere wird den Blick auf bestimmte Brennpunkte immer wieder versperren. Das kann für denjenigen, der diese Konstellation hat, sehr unangenehm werden. Gerade dann, wenn er sich auf seine Hellsichtigkeit verlassen will, kann es sehr wohl sein, dass ihm die geschlossene Null einen Strich durch die Rechnung macht und er dann Dinge sieht, die absolut nicht der Wahrheit entsprechen. Sollte er dann beispielsweise seiner Freundin eine Eifersuchtsszene machen, da er sich sehenderweise ganz sicher ist, dass sie ihn betrügt, dann kann es sein, dass er sie verliert, nur weil seine geschlossene Null ihm ein Schnippchen geschlagen hat. Also aufgepasst, welche Null ihnen die Bilder sendet. Sie müssen in so einer Konstellation lernen zu unterscheiden, von welchem Energieanteil sie den ausschlaggebenden Impuls bekommen, und natürlich lernen, ihre geschlossene Null zu verstehen.

Die 1

Die einfache, doppelte, dreifache, vierfache, offene und geschlossene 1

Die 1 – steht, wie schon erwähnt, für den Kopfbereich, das logisch - kausale Denken. Der Mensch mit einer Einser-Konstellation nutzt sein lineares Kopfpotenzial, um sich logischerweise den Situationen seines Lebens bewusst zu werden. Er überlässt nichts dem Zufall, und da alles nach Gesetzmäßigkeiten abläuft und er dies genau weiß, sucht er immer nach dem dahinter liegenden System. Somit plant er alles genau nach seinem eigenen Schubladensystem. Kann er das nicht, dann wird er so lange suchen, bis er eine passende, ihm logisch klingende Resonanz gefunden hat. Er braucht Wissen, damit er sich weiterentwickeln kann. Doch alles, was er erfahren und lernen will, muss für ihn klar erkennbar sein, sonst geht es nicht, es müssen sämtliche Bereiche in sein Kopfthema – Schubladensystem - passen, bevor er sich auch nur für irgendeine Wegmöglichkeit entscheiden kann.

Die 11 – zeigt an, dass diese Person zwei Kopfteile hat und somit meist viel zu viel nachdenkt. Das bedeutet im Klartext, dass wir in diesem Fall nicht nur eine doppelte Gewichtung des Kopfbereiches haben, sondern, dass diese Person zwei verschiedene Kopfpotenziale besitzt, die beide gleich stark gewichtet sind und doch unterschiedliche Meinungen vertreten. Somit muss die Person lernen, auf beide Potenziale zu achten, um deren Informationen zu empfangen. In der negativen Form wirkt sich das zumeist so aus, dass der Doppel-Einser dazu neigt, Situationen zu zerdenken, alles bis ins kleinste Detail zu überlegen, bis er vor lauter Denken fast handlungsunfähig wirkt. Zwei Energieanteile im Kopfbereich werden immer wieder Themen finden, über die man sich stundenlang auslassen kann, um eine Analyse zu erstellen. Somit ist es wichtig, dass bei einer Mehrfachbesetzung die Aufgaben der einzelnen Zahlen bewusst koordiniert werden; dann stellt sich nicht mehr die Frage, wer für welchen Bereich zuständig ist - sonst fängt die eine an über das Thema nachzudenken, wenn die andere gerade damit fertig geworden ist. Zu viel nachdenken hindert daran, die schönen Seiten des Lebens zu genießen, und das wollen wir doch nicht, oder? Wenn Sie bei einer solchen Konstellation disharmonischen inneren Auseinandersetzungen vorbeugen wollen, dann nutzen Sie Ihr Potenzial und lernen, was das Zeug hält, dann haben Sie mindestens eine Eins sinnvoll beschäftigt. Der Vorteil: Sie finden mehr Ruhe in sich und ziehen sogar noch Nutzen daraus, indem Sie zukünftig einfach noch mehr Wissen haben werden.

Die 111 – grenzt schon an ein Nachdenken, ohne überhaupt noch auf den Punkt zu kommen. Diese Menschen wirken manchmal einfach ein wenig dumm, da sie in den meisten Fällen viel zu lange und viel zu viel über unnütze Dinge oder Begebenheiten nachdenken. Sie haben dann oftmals kaum noch eine Chance, sich gedanklich sinnvoll mit alltäglichen Situationen auseinanderzusetzen, denn gerade das ist ihnen dann viel zu viel. Somit wäre es hier besonders wichtig, die einzelnen Energieanteile zu sortieren, damit die einfachen, jedoch wichtigen alltäglichen Gedanken auch noch ihren Platz finden.

Die 1111 – ist oftmals so schwierig zu leben, dass die betreffende Person dies zumeist gar nicht merkt, denn sie ist so in ihren eigenen Gedankenbildern vertieft, das ein „an-die-Oberfläche-", also ins Bewusstsein-Kommen, fast nicht mehr machbar ist. Somit stehen sich diese Personen oftmals selbst im Weg und wirken sogar teilweise wie gelähmt, denn sie blockieren mit ihrem Kopfdenken die gesamten Energieanteile ihres Körpers.

Diese Konstellation trifft sehr selten zu. Beispiel 11.11.00, dann haben wir viermal die Eins; zweimal die Null und eine geschlossene (6). Hier müsste dieser Mensch trotz lauter Kopfkonstellation lernen, sich zu lieben. Das wird er jedoch nur können, wenn er sich - durch die 00 - in einer positiven Position sieht, denn er muss lernen, sich zu gefallen und das weniger vom Gefühl, als viel mehr aus seinem Blickwinkel heraus. Doch das wiederum geht nur, wenn der Kopf teilweise ausgeschaltet ist, damit die anderen Themen überhaupt zu Wort kommen können.

Nun kommen wir zu der offenen 1 und der geschlossenen (1): Hierbei wird wieder ein Streit vom Zaun gebrochen, denn diese Konstellation besagt, dass die offene Eins versucht, den „Besitzer" mit Wissen zu füttern und somit immer offen für neue wissenswerte Erlebnisse, die in ihr System passen, ist. Die geschlossene Eins hingegen wird sich immer wieder mit ein und derselben Thematik beschäftigen und wie eine Schallplatte mit Sprung immer wieder dasselbe Szenario abspielen lassen, ohne ein wirkliches Ende zu finden. Somit blockiert die eine die andere. Das Phänomen für Außenstehende: Sie können mit einem Menschen, der eine solche Konstellation hat, tolle, gute und auch interessante Gespräche führen. Wenn dann jedoch die geschlossene Eins nach vorne ins Bewusstsein kommt, dann haben Sie das Gefühl, Ihren eben noch geschätzten Gesprächspartner nicht mehr wiederzuerkennen, denn er wird verstockt wie ein Fisch an der Angel sein, und nichts mehr wird von dem alten Wissen und den tollen, guten Gesprächen übrig geblieben sein. Wer soll da schon durchblicken, zumal die Person es zumeist selbst nicht kann. Auch hier gilt die Aufgabe: Die Einser müssen sortiert werden, erst dann kann ein Leben in Harmonie absolut realisierbar sein.

Die 2

Die einfache, doppelte, dreifache, vierfache, offene und geschlossene 2

Die 2 – steht für die Intuition, das tiefe innere Gefühl. Ein Zweier-Mensch muss in die Themen hineinfühlen, dann weiß er genau, ob etwas für ihn passt oder nicht. Somit erspürt er energetisch sämtliche Dinge oder Situationen, die er braucht. Beispielsweise kann er Lebensmittel in ihrer Grundenergie erfassen und somit einfach feststellen, ob sie für ihn bekömmlich sind. Genauso gut kann er die vorhandenen Energien einer Wohnung oder eines anderen Menschen ertasten. Er spürt somit genau, in welcher energetischen Lage sich sein Gegenüber befindet. Er ist vorsichtig, er muss genau wissen, was auf ihn zukommt, und durch sein feinfühliges Geschick kann er dies einfach spüren. Somit kann er die fein ausgesandten Energiestrahlen erkennen und daraufhin handeln, so wie er es braucht.

Die 22 – zeigt an, dass dieser Mensch sehr sensitiv und emotional ist. Es fällt ihm in dieser Konstellation teilweise schon sehr schwer zu unterscheiden, ob es sich bei den empfangenen Emotionen um seine eigenen oder die des anderen handelt. Oftmals neigen diese Menschen dazu, mehr bei anderen zu sein, als bei sich selbst, und somit gehen sie sehr schnell auf die an sie gestellten Erwartungshaltungen ein. Sie brauchen die Harmonie, und dafür unternehmen sie viel. So passiert es nicht selten, dass sie unbewusst sehr stark auf die Wünsche anderer eingehen und diese erfüllen, obwohl es ihnen zumeist gar nicht bewusst ist, was sie tun. Wie das kommt? Sie verbinden sich emotional so stark mit anderen, dass es ihnen schwer fällt zu unterscheiden, was ihre Emotionen sind und was nicht. Wenn die beiden Zweier im Einklang miteinander sind, dann kann der Zweier-Mensch sie dazu nutzen, dass er seiner Intuition glaubt und seinen eigenen Gefühlen vertraut; wenn er sich dessen sicher sein kann, dann kann er sich auch mit anderen emotional verbinden, ohne das ihm dies schaden wird.

Die 222 – grenzt schon an eine emotionale Überreaktion, denn derjenige, der diese Konstellation innehat, fühlt sich emotional so durch sein Umfeld angesprochen, dass er sich teilweise durch die ausgesandten Energien der anderen verfolgt fühlt. Somit kann es passieren, dass er sich auf einer Party emotional betroffen fühlt, obwohl keine Energien direkt gegen ihn persönlich gerichtet wurden. Und trotzdem: Er sucht und findet negativ belastete Energien, die sich im Raum befinden; diese bezieht er dann allzu gern auf sich selbst. Die Menschen in dieser Konstellation leben einen so hohen Grad an Sensibilität, dass sie sich kaum vorstellen können, dass ein anderer Mensch anders fühlt, als sie selbst.

Die 2222 – hierbei handelt es sich wiederum um Menschen, die so stark in ihrer eigenen emotionalen Welt leben, dass sie andere kaum noch wahrnehmen können. Das heißt, es fällt ihnen besonders schwer, die ihnen entgegengebrachten Emotionen anderer wahrzunehmen. Sie sind so stark in ihrer eigenen emotionalen Welt verhaftet, dass es ihnen kaum möglich ist, andere Energien aufzunehmen.

Ein Beispiel 22.2.92 = (9), hier haben wir viermal die Zwei, eine offene und eine geschlossene 9. Die Aufgabe dieses Menschen ist es, sich mit seinen Emotionen auseinanderzusetzen und Herr der eigenen Energien zu werden, denn er muss lernen, sich selbst zu dirigieren und zu leiten wie auch offen und ehrlich zu sich zu sein; das wiederum wird sehr stark mit seinem Karmathema zusammenhängen. Damit er dies lösen kann, ist er im Grunde genommen in seinen eigenen Emotionen eingekapselt. Die Neun wiederum wird immer wieder dafür Sorge tragen, dass er aus seinem Schneckenhaus heraus kommen muss. Die geschlossene Neun hingegen wird ihn mit sehr krassen, heftigen Energien konfrontieren. Das wird für ihn unangenehm sein, so dass er sich am liebsten bei irgendjemanden emotional einbinden würde, damit andere für ihn die Verantwortlichkeit übernehmen. Doch genau das wird nicht funktionieren, denn die vier Zweier sorgen dafür, dass er zu keinem anderen in einen spürbar engen Kontakt treten kann. Dies ist mit Sicherheit eine schwierig zu lebende Konstellation, jedoch hilft sie, die geschlossene Neun aufzulösen.

Eine offene 2 und eine geschlossene (2) – in dieser Konstellation haben wir auf der einen Seite die eigene Intuition deutlich ausgeprägt; somit kann sich dieser Mensch auf sein eigenes Gefühl verlassen und sich selbst vertrauen. Auf der anderen Seite jedoch haben wir eine geschlossene Zwei, die dafür steht, dass er seiner Intuition in einer bestimmten Hinsicht wiederum nicht vertrauen kann. Diese Zwei wird ihm nämlich Fremdgehen, sich mit anderen verbinden und eine Abhängigkeit bilden, die einen permanenten Energietransfer zu einer anderen Person bedeutet. Das Thema dahinter: Dieser Mensch bekommt die Emotionen des anderen so stark gespiegelt, dass er trügerisch meint, dass es sich bei den Gefühlen um seine eigenen Energien handelt. Somit wird ihm ein Strich durch die eigene Rechnung gemacht, denn wenn er meint, sich selbst emotional vertrauen zu können, dann kann es sein, dass er sich reinlegt und mehr die Gefühle des mit ihm emotional verbundenen Partners nachlebt, als die eigenen. Deswegen ist es besonders wichtig, die beiden verschiedenen Energieanteile zu trennen. Die offene Zwei kann so weit trainiert werden, dass dieser Mensch seiner Intuition voll vertrauen kann. Mit der geschlossenen Zwei sollte er sich immer wieder beschäftigen, um den Glauben an sich selbst zu finden. Das ist die Aufgabe, die dahinter steht. Er muss lernen, den Glauben an sich selbst zu finden. Doch das kann nur funktionieren, wenn die beiden Energien, so gut es geht, getrennt behandelt werden.

Die 3

Die einfache, doppelte, dreifache, vierfache, offene und geschlossene 3

Die 3 – steht für die Aktivität, das Tun, das Handeln. Wenn eine Drei in Ihrem Geburtsdatum auftaucht, dann müssen Sie aktiv sein, Sie brauchen das Gefühl etwas tun zu können. Diese Menschen packen an und räumen die ihnen in den Weg gestellten Steine einfach weg. Solange sie etwas tun können, geht es ihnen gut. Was sie dann letztlich alles tun, ist nicht wichtig, Hauptsache sie sind aktiv und handlungsfähig. Das ist das Motto, das dahinter steht.

Die 33 – steht für die absolute Aktivität. Diese Menschen müssen immer etwas tun und können somit nur schwer zur Ruhe kommen. Beispielsweise: Wenn die anderen noch genüsslich am Tisch sitzen, dann steht der Doppel-Dreier schon auf, räumt ab und arbeitet weiter. Würde er sich dies selbst nicht erlauben und sich somit gegen seinen inneren aktiven Drang stellen, dann kann er sehr zerstörerisch wirken. Er wird dann alles tun, um die anderen anzutreiben, und somit seine eigenen Energien als Antriebsmotor verwenden. Sollte sich ein Doppel-Dreier Mensch durch das Verhalten anderer, die sich nicht nach seinen Wünschen antreiben lassen, belästigt fühlen, dann wird er mit der Zeit ganz schön sauer. Das kann gefährlich werden, denn er ist ein Spezialist auf dem Gebiet der Energieansammlung. Diese gesammelten Werke können sich dann in Wut umschlagen, und er kann sie bei passender Gelegenheit gegen andere – die ihn aus seiner Sicht ärgern - schleudern. Damit das nicht passiert, müssen diese Menschen immer selbst aktiv bleiben. Keiner wird es ihnen Recht machen können, deshalb müssen sie selbst dafür sorgen. Oftmals halten so genannte Glaubenssätze die Energien jedoch zurück, so dass diese Menschen sich nicht erlauben, das zu leben, was sie sich tief in ihrem Inneren wünschen. Eine Frau beispielsweise könnte ihre gesamte Aktivität zurückhalten, da sie nicht stärker und somit aktiver sein möchte, als ihr Mann. In einem solchen Fall würde sie immer wieder versuchen, ihren Mann anzutreiben, damit er das auslebt, was sie gerne leben würde. Wenn er ihrer Vorstellung nach aktiver wäre, dann könnte auch sie aktiver sein, und genau danach sehnt sie sich. Sie sehen, wie kompliziert wir uns oftmals unser Leben gestalten. Bei einer solchen Konstellation wäre es immer lobenswert, Sport zu treiben, damit auch sichergestellt ist, dass die bewusst gesteuerten Aktivitäten für dieses hohe Energiepotenzial ausreichen.

Die 333 – steht für Menschen, die hyperaktiv sind, denn sie haben im wahrsten Sinne des Wortes „Hummeln im Hintern". Sie müssen sich stets bewegen. In der äußeren Bewegungsform wirken sie oftmals eher unkoordiniert, denn sie können ihre Power nicht richtig unter Kontrolle bringen. Die meisten Energien stauen sich und kommen dann oftmals über unkontrollierte Wut ans Tageslicht. Es wäre hier ganz wichtig, schon in jungen Jahren zu lernen, die Energien gezielt freizusetzen, damit sich diese nicht stauen können. Die beste Hilfe ist, die Energien unterschiedlich einzusetzen, damit alle Dreier nach Möglichkeit bewusst gelebt werden können. Also sollte kein anderer dem Dreifach-Dreier im Weg stehen, denn dann muss er damit rechnen, überrannt zu werden. Diese Menschen wollen powern, also sollte man sie auch lassen.

Die 3333 – ist sehr selten, kann jedoch vorkommen. Diese Menschen sind so aktiv, dass man dies zumeist gar nicht mehr spürt. Sie können alles Mögliche tun, ohne dass ein sinnvoller Grund dahinter stehen muss. Hauptsache sie beschäftigen sich, das wird unbewusst ihre Devise sein, nach der sie leben. Durch ihre übermäßige Aktivität und ihre manchmal sinnlosen Handlungen, stehen sie sich oftmals selbst im Weg. Das wiederum wird ihnen jedoch kaum bewusst sein.

Beispiel der 3.3.1933 = (4). Der Mensch in unserem Beispiel muss lernen, ein Mitgefühl für sich selbst zu entwickeln. Das wird für ihn jedoch bei der ganzen Aktivität nicht so einfach sein, denn er wird wohl kaum Zeit dafür haben. Trotzdem hat er keine Möglichkeit, die geschlossene Vier zu umgehen, denn er muss lernen, sich mit seiner Emotion und seinem Gottvertrauen zu beschäftigen, um zu lernen, wie es ist, sich auf sein Gefühl einzulassen. Die Dreier sorgen hier für die gesamte Aktivität, und somit wird er viele Dinge tun, die nicht unbedingt sinnvoll sein müssen. Ihm wird das trotzdem ziemlich egal sein, denn er muss einfach aktiv sein, sonst würden sich seine Energien stauen und er liefe Gefahr, andere mit seiner Wut zu attackieren und sie somit als Energiepuffer zu missbrauchen. Solche Menschen, die sich gerne als Puffer zur Verfügung stellen, gibt es jedoch auch wiederum zur Genüge.

Bei der offenen 3 und der geschlossenen (3) in Kombination – haben wir auf der einen Seite die offene Aktivität und Handlungsfähigkeit, die den Menschen unterstützt, gezielt das zu tun, was er tun möchte. Auf der anderen Seite jedoch haben wir eine geschlossene Drei, die gegen die eigene Aktivität powert. Das heißt, dieser Mensch ist trotz der geballten Energie in sich blockiert. Die geschlossene Drei wird sich höchstwahrscheinlich gegen die offene stellen; somit stauen sich die Energien und aus der einstigen Aktivität entsteht oftmals gestaute Wutenergie, die sich dann gegen die eigene Person richtet. Das ist besonders wichtig zu wissen: Die Energiedisharmonie richtet sich gegen sich selbst, den Körper, den Menschen, und dadurch bilden sich Energieblockaden, die in der negativsten Form Krankheiten auslösen können. So streiten sich die beiden Anteile im Inneren. Die offene Drei will sich frei und offen leben, aktiv das tun, was notwendig ist, und die geschlossene Drei will diese Aktivität wiederum blockieren. Die Lösung: Die Person muss lernen, die beiden verschiedenen Energien zu unterscheiden. Das geht jedoch nur, wenn beide Energieanteile unterschiedlich gewichtet werden. Dann kann die geschlossene Drei, die offene nicht mehr boykottieren, und eine Harmonie kann eintreten. Die Person muss lernen, sich mit der geschlossenen Drei auseinanderzusetzen und somit zielgerichtet aktiv zu sein.

Die 4

Die einfache, doppelte, dreifache, vierfache, offene und geschlossene 4

Die 4 - steht für die innere Verarbeitung und Aufnahmemöglichkeit. Menschen mit dieser Konstellation haben ein Gefühl für sich selbst und einen tiefen Glauben an die kosmische/göttliche Fügung. Damit sie nichts auf ihrem Weg zum inneren Lichtglauben behindert, müssen sie das alltäglich Erlebte immer wieder verarbeiten. Das ist ihre Aufgabe. Alles das, was sie aufnehmen, lösen sie auch wieder in sich auf; nur die für sie wichtigen Informationen bleiben vorhanden. Somit fühlt sich dieser Mensch frei und unbefangen. Wichtiger Tipp: Da wir heutzutage selten gelernt haben, auf unsere Gefühle zu achten, vergessen wir oftmals die Pflicht innerlich aufzuarbeiten; dann können sich auch bei einem einfachen Vierer die Problemenergien stauen.

Die 44 – steht für ein hohes Maß an Selbstgefühl und auch Mitgefühl für andere. Diese Menschen können sich oftmals wenig abgrenzen und lieben ihre Spezialität: das Versorgen anderer Menschen. Ihnen begegnen somit auch immer wieder Menschen, die Probleme haben und die dringend Hilfe benötigen - dabei fühlt sich der Doppel-Vierer besonders angesprochen. Nur auf die Idee zu kommen, die anderen an ihre eigene Selbsthilfe zu erinnern, das vergisst er allzu oft. Zumeist besorgt er alles für seinen Schützling, damit es diesem wieder gut geht. Das hat dann wiederum zur Folge, dass er den anderen – den Hilfsbedürftigen - braucht, um sich sorgen zu können. Die Aufgabe eines Doppel-Vierer-Menschen ist es jedoch, sich bewusst auf sein eigenes Gefühl für sich selbst einzulassen. Doch meist neigen die Menschen in dieser Konstellation dazu, sich hauptsächlich über andere zu leben, um sich immer wieder neu kümmern zu müssen. Denn: Die Fürsorge für die anderen lenkt gerne von der Fürsorge für sich selbst ab. Somit kann ein doppelter Nutzen aus dieser Hilfe gezogen werden: Einerseits kümmert man sich um andere und schafft damit ein gutes Werk, und auf der anderen Seite bekommt man dafür von den anderen liebevoll dankbare Energie zurück, die wiederum die eigene Vier erhellt. Sollte sich eine

116

Person darauf eingestellt haben, dann braucht sie immer wieder jemanden, um den sie sich intensiv kümmern kann, nur wird sie mit der Zeit selbst Ansprüche stellen, und dann kann sich das Rad wenden. Was übrig bleibt, ist eine stetige Unzufriedenheit, da die Aufopferung keine Anerkennung im Umfeld finden wird.

Die 444 – Diese Menschen sind so stark mit ihren Gefühlen und ihrer eigenen Religion beschäftigt, dass es ihnen meist sehr schwer fällt, in der Realitätswelt noch Fuß zu fassen. Somit leben sie sehr fanatisch in ihrer eigenen Welt. Sie können wenig mit anderen teilen. Sie sind so stark mit sich selbst und ihrem eigenen Glauben beschäftigt, dass es ihnen zumeist schwer fällt, mit anderen Menschen Emotionen auszutauschen. Dadurch sind sie weit entfernt davon, noch am Leben anderer teilzuhaben. Das heißt, sie spüren die anderen viel zu wenig. Sie müssten lernen, sich zu öffnen, doch genau dass fällt ihnen besonders schwer. Wenn ihnen dann jemand zu nahe kommt, dann werden sie sich hinter der Maske ihrer Religion verstecken, um sich nicht mit dem anderen einlassen zu müssen. Gerne treten sie jedoch als Missionar auf, um wenigstens eins der armen „Schafe" erretten zu können.

Die 4444 – diese Konstellation ist selten, kommt jedoch vor, wie in dem Beispiel 4.4.1944 = (8). Hier handelt es sich um eine Person, die sehr stark in einer selbst erschaffenen religiösen Welt verhaftet ist und die trotzdem zum eigenen „Ich", also zum Ego (8), finden muss, das ist die Aufgabe. Das wiederum ist natürlich nicht ganz so einfach, denn immerhin wird dieser Mensch vor lauter Vierer die geschlossene Acht kaum wahrnehmen können. Da wir jedoch unsere geschlossenen Durchschnittszahlen nicht einfach liquidieren können, müssen wir uns damit auseinander setzen. Und somit würde auch die Person in unserem Beispiel immer wieder mit dem Thema Egoismus konfrontiert werden, damit sie lernt, diese Eigenschaft auch für sich selbst zu leben.

Eine offene 4 und eine geschlossene (4) – bedeutet, dass dieser Mensch auf der einen Seite Gefühl für sich hat, an sich glaubt und auch Urvertrauen besitzt, auf der anderen Seite jedoch gegen sich selbst und seinen Glauben lebt. Die geschlossene Vier zeigt an, dass dieser Mensch nicht an sich selbst glaubt, sondern andere braucht, damit er an diesen anderen – statt an sich selbst - glauben kann. Die Angst vor Verlust des anderen wird dann irgendwann so groß sein, dass kaum eine Harmonie zwischen den beiden entstehen kann. Somit stehen sich nicht nur die beiden Personen, sondern auch gerade die beiden Zahlen, die offene und die geschlossene Vier, voller Misstrauen gegenüber. Man könnte dies fast als Kampf bezeichnen, in dem beide versuchen, an die Macht zu gelangen, denn die offene Vier kann durch die geschlossene und die oftmals daraus resultierende Abhängigkeit im Außen kaum noch etwas ausrichten. Nicht selten wird sie dann auch noch durch Suchtmittel ertränkt, damit sie den Mund hält. Denn wenn sie als schlechtes Gewissen auftaucht - was die offene tun wird, damit sie auf sich aufmerksam machen kann -, dann wird die geschlossene Vier alles tun, damit die offene nicht zu Wort kommt. Deshalb ist es auch hier besonders wichtig, eine gedankliche Trennung dieser beiden Energiepotenziale vorzunehmen, damit überhaupt eine innere Klärung stattfinden kann.

Die 5

Die einfache, doppelte, dreifache, vierfache, offene und geschlossene 5

Die 5 - steht für die innere und äußere Stabilität. Der Fünfer-Mensch weiß genau, was er tut und auch, was er für seine geleistete Arbeit bekommt, das ist ihm vollkommen klar. Er investiert im Lebtag keine Energie in eine Sache, wenn für ihn nicht genau erkennbar ist, was er zurückbekommt. Somit ist sein Energieeinsatz eher spärlich, jedoch klar berechnend. Er ist strebsam und hat seine Ziele deutlich vor Augen. Wenn einer schon als Kind genau weiß, dass er in seinem Leben ein Haus bauen will, dann kann dies nur ein Fünfer sein.

Die 55 - zeigt sich eher gemächlich. Dieser Mensch wirkt sehr ruhig und gelassen. Er möchte keine Änderung oder Wandlung, und wenn überhaupt, dann nur, wenn alles langsam und überschaubar abläuft. Oftmals wirkt er dadurch eher faul als fleißig, so dass er wiederum andere Menschen braucht, die für ihn mitarbeiten, damit er diese Arbeiten selbst nicht mehr verrichten muss. Dafür gibt er diesen Menschen dann als Gegenleistung Stabilität. Denn: Wenn es darauf ankommt, dann kann er wie ein Fels in der Brandung sein, der genau weiß, was er tut. Oftmals ist er auch ein guter Zuhörer, er ist geduldig und nimmt sich Zeit. Seine Arbeiten erledigt er korrekt und geordnet. Dabei wird er jedoch nicht der Schnellste sein, denn er muss immer genau darauf achten, was er tut. Stress könnte ihn nervös und unruhig machen, somit wird er diesen vermeiden. Er kann es partout nicht ertragen, wenn irgend jemand ihn antreiben will, dann schaltet er auf stur - in so einem Fall kommt kaum noch einer an ihn heran. Im Extremfall liebt er es, stur und schweigsam zu sein, das ist seine Waffe gegen hektische Angriffe. Er braucht Zeit, und die nimmt er sich auch. Somit ist es für ihn sehr schwer, schnelle Entscheidungen zu treffen; er braucht Zeit, bis er sich sicher ist, dass er den Weg beschreiten kann. Und dann heißt es noch lange nicht, dass er seine Vorhaben auch wirklich in die Tat umsetzt; wie gerne lebt er Themenbereiche alleine in seinen Gedanken aus, ohne jemals aktiv werden zu müssen.

Die 555 - in dieser Konstellation ist der Mensch in seiner Aktivität noch unbeweglicher und wird sich kaum mit dem realen Leben auseinander setzen wollen. Jede große körperliche Anstrengung wird ihn sehr viel Mühe kosten. Er lebt zumeist mehr im Inneren, als im Außen. Beispielsweise kann es sein, dass er sehr viel Zeit vor dem Fernseher verbringen wird, um sich mit den dort gezeigten Filmen zu identifizieren. Er ist kaum gewillt, im realen Geschehen mehr Energie zu investieren, als unbedingt notwendig. Jede noch so kleine körperliche Anstrengung kann für ihn schon zu viel sein. Dieser Mensch muss lernen, Stück für Stück in die eigene Beweglichkeit zu gehen, damit er nicht vergisst, sein Leben in der Realität auch wirklich zu leben.

Die 5555 - bei dieser Konstellation lebt der Mensch wenig im Außen, sondern mehr in sich gekehrt und will unter keinen Umständen irgendwelche Lebensprinzipien wandeln. Jede Änderung und sei es nur, dass das Geschirr in der Küche an einen anderen Platz geräumt wird, könnte für ihn schon problematisch sein. Als Beispiel: 5.5.1955 = (3), dieser Mensch muss lernen, sich seiner Aktivität bewusst zu werden; die geschlossene Drei fordert, dass er sich lebt. Somit muss er aus seiner eigenen Trägheit heraus, damit er seiner Aktivität gerecht wird. Das ist ein Paradoxon, denn wie gerne würde er in seiner Stagnation beharren und sich nicht mehr bewegen, wäre da nicht die geschlossene Problem-Drei, die ihn immer wieder motiviert, etwas Aktives zu tun.

Eine offene 5 und eine geschlossene (5) - hier haben wir auf der einen Seite die Stabilität und Sicherheit, jedoch auf der anderen Seite den Boykott, also die Anti-Sicherheit. Die geschlossene Fünf wird alles dafür tun, damit sie über eine andere Person die vermeintliche Sicherheit erlangen kann. Somit geht die geschlossen Fünf fremd und lehnt sich gegen die eigene Stabilität auf. Jeder Mensch über den wir Sicherheit erleben, der wird auch von uns Sicherheit verlangen; und somit befinden wir uns in einer direkten Abhängigkeit. Das wäre für die offene Fünf schwierig, sie will ihre eigene Sicherheit leben können, ohne fremdbestimmt zu werden. Wenn wir das Thema lösen wollen, dann besteht auch hierbei nur wieder die Möglichkeit, die beiden Fünfer energetisch zu trennen, damit keine gegenseitige Behinderung stattfinden kann.

Die 6

Die einfache, doppelte, dreifache, vierfache, offene und geschlossene 6

Die 6 – steht für den Genuss und die Liebesfähigkeit im Leben. Sechser-Menschen brauchen die Liebe und die Harmonie. Sie sind kreative Menschen, die sich auf ihr inneres Gespür einlassen müssen. Meist können sie mit Disharmonie nicht besonders gut umgehen und müssen lernen, immer wieder auf ihre Bedürfnisse zu achten, denn es könnte sehr wohl sein, dass sie diese bei Gelegenheit vergessen. Immerhin brauchen sie für die Liebe einen Partner, und somit werden sie viel unternehmen, um einen Partner zu bekommen. Doch alleine einen Partner zu haben, reicht ihnen bei weitem nicht aus, nein, sie brauchen das Gefühl der innigen Zweisamkeit und Vertrautheit, und deshalb sind sie auch bereit, viel in eine Partnerschaft zu investieren, damit es ihnen und dem anderen gut gehen kann.

Die 66 – Menschen in dieser Konstellation sind fast süchtig nach Harmonie und können mit Disharmonie absolut nicht mehr umgehen. Sie versuchen alles, um in Harmonie zu kommen; darüber leben sie. Wenn sie sich mit einem anderen Menschen emotional verbunden haben - was sie gerne tun -, dann können sie es sehr schlecht ertragen, wenn diese Person disharmonisch ist oder Probleme hat; sie werden alles dafür tun, damit es diesem Menschen wieder besser geht. Die Doppel-Sechs braucht ein hohes Maß an lebendiger Partnerschaft und Sexualität. Somit müssen sie schon in der Kindheit das Gefühl haben, geliebt zu werden, sonst hechten sie ein Leben lang hinter diesem Gefühl her. Ein Doppel-Sechser kann sich emotional schwer abgrenzen und wird immer wieder versuchen, sein Gegenüber über die Gefühlsebene zu erreichen. Er ist mit Liebe angefüllt, so dass er gleichzeitig auch viel Mütterlichkeit ausstrahlt. So wirken sie auf ihre Mitmenschen fürsorglich und können schlecht mit emotionaler Härte anderer umgehen. Sollten sie sich selbst nicht lieben, dann können sie trotz aller Liebesfähigkeit sehr hart gegenüber sich selbst sein. Im Extremfall würden sie sich als ungeliebte, körperlich erwachsene Kinder innerlich verschließen.

Die 666 - diese Konstellation lässt kaum noch eine Disharmonie zu. Da dieser Mensch Angst hat, sich anderen zu öffnen, wird er alles dafür tun, um verschlossen zu bleiben – doch tief im Inneren wird er genau unter dieser Verschlossenheit leiden. Somit lebt der Dreifach-Sechser in seiner eigenen Welt, die - solange seine Welt für ihn in Ordnung ist -, sehr schön sein kann. Kaum wird er sich aus seiner nicht bewussten Isolation herausbewegen; die Angst vor Nähe ist einfach zu groß. Diese Konstellation ist für die Lernaufgabe gewählt worden, sich selbst wirklich lieben zu lernen, ohne dieses Gefühlsmanko auf andere übertragen zu können; mindestens eine Sechs wird dafür Sorge tragen, dass eine Übertragung nicht möglich ist. Erst wenn der Dreifach-Sechser mehr zu sich selbst und seiner Person steht, hat er eine Möglichkeit, aus seiner selbst auferlegten, isolierenden Schutzfunktion herauszutreten; doch auch dann wird er darauf achten, so wenige emotionale Verletzungen, wie möglich, zu erleben. Er wird sich ähnlich wie ein gebranntes Kind kaum auf einen Partner einlassen können. Wenn doch, dann wird der Partner erst einmal auf Herz und Nieren überprüft, ob er der Partnerschaft würdig ist. Das heißt nicht, dass der Dreifach-Sechser nicht leichtlebige Partnerschaften leben könnte, natürlich kann er das, doch wird keiner dieser Partner an seine Emotionen herankommen. Nur ein Partner, auf den er sich verlassen kann, wäre in der Lage, den außen sichtbaren Eisberg zum Schmelzen zu bringen.

Die 6666 – ist sehr selten und trotzdem treffen wir auf diese Konstellation. Ein Beispiel der 6.6.1966 = (7), dieses Beispiel zeigt eindeutig, dass diese Person lernen muss, flexibel nach außen ihr Leben zu gestalten, denn die geschlossene Sieben wird dies automatisch von ihr verlangen. Die Vier-Sechser-Konstellation bringt diesen Menschen jedoch eher dazu, sich vor der äußeren Welt zu verschließen; dann kann keiner in seine Gefühlswelt eindringen und diese verletzen. Somit wäre es für diese Konstellationen das Beste, sich selbst zu schützen und in der eigenen inneren Welt zu verharren - wäre da nicht die geschlossene Sieben, die erwartet, dass er sich öffnet und nach außen sichtbar seine Freiheit lebt. Somit wird dieser Mensch dazu bewegt, sich im Außen leben zu müssen. Er wird also immer wieder aus seiner Isolation herausgerissen und muss dann lernen, das äußere Leben zu leben und zu genießen. Das ist seine Aufgabe.

Eine offene 6 und eine geschlossene (6) – bedeutet, dass der Mensch auf der einen Seite sehr viel Liebesfähigkeit in sich trägt und auf der anderen Seite sich selber immer wieder verletzt. Also, die offene Sechs will Partnerschaft und Harmonie, die geschlossene Sechs hingegen will die Isolation und die fanatisch ungesunde Liebe. Somit stehen sich diese beiden Komponenten gegenüber. Wer von den beiden sucht nun den Partner aus? Die geschlossene Sechs wird immer wieder etwas Störendes finden, was die offene Sechs wiederum zum emotionalen Rückzug veranlassen wird. Die geschlossene Sechs glaubt tief im Inneren nicht an die Liebe und wird somit auch der offenen Sechs alles, was möglich ist, vermiesen. Und deshalb ist es auch gerade hier besonders wichtig, dass die offene Sechs für die eigene Liebesfähigkeit und für die Partnerschaft zuständig ist, während die geschlossene Sechs erst einmal in Ruhe ihre Karmaverletzungen ausheilen kann. So besteht die Hoffnung, dass auch sie später zur Harmonie findet.

Sie sehen anhand dieses Beispiels, wie wichtig es ist, zwischen einer offenen und einer geschlossenen Zahl zu unterschieden und diese bewusst unterschiedlich zu leben. Nur so besteht die Möglichkeit, eine Harmonie zwischen den einzelnen Komponenten zu schaffen. Sie sollten bedenken: Wenn die Geschlossene die Offene boykottiert, entsteht zumeist das Gefühl, von außerhalb - also von anderen Personen - attackiert zu werden. Die darauf folgende Abwehr kann großen Schaden anrichten, und es wird nicht immer einfach sein, diesen wieder gutzumachen. Inwieweit wir uns dabei außerdem immer weiter karmisch verstricken, bleibt die Frage. Es lohnt sich also, unsere eigenen Komponenten verstehen zu lernen.

Die 7

Die einfache, doppelte, dreifache, vierfache, offene und geschlossene 7

Die 7 – steht für die Flexibilität, die Beweglichkeit. Der Siebener-Mensch braucht viel Freiheit. Nur wenn er tänzelnd sein Leben gestaltet, dann fühlt er sich frei und beweglich. Er liebt alles Neue, Moderne und ist offen für alle unnatürlich gelebten Eigenarten. Besonders mag er Menschen, die sich nicht dem Strudel der Gewohnheitsmenschen anpassen, sondern die absolut ihren eigenen Weg beschreiten. Spontane Besuche liebt er wesentlich mehr, als Planungen, die schon ein halbes Jahr vorher feststehen. Wenn Sie viel Witz und Spaß auf Ihrer Party haben wollen, dann laden Sie einen Siebener ein.

Die 77 – beschreibt einen Menschen, der in sich unruhig ist; er ist auf der Suche nach der permanenten Wandlung und Veränderung. Es fällt ihm somit schwer, dem geordneten Leben zu begegnen. Er will immer etwas Neues erleben und wirkt somit unersättlich. Er muss lernen, sich so zu akzeptieren, wie er ist, dann kann er seine chaotischen Handlungen, trotz der sortierten Gesellschaft, leben und auch im Außen vertreten. Sollte er jedoch versuchen, sich nach fremdgeprägten Ordnungsmustern einzusortieren, dann wird er kaum eine Chance haben, seine eigene Freiheit zu leben. Das Resultat dessen wäre, dass er auf seine eigene Unterdrückung mit Hektik und Nervosität reagiert. In so einem Fall würde er sich selbst einsperren, und das kommt bei einer Doppel-Sieben ganz und gar nicht gut. Er muss lernen, sich die Freiheit zu erlauben, seine zwei wirbeligen Energiepotenziale zu leben, erst dann kann er frei und locker sein Leben gestalten. Trotzdem wird er dabei verbindlich sein, denn wenn er die Verbindlichkeit nicht als Einengung oder als Geißel erlebt, dann kann er frei und locker sein eigenes Leben auch diszipliniert leben. Das ist seine Möglichkeit. Sie sehen, beim doppelten Siebener-Menschen geht es mehr um die innere Einstellung zu seiner Konstellation, als um die eigentliche Tat. Egal, was er tut und um was er sich kümmert - macht er es freiwillig und gerne, dann ist es leicht, dann entspricht es seinem inneren Gefühl, und nur das zählt.

Die 777 – Diese Konstellation zeigt eindeutig an, das dieser Mensch sehr viel Unruhe in sich trägt. Die Angst vor verbindlicher „Einengung" wird so groß sein, dass er sich kaum traut, sein Leben in feste Bahnen zu lenken. So wird er zumeist versuchen, einfach in den Tag hineinzuleben, was ihm jedoch nicht gelingen kann, immerhin muss auch er sich seinen Lebensthemen und Verpflichtungen stellen. Somit wird er sich auf die notwendigen Bereiche des alltäglichen Lebens einlassen müssen, damit er erkennen kann, wie einfach das Leben ist, wenn man es lebt, ohne es komplizierter zu machen, als es ist. Je mehr er über eine Sache, die vor ihm liegt, nachdenkt, desto mehr Energien wird er in sie investieren und desto schwerer wird sie für ihn; und das wiederum lässt ihn allzu leicht resignieren. Das Leben leicht und locker anzugehen, ist seine Lebensdevise, nach der er sich am Besten richten sollte.

Die 7777 – diese Konstellation trägt schon in sich, dass dieser Mensch eine absolute Panik haben muss, sich mit dem Alltäglichen auseinanderzusetzen. Die Angst zu versagen, mit den geordneten Systemen klarzukommen, wird ihn abschrecken, sich dem Leben einfach und locker hinzugeben. Ein Beispiel: 7.7.1977 = (2). Dieser Mensch muss lernen, sich auf sein inneres Gefühl, die geschlossene Zwei, einzulassen. Nur so wird er sein Leben gestalten können und zu sich selbst finden. Die geschlossene Zwei fordert von ihm, dass er sich selbst vertraut, und das wird ihm in der Konstellation mit den Vier-Siebenern nicht leicht fallen, zumal er sowieso schon eine problematische Haltung zu seinem inneren Gefühl hat - angezeigt durch die geschlossene Zwei. Wir können hier davon ausgehen, dass dieser Mensch sich in früheren Leben sehr stark emotional auf andere verlassen hat, und genau das kann er heute nicht mehr tun. Gerade die Siebener werden ihn immer wieder weiter vorantreiben, so dass er kaum sesshaft werden kann. Somit hat er nur die Chance, zu sich selbst zu finden, und ist auf sich allein gestellt. Fühlen Sie in diese Konstellation hinein und Sie können sehr leicht erkennen, wie schwierig es sein muss, unter solch einer Konstellation geboren zu sein. Doch gerade Karma fordert uns heraus, und wenn wir uns eine Aufgabe gestellt haben, dann müssen wir diese leben, wir haben keine andere Wahl. Jedoch können wir unser Leben einfach gestalten, ganz so, wie wir es wollen. Sollten wir jedoch auf die einfachen, leisen Klänge der karmischen

126

Harfe nicht gehört haben, dann suchen wir uns etwas härtere Maßnahmen, um unseren Lebenserfolg schaffen zu können. Und gerade eine solche Konstellation verweist uns darauf, dass die vorherigen, einfacheren Lernstufen des Lebens nicht angenommen wurden. Solche Schwierigkeitsgrade, die uns kaum noch eine eigene Entfaltungsmöglichkeit im Leben gewähren, können uns helfen, unserem karmischen Weg endlich zu folgen; denn hier vom Weg abzukommen, ist schon fast unmöglich.

Eine offene 7 und eine geschlossene (7) – bedeutet, dass der Mensch auf der einen Seite frei, leicht und locker sein Leben gestaltet, auf der anderen Seite wiederum der Freiheit selbst im Weg steht und das innere wie äußere Gefängnis vorzieht. Die geschlossene Sieben sucht sich gerne andere, die sich mit ihr verbinden, um ihr den Weg in die eigene Freiheit zu vermiesen. Und genau das passiert dann auch. Die offene Sieben versucht, sich leicht und locker zu leben - und die Geschlossene wiederum tritt in Gestalt einer nahe stehenden Person auf, erhebt Besitzansprüche und bringt diese durch den mahnenden Zeigefinger zum Ausdruck, damit der offene Siebener sich unter keinen Umständen frei leben kann. Oftmals stehen sich die Siebener-Konstellationen dann gegenseitig im Weg und wissen nicht mehr ein noch aus. Auch in diesem Fall wird eine Lösung nur gefunden, wenn die einzelnen Teilenergien und ihre Aufgaben geklärt werden; nur über das bewusste Leben der offenen Sieben in Freiheit und Offenheit kann ein bewusster Platz für die Aufarbeitung der geschlossenen Sieben entstehen. Erst dann wird sich die innere Gefängnistür der geschlossenen Sieben öffnen. Durch die Sortierung der Energieanteile wird eine Ebene der Harmonie entstehen.

Die 8

Die einfache, doppelte, dreifache, vierfache, offene und geschlossene 8

Die 8 – steht für die Herzlichkeit und somit für das bewusst gewordene eigene Leben - der Egoismus. Achter-Menschen müssen sich im Vordergrund fühlen, das brauchen sie besonders: die innere sowie die äußere Anerkennung, die eigene Kreativität - die Selbstverwirklichung. Ein Achter-Mensch, der sich bewusst lebt, hat eine große Entfaltungsmöglichkeit und wird sich im Leben glücklich fühlen. Von Zeit zu Zeit wird er immer mal wieder einen kritischen Blick auf sein Lebenswerk werfen, damit er überprüfen kann, ob er stolz und zufrieden ist. Wenn das nicht der Fall ist, dann muss er einiges ändern, damit er zufrieden sein kann.

Die 88 – steht für ausgesprochen viel Herzlichkeit. Meist leben diese Menschen viel zu viel für andere; sie sind oftmals genauso wie die Sechser-Typen enorm harmoniebedürftig und müssen andere emotional spüren. Sie können schlecht damit umgehen, wenn eine ihnen nahe stehende Person eigene Probleme hat. Sie werden alles versuchen, dieser Person zu helfen, nach dem Motto: Erst wenn es dieser Person wieder gut geht, dann wird es auch mir gut gehen. Meist versäumen sie es dabei, auf sich selbst zu achten. Viele verstricken sich dadurch energetisch sehr schnell und versuchen, immer wieder auf den anderen zuzugehen. Durch den permanenten energetischen Fluss lässt sich dann nicht mehr so einfach unterscheiden, mit welchen Problemen sich der Doppel-Achter umgibt, das heißt, es stellt sich die Frage, ob die ihm momentan quer im Magen liegenden Probleme auch wirklich seine eigenen sind. Somit könnten auch die anderen wiederum sehr schnell zu Erfüllungsgehilfen für die eigenen Probleme werden. Je mehr der Doppel-Achter sich mit den Problemen der anderen beschäftigt, desto weniger Potenzial hat er, seine eigenen anzugehen; somit erwartet er gerne von den anderen die gleiche Unterstützung, die er ihnen auch gewährt hat. Mit der Zeit wird er sich dann immer mehr auf die Themen der anderen einlassen, als auf die eigenen zu achten. Somit wird er sich immer weiter von sich selbst wegbewegen, und das ist die große Gefahr dieser Konstellation. Somit muss der Doppel-Achter lernen, bei sich selbst und seiner eigenen Kreativität zu bleiben - das ist die Aufgabe, die dahinter steht.

Die 888 – diese Konstellation zeigt an, dass die Person sich emotional wenig mit dem äußeren Umfeld auseinander setzen kann. Die Angst vor Verletzung wird so groß sein, dass der Dreifach-Achter sich mehr in seinem Inneren aufhalten wird. Somit beschäftigt er sich sehr stark mit seiner eigenen Kreativität. Wenn sich ein Mensch in Verbundenheit mit seiner inneren Harmonie seinen kreativen Eigenschaften, wie zum Beispiel der Malerei, hingibt, dann sollte er nicht darüber nachdenken, was andere empfinden, wenn sie seine Werke begutachten. Alleine dieser Gedankengang könnte ihn erschrecken und ablenken. So muss ein Mensch mit solch einem hohen Potenzial an Kreativität lernen, sich in seiner inneren Welt zu leben und damit glücklich zu sein; das ist seine Chance, die er braucht, um seiner inneren Thematik gerecht zu werden. Erst dann kann er sich nach Außen trauen, ohne die Angst im Nacken zu spüren, dass irgendjemand ihn verletzen könnte. Sein Selbstwertgefühl wird genug ausgeprägt sein, ihm die Stärke zu geben, die er braucht.

Die 8888 – dieser Mensch wird sich für die Außenwelt eher hart und abweisend anfühlen, doch der Schein trügt, innerlich wird er vor lauter Emotionen förmlich zerschmelzen. Ein Beispiel: 8.8.1988 = (6), in dieser Konstellation muss der Mensch lernen, seine eigene Kreativität und Liebesfähigkeit zu erlangen. Seine Aufgabe ist es, die geschlossene Sechs auszuheilen und somit die Eigenliebe zu entwickeln. Das ist natürlich unter dieser Konstellation nicht ganz einfach - die Achter werden sich damit nicht so einfach leben lassen. Am liebsten würden die Achter sich verkriechen, doch die geschlossene Sechs muss gelebt und somit auch geliebt werden. Die einfachste und beste Möglichkeit wäre, schon von Kindesbeinen an, die Kreativität zu fördern, damit der Mensch sich früh genug über seine Individualität bewusst wird und diese leben kann. Je früher er damit anfängt, desto besser, dann hat er wirklich die besten Voraussetzungen, ein großer Künstler zu werden. Jedoch bräuchte er für den Vertrieb seiner Werke einen Manager. Denn: Wenn er eins nicht kann, dann ist es sich selbst oder seine Werke zu verkaufen; gerade das nach Außen-treten ist nicht seine Stärke und wird es wohl auch niemals sein.

Eine offene 8 und eine geschlossene (8) – hierbei haben wir einerseits die Herzlichkeit und die Offenheit, auf der anderen Seite die Verschlossenheit, die innere Abkapselung und somit die Isolation. Dies zeigt eindeutig an, dass die eine Acht die andere einschränken wird. Die Geschlossene wird versuchen, die Offene zu blockieren; das wiederum hat zur Folge, dass sich dieser Mensch gerne selbst einsperrt. Die geschlossene Acht wird sich mit ziemlicher Wahrscheinlichkeit emotional mit anderen Menschen verbinden, um diese dann zwanghaft zu harmonisieren. Somit ist die geschlossene Acht nach Außen gerichtet und wird verhindern, dass die offene Acht den Egoismus, die Kreativität, also die eigentliche Aufgabe leben kann. Oftmals fühlt sich der Mensch in dieser Konstellation emotional von anderen angegriffen und weiß nicht mehr, wie er damit umgehen soll. Er erwartet allzu gern die äußere Anerkennung, die ihm wiederum nicht gewährt werden kann, da er sich selbst noch nicht mal anerkennt. Beide Achter müssen separat gesehen und gelebt werden, dann kann der Mensch trotz der geschlossenen Acht seine eigene Herzlichkeit genießen.

Die 9

Die einfache, doppelte, dreifache, vierfache, offene und geschlossene 9

Die 9 – steht für die Durchsetzungsfähigkeit im Leben und somit für die Power, die eigenen Bedürfnisse in die Realität umzusetzen. Die Neun stellt symbolisch das Oberhaupt der ganzen numerologischen Sippschaft dar. Sie ist diejenige, die aufpasst, ob auch alles richtig läuft. Somit steht der Neuner seiner eigenen Autorität gegenüber und muss sich in seinem Leben durchsetzen. Oftmals haben diese Menschen Personen in ihrem Umfeld, für die sie sich in Teilen mitverantwortlich fühlen. Diese Menschen brauchen dann wiederum die Sicherheit, die ein Neuner versprühen kann. Auch wenn der Neuner sie mit erhobenem Zeigefinger auf ihre Verfehlungen hinweist, nehmen sie dies gelassen hin. Wir sollten dabei niemals den Charme eines Neuner vergessen, denn der lässt einige Herzen höher schlagen.

Die 99 – diese Menschen haben ein sehr ausgeprägtes Geltungsbedürfnis und wollen die Anerkennung der anderen. Somit verbinden sie sich gerne mit anderen, deren Energie ihnen dann wiederum zur Verfügung steht. Der Doppel-Neuner übt somit gerne den Beruf des Vampirs aus, der sich immer wieder ein oder am besten gleich zwei - für jede Neun eins – Opfer sucht, die er sich dann gefügig und somit willenlos machen kann. Nicht zu Verachten, dieser Neuner strahlt ein absolutes, unerschütterliches Selbstbewusstsein aus, das ihm seine Opfer trügerischerweise abkaufen. Doch wehe, wenn einer seiner Verehrer - und somit einer seiner Ernährer - ihn nicht mehr anhimmelt, dann verliert der Neuner sehr schnell an Energie und muss alles dafür tun, um die Person weiterhin in dem vorher geordneten Rahmen zu halten. Sollte ihm das nicht gelingen, dann wird er sich früh genug nach einem neuen, geeigneten Opfer umschauen. Die Aufgabe dieser Konstellation ist, dass der Doppel-Neuner sich allein in vollen Zügen leben muss, ohne die Kraft und Unterstützung anderer zu erhalten. Er sollte wissen, dass er selbst genug Kraft zu Verfügung hat. Er muss somit nur lernen, seine eigenen Muskeln zu aktivieren und nicht an denen der anderen arbeiten zu wollen.

Die 999 – diese Konstellation setzt voraus, dass sich dieser Mensch kaum mit anderen auseinander setzen kann; er ist so stark mit sich selbst beschäftigt, dass es ihm kaum möglich ist, sich bei anderen umzuschauen. Würde er sich jedoch durch andere – wie der Doppel-Neuner - nähren lassen, dann wäre er mit dieser Situation stets unzufrieden, so dass es ihm kaum gelingen könnte, eine Harmonie zu erlangen. Er ist ein Perfektionist, will alles hundertprozentig machen, und wer könnte ihm da noch das Wasser reichen? Keiner. Und somit versucht er es auch gar nicht. Er hat die Begabung, sehr schnell die Verfehlungen der anderen zu erkennen und diese unverblümt zu meist unpassenden Gelegenheiten mitzuteilen. Innerlich lehnt er sich gegen diese Menschen auf; auch weiß er genau, dass die Handlungen seines Gegenübers ihn schon nach kurzer Zeit nerven würden, deswegen geht er keine Verbindung ein. Er fühlt sich durch andere schnell gelangweilt; und das wiederum nervt und reizt ihn. Seine innere Antriebskraft lässt ihn nicht ruhen. Es wäre für ihn wichtig, wenn er lernen würde, seine ureigenste Disziplin in seinen eigenen Tagesablauf zu legen. Oftmals jedoch verstrickt er sich in angeblich wichtige Aufgabegebiete des Alltags, und das wiederum lässt seine Unzufriedenheit ins Unermessliche wachsen. Wenn er innerlich wütend ist, dann sollte man als Außenstehender den Bürgersteig wechseln, damit man jeglicher Provokation aus dem Weg gehen kann. Der Dreifach-Neuner sollte lernen, dass es keinen gibt, der ihm helfen kann, nur er selbst. Wenn er lernt, seine eigenen Verfehlungen anzuerkennen, dann kann er mit den Handlungen seiner Mitmenschen ganz anders umgehen, dann wird er sich nicht mehr permanent angesprochen fühlen.

Die 9999 – diese seltene Konstellation trifft beispielsweise bei dem Datum 9.9.1999 = (10) zu. Nicht wenige Menschen haben sich an diesem Tag das Ja-Wort gegeben, ohne zu wissen, was es mit diesem Datum auf sich hat. Eine Person, die an diesem Tag geboren wurde, braucht die absolute Präsenz und Dynamik. Dieser Mensch ist nicht zu übersehen und wird schon als Säugling dafür sorgen, dass andere sich permanent, fast zwanghaft um ihn kümmern müssen, genau das fordert er heraus. Er will die absolute Präsenz: „Hier bin ich, kümmere dich". Er will sich nicht unbedingt mit der Wichtigkeit des Lebens auseinander setzen, er will dies gar nicht sehen; im-

132

merhin verweist seine geschlossene (10) genau auf dieses Thema. Doch er muss hinsehen und klar erkennen, worum es geht, nur so hat er eine Chance, mit all seiner geballten Energie umzugehen. Wenn er sich nicht lebt, dann kann es gefährlich werden; wie ein Vulkan wird er dann urplötzlich ausbrechen, und keiner weiß so genau warum. Doch einen Teil seiner Energien wird er innerlich leben, und somit wird er seinen Blick mehr nach Innen richten, auch wenn ihm das, was er durch die (10) sehen wird, nicht gefällt; er muss hinsehen, das ist seine Aufgabe. Gerade er muss lernen, die Verantwortung für seine Energien zu übernehmen, für vergangene Verfehlungen und für sein heutiges Leben, dann erst kann er glücklich sein.

Eine einfache 9 und eine geschlossene (9) – auch in dieser Konstellation stehen sich wieder beide Zahlen im Weg. Die Offene will ordnen, klare Strukturen, Wertungen und Richtlinien hereinbringen, und die Geschlossene will sich dagegen auflehnen; sie will zerstören und dafür braucht sie wiederum äußere Hilfsmittel, sprich andere Menschen. Und diese Menschen wird sie finden, sie wird sie vor den eigenen Karren spannen und vorführen, das ist ihre Absicht. Somit wird die offene Neun von den Taten der geschlossenen Neun bloßgestellt, und kein Außenstehender vermag mit diesem Menschen einfach umzugehen. Die meisten wissen dann nicht, wie sie mit seinen nicht vorher kalkulierbaren Handlungen umgehen sollen. Wenn sie sich trotzdem einlassen, dann kann es sein, dass sie irgendwann eins auf die Mütze kriegen, ohne zu wissen warum. Deshalb wäre es auch gerade in dieser Konstellation so wichtig, dass die offene und die geschlossene Neun unterschiedlich behandelt werden und somit beide in einem sortierten Rahmen leben, damit eine Ordnung in das System gebracht wird.

Die erste Zahl im Geburtsdatum

Die erste Zahl im Geburtsdatum ist in der Numerologie besonders wichtig; sie vermittelt uns einen ersten Eindruck über die Person. Somit verrät uns diese Komponente, ähnlich wie der Aszendent im Geburtshoroskop, einiges über das Erscheinungsbild dieses Menschen. Das wiederum ist für uns ein sehr ausschlaggebender Aspekt, der uns oftmals schon über Sympathie oder Antipathie entscheiden lässt. Jeder Mensch, der uns begegnet und mit dem wir uns auseinander setzen müssen, den sortieren wir in unser eigenes Wertungssystem ein. Da wir jedoch so schnell gar nicht entscheiden können, um was für einen Typ es sich hierbei handelt, nehmen wir den ersten Eindruck als Möglichkeit zur Einsortierung. Wir handeln nach einem Erkennungsmuster, das heißt, wir reflektieren in uns, ob wir diese Person einem inneren Schema zuordnen können. Jede Person, die wir kennen lernen und die energetisch dem Bild einer uns bekannten Person ähnlich ist, bekommt somit auch denselben Stempel aufgedrückt, wie die uns bekannte Person. Haben wir mit einer Person eine negative Erfahrung erlebt und unser Gegenüber ist dieser Person ähnlich, dann werden wir auch in diesem Fall automatisch in eine Hab-Acht-Stellung gehen. Doch wie nehmen wir diese Energie wahr? Die ausgesandte Energie können wir wiederum nur wahrnehmen, da unser Gegenüber uns ein ganz bestimmtes Bild von seiner Person vermittelt; und genau mit diesem Bild setzen wir uns dann auseinander. Man könnte dieses Phänomen so betrachten, dass eine bestimmte Energiekomponente den ersten Eindruck spiegelt und nach außen tritt; diese Teilenergie ist dann für jeden sofort sichtbar. Alle anderen Teilenergien kommen erst mit der Zeit nach vorne ans Tageslicht. Und genau mit dieser Energie wollen wir uns jetzt auseinander setzen: Wir können anhand der Numerologie sehr schnell erkennen, welche Energieform wir bewusst leben und auch nach Außen zeigen. Wir erkennen dies sehr leicht anhand der ersten Zahl im Geburtsdatum, und damit wollen wir uns jetzt näher beschäftigen.

Somit ist die erste Zahl immer ausschlaggebend für den gesamten ersten Eindruck über eine Person. Doch auch diese Komponente wird sehr unterschiedlich gelebt - ähnlich wie beim Aszendenten im Horoskop, der letztlich auch nur besagt, wie man ist und mit welcher Energie man auftritt. Doch wie stark und wie schwach wir diesen Energiebereich leben, das bleibt immerhin uns selbst überlassen. Es gibt Menschen, die strotzen vor Selbstbewusstsein und zeigen das, was sie haben, besonders gerne. Es gibt jedoch auch die andere Seite, und das sind Menschen, die eher ängstlich und unsicher mit ihrer äußeren Komponente umgehen. Wenn wir uns nun mit diesem Thema näher auseinander setzen, dann kann uns das auch dabei helfen, dass wir lernen, selbstbewusster mit unserem äußeren „Ich" umzugehen. Somit wäre es besonders gut, wenn wir die vorne liegende Komponente bewusst leben - dann entsprechen wir unserem realen Bild.

Jeder Mensch kann durch einen anderen lernen, und gerade durch die nach außen gerichtete Zahl zeigen wir anderen, was sie vielleicht selbst noch lernen müssten. Jeder kennt doch das Phänomen der Prominenten, auf die alle Augen gerichtet sind und auf die man schaut, um zu sehen, was sie alles leben; sie sind größtenteils unsere Vorbilder. Auch ein VIP zeigt nur sein äußeres Bild, doch er tut dies ganz bewusst, um sich ins Rampenlicht zu stellen. Nun, wir alle sind VIPs, und das sollten wir nicht vergessen; somit kann jeder von jedem lernen, wenn er das will. Gerade das äußeres Bild eines anderen zeigt uns die Bereiche, die für uns wichtig sind und mit denen wir uns spiegelbildlich selbst auseinander setzen sollten. Jeder Mensch, der in uns eine Emotion auslösen kann, ist somit ein Spiegel einer unserer inneren Komponenten und erinnert uns letztlich nur an unsere eigene Thematik. Nutzen wir diesen wertvollen Schlüssel, dann können wir uns immer mehr selbst entdecken und auch verwirklichen, denn wir wissen dann genau, wer wir sind und können diese Ressourcen sinnvoll einsetzen. Doch nun schauen wir uns diese Komponenten genauer an - die nachfolgenden Aussagen beziehen sich nun lediglich auf die erste, nach außen gerichtete Zahl im Geburtsdatum.

Die häufigsten Zahlen sind hier die 1 und die 2. Achtung: Die Null kann niemals vorne stehen, nur in der Computersprache wird sie als erste Zahl angewandt, nicht so in der Numerologie.

Wir fangen mit **der 1** an, und das gilt für folgende Daten: der 1., der 10., der 11., der 12., der 13., der 14., der 15., der 16., der 17., der 18. und der 19. Nur die Eins wird bei all diesen Komponenten als äußere Zahl gewertet. Das heißt, bei all diesen Daten treffen wir auf Menschen, die ihre Logik und somit ihr Wissen nach vorne tragen. Sie sind kommunikativ und offen für neues Wissen. Jedoch wollen sie dies auch repräsentieren und vermitteln somit ihrem Gegenüber, dass sie neugierig sind, Informationen haben wollen und sich selbst kompetent fühlen. Sie wirken oftmals kühl, klar und rational, sie wollen bewusst die klare Abgrenzung und halten sich in dem Rahmen, der ihnen entspricht auf.

Nun widmen wir uns **der 2**, und das gilt für folgende Daten: der 2., der 20., der 21., der 22., der 23., der 24., der 25., der 26., der 27., der 28. und der 29. Auch bei diesen Daten gilt, dass nur die Zwei an vorderster Front gewertet wird, und diese steht bekanntlich für die Intuition. Somit sind diese Menschen sehr gefühlsbetont und brauchen auch gerade emotionale Nähe. Sie spüren in den anderen hinein und brauchen dadurch eine harmonische Resonanz. Diese Menschen wirken weich, gefühlsbetont und leicht verletzbar. Sie müssen sich emotional verbinden können, deshalb spürt man sie hinterher meist noch über einen längeren Zeitraum - sie versuchen im wahrsten Sinne des Wortes, den gefühlsmäßigen Kontakt aufrechtzuerhalten. Wenn man sich dann lösen möchte, kann man mit ihnen emotional nonverbalen Streit bekommen, der sich wiederum nur über die Gefühlsebene auswirken wird. Ist man mit einem Zweier emotional tief verbunden, dann kommt man aus dieser Verbundenheit ohne einen wirklichen emotionalen Bruch zumeist nicht wieder heraus. Somit kann man anhand der Daten schnell erkennen, über welche Ebene sich zwei Personen emotional streiten, denn wenn beide eine Zwei vorne stehen haben, dann kann die emotionale Verstrickung über die verschiedenartige gegenseitige Erwartungshaltung schon sehr extrem sein. Immerhin ist die nonverbale Kommunikation auf dieser Ebene die am stärksten vertretende.

Sie können sich jetzt schon vorstellen, dass eine vorne stehende Eins nicht unbedingt mit großem Verständnis einer vorne stehenden Zwei begegnen muss. Somit dürfte jetzt schon klar sein, dass sich daraus sehr schnell Missverständnisse entwickeln können. Wenn Sie also mit einem Einser-Menschen reden wollen, dann wählen Sie klare Worte, die versteht er deutlich genug; andersherum: sprechen Sie mit einem Zweier über eine emotionale Verbindung. Sie werden sich ein wenig emotional auf ihn einstellen müssen, um ihn zu verstehen, jedoch es lohnt sich; ein Zweier-Mensch wird dann zukünftig immer wissen, was Sie brauchen, und wird versuchen, Ihnen dies zu erfüllen.

Nun kommen wir zu **der 3**, und das gilt für alle die am 3., am 30. oder am 31. geboren sind; hier steht die Aktivität im Vordergrund. Dreier-Menschen brauchen Power und stellen diese somit sichtbar in den Vordergrund. Dadurch kann sehr schnell der Eindruck entstehen, dass man als Außenstehender überrannt wird, obwohl ein Dreier-Mensch das direkt wohl kaum bemerken würde; er lässt sich einfach durch seine Power antreiben und geht seinen Weg. Da er diese Power nun bewusst lebt, fühlt er sich in dieser Funktion sicher, er kann sich auf sich selbst verlassen. Das Interessante dabei: Diese Menschen sind vielseitig und packen immer wieder neue Aufgaben an. Es interessiert sie kaum, was die anderen machen. Sollten diese sich dann gemütlich im Sessel vor dem Fernseher aalen, dann wird der Dreier-Mensch noch irgend etwas zu arbeiten suchen und natürlich auch finden, und sei es, dass er eben neben dem Krimi einen Pulli strickt. Jedem das seine.

Die 4 taucht nur bei Menschen auf, die am 4. geboren sind. Diese Menschen müssen immer ein Glücksgefühl in sich tragen. Sie versprühen diese Energien nach außen und erwarten auch, dass diese gesehen werden. Sie wirken in sich sehr harmonisch. Das wiederum zieht andere Menschen magisch an, die sich dann in ihrer Nähe sehr wohl fühlen. Gerade bei den Vierern ist es besonders wichtig, dass sie darauf achten, sich zu leben, denn leider allzu oft unterdrücken sie ihre schöne Harmonie und treten unsicher auf. Das ist die Kehrseite der Medaille, die leider noch viel zu oft gelebt wird. Je mehr ein Vierer-Mensch seine nach vorne gestellte Vier lebt und an seine Bestimmung im Leben glaubt, desto mehr Harmonie und Zufriedenheit wird er in sich entwickeln und diese wiederum durch seine Präsenz ausstrahlen.

Die 5 taucht auch wiederum nur bei Menschen auf, die an einem 5.

geboren sind. Diese Menschen unterstreichen damit ihre innere Sicherheit und zeigen diese nach außen. Sie sind sich sicher und leben nach ihren eigenen Prinzipien - was natürlich andere gerne erstaunen lässt, denn immerhin sind viele Menschen auf der Suche nach dem inneren Halt und somit ihrer Haltung im Leben, und gerade der Fünfer-Mensch zeigt ganz eindeutig, dass er diesen begehrten Halt besitzt und damit zufrieden lebt. Sollte ein Fünfer-Mensch jedoch gegen seine innere Sicherheit leben, dann kann es sein, dass er der Förderer eines anderen Menschen ist und somit seine eigene Sicherheit einem anderen zur Verfügung stellt, der sich dann wiederum selbstsicher leben kann, obwohl es sich hierbei nur um eine geliehene Sicherheit handelt. Also kann ich nur jedem Fünfer (als erste Zahl im Geburtsdatum) raten, sich um seine eigene Sicherheit zu kümmern, diese zu leben und sich darüber zu erfreuen.

Die 6 steht für Menschen, die am 6. eines Monats geboren sind. Diese Menschen tragen eine übermäßig große Liebe in sich und strahlen sie auch nach außen aus. Schon als Kind wird man ihnen gerne zuschauen; ihre Energie ist so sanft und erinnert alle anderen an ihre eigene Liebesfähigkeit. Wenn der Sechser bewusst lernt, zu seiner Eigenliebe zu stehen, dann wird er zeitlebens Geborgenheit und Harmonie unter die Menschen bringen, so dass diese sich wiederum nur an ihm erfreuen können. Der Sechser-Mensch sollte dabei nie seine eigene Kreativität vergessen. Er ist ein Künstler, und das sollte er nach Möglichkeit auch ausüben. Durch seine Präsenz erinnert er alle anderen an die eigene Liebesfähigkeit, und das ist seine Aufgabe. Bitte nie vergessen: Ein so sensibler Mensch kann sich durch negative Erlebnisse auch schnell wieder zurückziehen. Also sollte gerade in der Kindheit das Umfeld behutsam mit ihm umgehen.

Die 7 gibt es nur bei Menschen, die am 7. eines Monats geboren wurden. Diese Menschen versprühen energetisch spürbar ihre Beweglichkeit, Spontaneität und somit ihr chaotisches Auftreten; sie sind frei, und das zeigen sie auch gerne. Für die Siebener-Typen ist es besonders wichtig flippig aufzutreten, gerne demonstrieren sie damit ihre ureigenste Lebensfähigkeit. Sie lieben es, anders zu sein, als die anderen. Sie lieben es, aufzufallen und somit ihre Andersartigkeit zu demonstrieren. Sie lieben es, gesehen zu werden. Und ehe man es sich versieht, sind sie auch schon weitergezogen und hinterlassen höchsten einen Nebel, der noch erahnen lässt, wie diese Person ist. Denn tief im Inneren liebt der Siebener es, für die anderen ein Rätsel zu sein und seine inneren intimen Geheimnisse zu bewahren, immerhin will er nicht erkannt werden. Er will sein bewegliches Bild behalten, deshalb braucht er immer wieder Wandlung und Veränderung, gerne natürlich auch in Bezug auf seine Garderobe und Frisur. Die Vielseitigkeit kennt dabei keine Grenzen, und das wiederum lieben die Siebener-Menschen besonders.

Die 8 gibt es auch nur in der Konstellation, dass die Person am 8. eines Monats geboren wurde. Ein Achter-Mensch steht zu seiner Persönlichkeit und will natürlich als solche auch gesehen werden. Er will die besondere Aufmerksamkeit und Anerkennung, er liebt den Egoismus und will um jeden Preis Beachtung finden. Sein Auftreten wirkt schon fast königlich, und selbstverständlich erwartet er den ausgerollten roten Teppich vorzufinden. Ein Achter-Mensch, der sich bewusst lebt, wird dies bestimmt so erfahren. Er zeigt ganz offensichtlich, dass er etwas Besonderes ist. Er braucht seine „Dienerschaft", also eher unscheinbare Menschen an seiner Seite, um sein Auftreten demonstrativ ins passende Licht rücken zu können. Jedoch kann ein Achter-Mensch, der sich nicht positiv lebt und trotzdem die persönliche Anerkennung erwartet, eher als Lachbudenfigur enden. Deshalb ist es so wichtig, dass der Achter-Mensch sich bewusst ist, worauf er in seinem Leben stolz sein kann. Auffallen werden die Achter so oder so, fragt sich nur welches Bild sie nach außen transportieren. Schon alleine ihr Betreten eines Raumes wird von anderen besonders wahrgenommen. Somit sollte man nicht vergessen, dass auch negative Seiten auffallen können, und ob das dann noch so angenehm ist, ist fraglich - oder?

Die 9 steht für alle, die am 9. eines Monats geboren sind. Diese Menschen wollen deutlich und klar ihre eindeutige Präsenz darstellen. Sie brauchen die entsprechende autoritäre Anerkennung und wollen dies durch ihre Energie deutlich zeigen. Wenn sie keine Anerkennung bekommen, dann werden sie wütend und versuchen, den anderen in die von ihnen gewünschte Rolle zu zwängen. Sie brauchen die Energien der anderen, um sich gut zu fühlen. Sie müssen einen Raum betreten können und wissen, dass sie gesehen werden und somit einen für sie entsprechenden Respekt erfahren, sonst fühlen sie sich unwohl. Diese Menschen sind sehr charismatisch und wollen diese starke Energie bewusst zeigen. Es ist interessant ihnen zuzuschauen, sie können andere mit in ihren Bann ziehen; wenn man sich dann darauf einlassen möchte, ist dies bestimmt eine interessante Erfahrung - auf Dauer jedoch eher ungesund, da in einem solchen Fall eine Abhängigkeit geschaffen wird. Jeder kann durch sie erkennen, dass wir alle unsere Energien positiv gestärkt zur Schau stellen können. Ein Mensch mit einer entsprechend bewussten Ausstrahlung lenkt die anderen einfach vor Bewunderung von ihrem Alltagsgeschehen ab. Ein Neuner-Mensch sollte nach Möglichkeit einen höheren Posten als Chef inne haben, er muss regieren können, und ein paar Mitarbeiter unter ihm geben ihm ein gutes Gefühl von Stärke und Macht; diese Ausstrahlung wird von ihm wiederum erwartet. Er bekommt die gestärkten Energien der anderen und fühlt sich damit wohl. Dieses Wohlsein wird er nach außen tragen, damit es jeder sehen kann. Das ist seine Aufgabe: Zu zeigen wie wichtig ein Mensch sein kann.

Sie sehen, wie wichtig unser nach außen gelebtes Bild ist. Träumen Sie öfter davon, wie Sie von anderen, für Sie wichtigen Personen gesehen werden? Wenn ja, dann denken Sie darüber nach; ein Teil in Ihnen will Ihnen etwas mitteilen. Seien Sie stolz auf sich und leben sich in vollem Bewusstsein, gerade das können wir alle tun, wir müssen es nur wollen.

Die Jahrgänge

Schon alleine anhand der Jahrgänge können wir bestimmte Themenbereiche erkennen, die automatisch alle Menschen, die in dieser Zeit geboren wurden, gemeinsam in sich tragen. Wir alle leben in einer fortwährenden Dynamik und müssen uns mit den Themen des Lebens auseinander setzen. Dafür wiederum brauchen wir bestimmte Rhythmen, die uns der Energie dieser Zeit näher bringen, damit wir unsere Erfahrungen machen können. Das bedeutet jedoch auch, dass wir stetig mit diesen Themen konfrontiert werden und die verschiedenen Zeitepochen immer wieder von uns bestimmte Erfahrungswerte abverlangen. Deshalb ist es wichtig, sich nicht nur das individuelle Geburtsdatum, sondern auch die gesamte Zeitepoche anzuschauen, damit wir erkennen können, was eine bestimmte Zeit von uns automatisch als Lernerfahrung erwartet. Das heißt jedoch auch, dass wir nicht nur durch unser Geburtsdatum numerologisch getroffen werden, sondern durch jede Zeitepoche, die wir erleben. Somit bewegt sich unser Leben in einem ständigen Rhythmus, der uns immer weiter dazu verhilft, die Themen unseres Leben zu verstehen. Rein astrologisch betrachtet bewegen sich die Planeten ebenfalls immer weiter, und auch dadurch empfängt unser Leben eine Lebendigkeit, die wir wiederum brauchen, damit wir uns erkennen können. Nun widmen wir uns dem Thema, indem ich die 10er Schritte eines Jahrhunderts kurz umrissen beschreibe.

Wir fangen mit dem 10er Schritt **00 – 09** an. Die Null steht vorne, also handelt es sich hierbei um eine Zeitepoche, die sehr viel mit Weitblick zu tun hat. Durch die vergrößerte Sichtweise werden viele neu entwickelte Erfindungen den Weg der Zeit schmücken. Das ist die Aufgabe. Die Menschen in dieser Zeitphase lernen, einen anderen Blickwinkel und ein viel größeres Spektrum ihrer ureigensten Sichtweise zu bekommen. Verbunden mit spirituellen, sehenden Fähigkeiten werden einige Menschen dazu genutzt, um die kosmischen Botschaften für das neue Jahrhundert/-tausend zu empfangen, damit die Menschheit ihren Weg und ihre Aufgabe kennt. Vor der Zeitphase Null steht immer die Zeitphase Neun, also hatten die Menschen davor eine Zeitepoche erlebt, in der es sehr viel um Pflicht und Unterdrükkung ging, da ist die Null doch eine direkte Befreiung.

Wenn wir uns dann die **10-19** anschauen, dann können wir erkennen, dass diese Zeitepoche die großartigen Ideen der Null sortiert und somit nach logischen Prinzipien und entsprechenden analytischen Mustern umsetzt. Somit steht die Eins wieder für die gedankliche Klarheit und Konzentration wie auch für die Erdung und Materialisierung der Gedanken, denn gerade Gedanken und Erfindungen kommen vom Geiste. Der Kopf sortiert und bringt alles in Normen und Prinzipien, die das Geschaffene weiter entwickeln, damit es wirklich nutzbar wird. Wissen ist Macht - unter diesem Motto läuft diese Zeitepoche.

Die **20-29** stehen unter dem Stern der Emotion. Die Menschen in dieser Zeitepoche wollen Gefühl, Harmonie, Kreativität und somit Musik für die Seele. Sie wollen emotional glücklich leben und alles dafür tun. Das Wissen wird hinten angestellt, die Gefühle stehen an vorderster Front und wollen gelebt werden; das ist ihr Motto. Sie wollen fühlen, erleben und alles das tun, was emotional Spaß und Freude bringt. Somit werden keine Ehen mehr durch Gedanken, sondern rein durch das Gefühl geschmiedet. Die daraus resultierenden gefühlsmäßigen Dramen gehören genauso dazu, wie Enttäuschungen, die sich aus nicht erfüllten Erwartungshaltungen an den Partner bilden; da bleibt so manches Auge nicht mehr trocken. Doch was wäre diese Zeit ohne die tiefen Gefühlswallungen, die man einfach miterleben muss.

Die Dreißiger von **30-39** stehen unter dem Stern der Aktivität. Die Menschen in dieser Zeitepoche packen gemeinschaftlich an und wollen ihre Stärke beweisen. Sie tun viel dafür, um die gesetzten Ziele zu erreichen. Sie sind aktiv und stellen dieses Motto in den Vordergrund: Jeder packt an. Die gesamte Aktivitätsenergie ist überall spürbar und steckt jeden an. Dies ist keine Zeit der Ruhe oder Muße, sondern eher der Power und Tatkraft. Die Aktivität und die somit aufbauende Energie wird viel bewirken, an dem man sich noch lange Zeit erfreuen kann. Viele neue Projekte werden in dieser Zeit erstellt. Es wird so viel Arbeit geleistet, dass man fast meinen könnte, dass die Menschen für eine andere Zeit vorarbeiten würden, so fleißig sind sie.

Dann kommen die Vierziger von **40-49**. Diese Zeit soll Glück und inneren Glauben bringen. Die Menschen haben viel geleistet und wollen nun ihre emotionale Ernte finden. Die Anerkennung an die eigene Person, der Selbstwert sind genauso wichtig, wie der Glaube an das innere Licht und somit an Gott. Die Menschen in dieser Zeit sollen glücklich und dankbar für ihr Dasein sein; das ist ihre Aufgabe. Das Genießen des Lebens, des Daseins und sich an all dem, was da ist, zu erfreuen, soll ihnen die Glücksemotion, die sie brauchen, erbringen. Das Hauptproblem in dieser Konstellation ist mangelnder Selbstwert und damit ein überhebliches Machtgehabe. Im extremsten Fall könnte sich diese Konstellation so darstellen, dass ein paar wenige versuchen, Gott gleichzukommen, indem sie Macht über Leben und Tod an sich ziehen und über sich diese Macht ausleben. Dann würde eine fanatische Zeit anbrechen, die nur durch jedes Individuum und den eigenen Glauben an sich selbst unterbrochen werden kann.

Die folgenden fünfziger Jahre von **50-59** stehen unter dem Stern der Stabilität und Sicherheit. Die Menschen müssen wissen, was sie materiell haben, was ihnen persönlich gehört. Es ist eine zähe Zeit, alle müssen sehr spärlich mit den vorhandenen Mitteln ihren Weg in die eigene Sicherheit bahnen. Die aus dieser Zeit resultierenden Aufbauten brauchen entsprechend lange und halten dann wiederum auch einiges aus. Die Menschen suchen den gemeinsamen Halt, um sich gegenseitig Stabilität zu geben. Die Angst, dass irgendein Stein aus der vermeintlichen Festung rutschen könnte, ist so groß, dass man versucht, alles doppelt und dreifach abzusichern, damit kein Schaden entstehen kann. Die Zeit der Sicherheit für heute und für alle Zeit, ist das Motto dieser Zeit.

Die Sechziger von **60-69** stehen unter dem Stern der Liebe und der Harmonie. Diese Menschen wollen loslassen, weg von aller Stagnation, althergebrachter Dogmen und Muster. Sie wollen sich leben und kreativ sein. Das Thema Partnerschaft und das Erkennen der großen Auswahl von Partnern findet dabei sehr großen Anklang, so dass diese Konstellation einer Zeit freier (Eigen-)Liebe und Kreativität entspricht. Die Menschen dieser Zeit lernen, sich bewusst von allen materiell einengenden Prinzipien zu lösen, Materie ist ihnen nicht so wichtig. Somit sind alle aus den Fünfzigern aufgebauten Sicherheiten durchaus nutzbar, jedoch werden sie nicht gewertet, da der Mensch schon wieder nach Neuem, nach Anderem strebt. Das ist der Lauf der Zeit, und nur so erleben wir unsere Dynamik. Diese Zeit fordert den Genuss und die Eigenliebe heraus, das ist ihr Motto.

Die Siebziger von **70-79** ist die Zeitphase der Wandlung. Nichts bleibt mehr auf seinem alten Platz bestehen, alles wird eine Veränderung, eine Erneuerung erleben. Eine Zeit der Evolution, des Verrücktseins. Die Menschen wollen alle Ketten sprengen, um sich von Altlasten zu befreien und zu neuen Ufern zu gelangen. Egal über welchen Weg, sie suchen sich die Pfade, die beschreitbar sind, und drücken ihre Spur darin ab, das ist ihr Lebensmotto. Alles Revolutionäre zielt jedoch auf das Zerstören der Stabilität hin, das ist das Ziel. Jedoch ohne eine Stabilität, könnte diese niemals zerstört werden. Deshalb zielt die gesamte aktive Veränderungsthematik auf einen selbstgewählten Punkt – egal welcher -, und genau der wird dann auf den Kopf gestellt. Das Motto der Siebziger: Egal was kommt, egal was da ist, wir ändern, wo es was zu ändern gibt! Das Ziel dabei ist jedoch ganz egal, denn es gibt keine Ziele, außer die Veränderung, das ist das einzige Ziel.

Die Achtziger von **80-89** stehen unter dem Stern der Kreativität und der eigenen Beständigkeit. Diese Menschen lernen, ihr Ego zu leben und sich an ihrem Leben mit Stolz zu erfreuen. Oftmals müssen sie selbst nicht einmal die Gelder verdient haben, die ihnen helfen, ihren Stolz im Außen zu repräsentieren. In den meisten Fällen sind die Ebenen schon vorgegeben. Sie sind dafür da, damit sie ihren Weg erfolgreich und in vollem Bewusstsein beschreiten können. Sie müssen sich leben sowie ihre eigene, individuelle Dynamik entwickeln und nach außen bringen. Das ist ihre Aufgabe, die sie leben müssen. Nach dem Motto: Sei stolz und lebe dich, denn zu leben ist etwas Wunderbares, und nur darauf kommt es an. Alle Welt soll über uns staunen, über das, was wir geschaffen haben. Also: Ein unschlagbares Selbstbewusstsein, das auch noch durch kreative Werke unterstrichen wird.

Bei den Neunzigern von **90-99** geht es um die Durchsetzungsfähigkeit; sie wollen die Talente der Achtziger unter Vertrag bringen, darum geht es ihnen. Sie wollen die Anerkennung und die Macht. Wer ist mächtiger, wem gehört was? Was passt zu wem? Und so weiter. Menschen lassen sich zumeist lenken, jedoch nur eine kurze Zeit und lehnen sich danach über die Bevormundung wieder auf. Wir alle tragen das Thema der Neun in uns und müssen lernen, uns zu verbinden und einzulassen - also mächtig zu sein - um dann wiederum zu lernen loszulassen - also ohnmächtig zu sein. Beide Seiten wollen gelebt werden, und das ist auch das Motto dieser Zeit: Lebe wie ein König und auch wie ein Bettler; und du wirst erkennen, dass nur du alleine in deinem Leben mächtig bist, nur du alleine hälst die Fäden deines Lebens in der Hand, und nur du kannst sie ziehen, wie und wann du möchtest. Denn nur dein Wort ist dein eigener Befehl, auch wenn diese Worte aus dem Munde eines anderen gesprochen werden. Das ist die Aufgabe: Lernen, die eigene Selbstständigkeit anzuerkennen.

Doch nun noch ein paar Worte zu den Jahrtausendern:

Das **19te** Jahrhundert stand unter dem Motto Kopf -1- , Macht oder Ohnmacht -9-. Kein Wunder, dass wir immer wieder einen Menschen brauchten, der uns sagte, wo der Weg lang ging. Die Zeit der wissenschaftlichen, logischen Entwicklung und die Zeit der eigenen Macht fallen ebenfalls in dieses Jahrhundert. Wir alle sollten erkennen, dass wir allein die Fäden für unser Leben in den Händen halten und dass alles das, was wir leben, nur ein Resultat unserer Gedanken ist und mehr nicht. Die Neun unterstützt hierbei die Gedanken und somit die Eins und materialisiert sie. Alle Gedanken werden durch die Kraft der Neun, wie ein magisches Band, umsponnen, und dies wird wiederum zum passenden Zeitpunkt Wirkung tragen. Somit stand das ganze Jahrtausend unter der Herrschaft der Eins, und die Menschen lernten, über ihr Kopf- und Wissenspotenzial ihr Leben zu entwickeln.

Jetzt leben wir im Jahr **2000,** das heißt die Zwei steht vorne. Es geht um die Intuition und somit um die verbale und nonverbale Kommunikation mit uns selbst und auch mit anderen Ebenen. Da die Null an zweiter Stelle steht, werden wir über den Weitblick und die Intuition bahnbrechende Erfindungen entwickeln, die uns viel schneller vorwärts treiben, als wir uns das heute in unseren kühnsten Träumen vorstellen können. Es ist die Zeit der spirituellen und emotionalen Entwicklung. Die Zeit, in der wir unserem Gefühl Glauben schenken und in der wir erfahren, was wir wollen. Wir werden, wenn wir auf die sanften Energieklänge hören, viele Informationen bekom-

men, die uns die Erkenntnisse geben, die wir brauchen, um uns zu entwik-
keln. Das mag sich vielleicht ein wenig beängstigend anhören, ist jedoch in
der Zeitgeschichte schon vorgemerkt und wird sich entsprechend realisieren. Die Computertechnologie wird uns dabei eine Unterstützung sein, jedoch auch eigene Probleme liefern, mit denen wir uns zwangsläufig auseinander setzen müssen. Es ist mit Sicherheit eine sehr interessante Zeit, in der
wir alle viel lernen werden.

Jetzt in der momentanen Zeitphase lösen wir uns von alten kletten-
haften Verbindungen. Alles das, was wir nicht gerne tun, werden wir zukünftig verlieren, damit wir wieder lernen, das zu tun, was wir gerne machen.
Wenn wir zukünftig etwas tun, dann müssen wir unseren kompletten Energieeinsatz investieren, wir können nichts mehr halbherzig machen. Somit werden wir viele unserer Lebensthemen auf Herz und Nieren überprüfen. Der
Partner findet dabei genauso Beachtung, wie der Nachbar, der uns auf einmal unangenehm auffällt. Doch dient diese Zeit absolut nicht dazu, sich von
allem zu lösen. Nein, wir sollen auf uns achten und das, was wir leben, einfach gerne tun. Bedenken Sie: Alles hat immer eine Sonnen- und eine Schat-
tenseite. Wir sind in uns polar und vertreten somit unterschiedliche Meinungen. Erst wenn wir den anderen so akzeptieren, wie er ist, erst dann können
wir uns selbst auch so akzeptieren, wie wir sind. Jeder, der uns begegnet und
der in uns eine Emotion auslösen kann, ist nur ein Spiegelbild eines eigenen
inneren Schattenanteils, und wenn ich erfahren möchte, wer sich in mir mit
dem äußeren Bild verbunden hat, dann sollte ich tief in mich gehen, und ich
werde die Antwort erhalten. Das ist die Aufgabe, um die es in der jetzigen
Zeit und nahen Zukunft geht.

Die Verwendbarkeit der Numerologie

Die Numerologie können wir für viele Bereiche, die wir analysieren wollen, einsetzen. Anhand dieser Analyse erfahren wir nicht nur einiges über die charakteristische Konstellation des Geburtsdatums, sondern wir können noch viel tiefer gehen und einiges über die Aufgaben und Bedeutungen von Verbindungsdaten erkennen - wie beispielsweise das Begegnungsdatum, das Hochzeitsdatum oder sogar das Scheidungsdatum zweier Menschen. Genau wie in der Astrologie nutzt man dazu einerseits die persönlichen Daten der betreffenden Personen, schaut sich diese in Verbindung mit dem gemeinsam zu deutenden Datum an. Das Verbindungsdatum wird einerseits separat betrachtet, wie jedes andere Datum auch, andererseits müssen wir es mit dem Datum der Personen, um die es geht, verbinden und darauf achten, inwieweit diese Personen durch das gemeinsame Datum angesprochen werden. Das Verbindungsdatum ist somit wie ein „gemeinsames Drittes" zu betrachten. Erst wenn eine Verbindung gelöst wird, dann haben wir auch ein Trennungsdatum und das wiederum gewährt die Freiheit, dass sich jeder wieder seinem eigenen Weg widmen kann. Immerhin ist jede Verbindung verbindlich und wird auch größtenteils von Personen so gesehen. Sie verbindet die komplexe Persönlichkeit zweier Menschen miteinander. Somit müssen wir, bevor wir uns in die Deutungsvielfalt von Verbindungsdaten begeben, zuerst eine Analyse über das Geburtsdatum der beiden Personen erstellen und uns mit dem individuellen Charakterbild der Betreffenden beschäftigen. Erst dann wird das gemeinsame Datum hinzugezogen.

Die folgenden Beispiele sind natürlich wieder fiktiv, also Ähnlichkeiten wären rein zufällig und können doch genutzt werden. Damit das Errechnen der Durchschnittszahl, also der geschlossenen Problemzahl, noch deutlicher wird, habe ich anfänglich diese noch vorgerechnet, damit Sie sich daran orientieren können:

Der Mann Peter ist am 23.4.1962 geboren, wir rechnen:
$2+3+4+6+2 = 17+1$ (für 19) $= 18 = 1+8 = (9)$
Somit hat Peter auf der einen Seite durch die Doppel-Zwei -2+2- und die offene Vier -4- und Sechs -6- sehr viel Gefühl. Da die Zwei -2- auch

noch im Vordergrund steht, wird er auf seine Intuition vertrauen. Somit braucht er eine Partnerin, die er spüren kann, die sich emotional auf ihn einlassen will. Er will fühlen, wie es ist, in einer herzlichen Tiefe von einem Menschen geliebt zu werden. Auf der anderen Seite ist der durch seine Drei -3- sehr aktiv und braucht somit die Handlungsfreiheit, das tun zu können, was er gerne möchte. Sollte er sich jedoch zu stark auf seine Partnerin einstellen, was für ihn bedeuten könnte, dass er sich eventuell von ihren Bedürfnissen einsperren lässt - wohlgemerkt: Nicht sie sperrt ihn dann ein, nein, das macht er schon schön selber -, dann könnte sich seine aktive Energie stauen. Durch die geschlossene Neun -(9)- wiederum wird er stetig den Drang des „Durchsetzen-wollens" in sich spüren, denn die Neun fordert von ihm, dass er Chefgebärden an den Tag legt; das können natürlich seine inneren Konstellationen wie die -2+2+3+6- nicht gut heißen. In der negativsten Form könnte er aufgrund der geschlossenen Neun -(9)- versuchen, seine Partnerin vor sein eigenes Pferd zu spannen und sie somit als Prellbock zu nutzen, oder noch viel besser durch unbegründete Eifersucht einzuengen. Da er jedoch die offene Drei -3- hat, wird er mit ziemlicher Sicherheit selbst durch eigene Aktivität seine Energien wieder ausgleichen.

Die Frau heißt Tamara und ist am 15.8.1971 geboren:
1+5+8+7+1 = 22 +1 (für 19) = 23 = 2+3 = (5)

Tamara ist ein Kopfmensch, denn die Eins -1- steht vorne. Sie hat sogar eine Doppel-Eins -1+1- in ihrem Geburtsdatum, was wiederum ein hohes Maß an Kopflastigkeit anzeigt. Angezeigt durch die Sieben -7-, liebt sie die Flexibilität und Sprunghaftigkeit, was jedoch ihrer geschlossenen Fünf -(5)- im Wege steht. Die Fünf -(5)- will Sicherheit, Stabilität und wird sich mit dem Kopf -1+1- verbinden, um eine passende, logische Resonanz zu finden. Der Kopf wiederum ist mit jeweils einer Eins an die äußeren Zahlen gebunden. Somit wird sich eine Eins zur geschlossenen Fünf -(5)- gesellen, um die vermeintliche Stabilität (meist über andere - Peter?) zu planen, zu manifestieren und somit zu verbinden. Die andere Eins -1- hält sich an die Sieben -7- und versucht taktisch, einengende Verbindungen immer wieder zu lösen, da die Sieben -7- sonst nicht frei leben kann. Die Acht -8- als einzige innere Zahl wird sie über die Schönheitsideale leben, sie will Stolz und Anerkennung. Über die Acht -8- wird sie Peter emotional ansprechen,

148

der von seiner Grundenergie viel gefühlsbetonter ist, als sie selbst.

Was könnten die beiden sich gegenseitig geben? Peter wird wahrscheinlich als Sicherheit für Tamara stehen, denn er ist aktiv -3- und vom ersten Eindruck heraus pflichtbewusst -(9)- und somit könnte dies der -(5)- von Tamara gefallen. Hingegen erfährt Peter von Tamara, dass man das Leben locker, leicht und flexibel -7- gestalten kann. Er wird ihr gerne zuhören und sie für ihre kopflastige Klarheit bewundern -1+1-. Tamara ist nun wesentlich mehr nach außen orientiert - sie hat fast nur äußere Zahlen. Im Gegensatz zu Peter, der fast alles innerlich verteilt hat. Somit wirkt Tamara wesentlich härter und klarer als Peter, der durch diese Klarheit selbst unsicher werden könnte. Doch nun schauen wir uns die beiden in ihrer Partnerschaftsthematik genauer an. Dafür beschäftigen wir uns mit dem Begegnungsdatum. An diesem Tag werden für beide bestimmte Impulse angesprochen, die einen Blick auf einen eventuellen Partner überhaupt erst möglich machen. Somit zeigt das Datum deutlich, welche Komponenten individuell angesprochen wurden und auch was beide aus dieser Beziehung, also aus dem Spiegel des anderen, lernen können und teilweise sogar auch müssen. Das ausschlaggebende Begegnungsdatum wählen die Paare zumeist selbst aus. Nicht der erste Kontakt muss hierbei vorrangig sein, sondern vielmehr der Tag, an dem es funkte und auch klar war, dass es sich hierbei um eine beginnende Partnerschaft handelt. Natürlich gibt es die Liebe auf den ersten Blick - dann ist dieses Datum der Stichtag. Doch andersherum gibt es Paare, die kennen sich schon Jahre, und irgendwann funkt es, und das ist der Begegnungstag, den wir gewichten, den wir feiern und natürlich in unserem Fall auch analysieren. Doch nun weiter zu unserem Fallbeispiel:

Wir nehmen ein Begegnungsdatum und wählen:
15.6.1997 = 1+5+6+9+7 = 28 + 1 für (19.) = 29 = 2+9 = 11 = 1+1 = (2)
Dieses Datum zeigt folgende Punkte an: die Eins -1- steht vorne, also regiert der Kopf, dann kommt eine Fünf -5- die Sicherheit wird angesprochen (diese beiden Komponenten entsprechen Tamara), die Sechs -6- steht für die Liebe (entspricht wiederum Peters Zahlen) und die Neun -9- entspricht Peters geschlossener -(9)-, die Sieben -7- entspricht wiederum Tamaras Sieben. Die Aussage dieses Tages deutet darauf hin, dass es um das

Thema der logischen Sicherheit in Bezug auf die flexible Durchsetzungsfähigkeit der Vorhaben (Kopf) geht. Auch die Liebe und somit das Genießen werden angesprochen, kommen jedoch nur zu Wort, wenn man die anderen Zahlen und vor allen Dingen die Logik gewichtet. Die geschlossene Zwei -(2)- will die individuelle Intuition überprüfen, sie ist vernebelt und wird sich mit der offenen -6- auseinander setzen, wobei diese beiden Komponenten bei so vielen äußeren Zahlen erst zu Wort kommen, wenn alles andere geregelt ist.

Das Datum entspricht beiden, zeigt jedoch an, dass sie sich bezüglich ihrer Intuition täuschen könnten, das ist der Knackpunkt und somit der undurchsichtige Punkt an diesem Tag. Und dies passiert öfter, als man denkt: Eine andere Erwartungshaltung an den Partner zu richten, als die erste augenscheinliche Begegnung dies zu offenbaren vermag. Fraglich ist, wie diese Beziehung dauerhaft zusammenpassen kann. Die geschlossene Zwei -(2)- zeigt somit an, dass wir mit Themen konfrontiert werden, um daraus zu lernen, unserer eigenen Intuition zu vertrauen. Wir dürfen in so einer Konstellation unter keinen Umständen die Emotionen des Partners als unsere eigenen betrachten, das ist die Aufgabe, die dahinter steht. Anfänglich können wir dies jedoch nicht sehen, und urplötzlich haben wir dann während des Verlaufs der Partnerschaft das Gefühl, den Wald vor lauter Bäumen nicht mehr erkennen zu können. Die Numerologie gibt uns einen kleinen Tipp in Bezug auf die gestellten Lernthemen, und schon diese Sicht kann uns wieder Klarheit in unser vorher verklärtes Bild gewähren.

Für eine Partnerschaft ist es immer gut, wenn die vorderen, also die ersten Zahlen, gleich sind, wenn beispielsweise beide eine Eins oder beide eine Zwei haben. Ansonsten ist eine Partnerschaft auch sehr harmonisch, wenn beide eine geschlossene äußere oder beide eine geschlossene innere Zahl haben. Schwierig ist es, wenn beide absolut gemischte Zahlen haben, dann treffen sie sich energetisch schlechter und werden oftmals aneinander vorbeireden. Wir müssen immer davon ausgehen, dass wir Partnerschaft leben, um uns mit unseren eigenen Themen auseinanderzusetzen. Somit erklärt uns im Nachhinein das Begegnungsdatum, was für eine Aufgabe wir haben. In unserem oberen Beispiel muss jeder durch die -(2)- lernen, seinem eigenen Gefühl zu vertrauen, und egal was ist, sich nicht mit dem anderen so zu verbinden, dass einer über den anderen lebt, das heißt, ihm somit die eigene Verantwortung und Intuition für sein Leben übertragen kann. Nehmen wir ein anderes Beispiel und beschäftigen uns mit der Aufgabe des Hochzeitsdatum. Das Hochzeitsdatum löst das Begegnungsdatum ab und konfrontiert die Partnerschaft mit einer neuen, sehr verbindlichen Aufgabe, die beide zu lösen haben. Nun ein anderes Beispiel:

Der Mann Klaus ist am 8.2.1960 geboren:
8+2+6+0 = 16 = 16 + 1 (für 19.) = 17 = 1+7 = (8)

Klaus ist sehr gefühlsbetont. Er hat die Acht -8- vorne stehen, er muss somit seine Herzlichkeit und seine stolze Persönlichkeit präsentieren. Was ihm jedoch aufgrund seiner geschlossenen Acht -(8)- wieder schwer fallen wird. In seinem Fall braucht er eine andere Person, auf die er seine persönliche Fürsorge und Anerkennung legen kann. Er ist harmoniebedürftig -6- und braucht seine inneren Tagträume und Visionen -0-. In vielen seiner Träume wird er der Besondere sein, der die Anerkennung von anderen, für ihn wichtige Personen, erfährt -8+(8)-. Auf der einen Seite ist er sehr gefühlsbetont -8+2+6+0- und wird gleichzeitig Angst vor Verletzung haben. Die Angst, sein Bild und somit seine eigene Sichtweise -0- zu verlieren, wird ihn daran hindern, sich anderen gegenüber energetisch zu öffnen -(8)-. Somit kompensiert er gern über den Partner und braucht einen, auf den er stolz sein kann, den er erobern muss, damit das Gefühl, etwas Besonderes zu sein, näher rückt.

Die Frau heißt Karin und ist am 20.11.1964 geboren:
2+0+1+1+6+4+ = 14 + 1 (für 19.) = 15 = 1+5 = (6)

Auch Karin ist sehr gefühlsbetont, sie hat die Zwei -2- vorne stehen und fühlt somit in den Partner hinein. Die Null -0- wiederum lässt sie gerne träumen, wenn die Doppel-Eins -1+1- dies dann auch zulässt. Sie hat alle Kopfzahlen besetzt. Doch die übergewichtige Doppel-Eins -1+1- wird mit Sicherheit alle Entscheidungen noch ein-zwei-dreimal, unendlich lange, überdenken. Somit kommen die Null -0- und die Zwei -2- kaum zu Wort. Sie wird Probleme haben, ihren Kopf auszuschalten. Die Sechs -6- und die Vier -4- wiederum wollen die Harmonie und auch das Glücksgefühl, sie wollen spüren, was es heißt, zu leben. Wenn Karin lernt ihren Kopfbereich nicht mehr für die Gefühlsebene einzusetzen, sondern eher für wissenschaftliche Zwecke zu benutzen, dann kann sie mit diesen Konstellationen in Harmonie leben. Doch schauen wir uns die -(6)- an. Karin hat somit eine offene und eine geschlossene Sechs -6+(6)-. Aufgrund dieser Energiekonstellation trägt sie bereits sehr zweifelnde Ansätze zum Thema Liebe in sich. Sie wird höchstwahrscheinlich durch die -(6)- gegen sich leben. Doch sie muss lernen, sich auf ihre eigene Liebesfähigkeit einzulassen. Sie muss lernen, sich selbst zu lieben. Der Kopf wird dabei wenig dienlich sein, er wird immer wieder gerne dagegen reden, um ihr die schönen Dinge des Lebens oder sogar eine Partnerschaft madig zu machen. Immerhin hat Karin die Begabung, einen Partner wichtiger zu nehmen, als sich selbst. Und damit sie sich nicht vergisst, muss sie immer wieder loslassen, um zu sich selbst zu finden, und das wiederum dürfte nicht ganz einfach sein.

Die beiden zusammen haben schon eine gute Basis für eine Partnerschaft, beide sind gefühlsbetont und können sich durch ihre Ähnlichkeiten viel geben. Wir gehen davon aus, dass die beiden sich am 12.3.1994 getroffen haben und somit der Beginn der Partnerschaft auf dieses Datum festgelegt wird. Die meisten müssen, wie schon erwähnt, selbst entscheiden, welches Datum sie wählen, wann sie sich begegnet sind und der Funke rüber gesprungen ist oder wann sie sich das erste Mal körperlich näher gekommen sind. Ich persönlich empfehle immer das Datum zu nutzen, an dem wir spüren, dass wir verliebt sind, dann fängt die Partnerschaft an. Nun wieder zu unserem Beispiel, also dem Datum 12.3.1994.

$1+2+3+9+4 = 19 + 1$ (für 19.) $= 20$ und die bleibt, also sind die Problemzahlen eine (2) und eine (0).

Dieses Datum sagt aus, dass die Paare, die an diesem Tag zusammengekommen sind, einerseits sehr viel Kopflastigkeit haben, und andererseits lernen müssen, ihrer inneren emotionalen Wahrheit -(20)- zu vertrauen. Sie dürfen sich unter keinen Umständen nur auf den Partner verlassen und somit den Versuch starten, die eigenen Themen über den Partner auszuleben. Also wenn Karin denkt, dass Klaus ihr die Liebe gibt, die sie braucht, um sich selbst leben -(6)- zu können, dann wird sie eine bittere Enttäuschung erleben. Genauso wie Klaus, der den eigenen persönlichen Stolz nicht über Karin ausleben kann -(8)-, das kann er auch wiederum nur selbst. Somit zeigt das Datum eindeutig an, dass sich beide klar sein müssen. Die Aktivität -3- und die Durchsetzungsfähigkeit -9- werden gekoppelt mit dem Kopf -1- und können somit eine gute Basis bilden, immer wieder auf die eigenen Füße zu kommen.

In unserem Fall heiraten beide und wählen das Datum den 22.4.1996 dafür aus. Dieses Datum wechselt nun das Begegnungsdatum ab. Wenn wir heiraten, dann zeigt uns dieses Datum, was das Paar nun zu lernen, also welche Aufgabe es zu erfüllen hat. Wir sind gespannt und rechnen:

$2+2+4+9+6 = 23 + 1$ (für 19.) $= 24 = 2+4 = (6)$.

Die beiden müssen nun lernen, sich selbst und natürlich auch den anderen zu lieben, zu ehren, zu achten und vor allen Dingen ihn so zu belassen, wie er ist. Beide sind sich über das Thema Liebe einig, sie lieben sich, sonst würden sie nicht heiraten und die Beziehung in eine Verbindlichkeit bringen. Die geschlossene Sechs -(6)- im Hochzeitsdatum weist auf eine wirklich tiefe Beziehung hin, jedoch darf keiner den anderen bedrängen, ihm die Liebe geben zu müssen, die er braucht und sich selbst nicht geben möchte. In unserem Beispiel sind beide sehr gefühlsbetonte Menschen, sie können somit unter keinen Umständen eine Kopfehe eingehen. Sollten sich nun beide den Spielraum der Entwicklung gewähren, dann kann diese Ehe gefühlvoll, lehrreich und fruchtbar sein wie auch dauerhaft bestehen. Beide werden individuell durch die -(6)- angesprochen. Karin bekommt ihr Geburtsthema auf den Tisch -6- und Klaus mit der geschlossenen -(8)- erfährt über die Ehe auch noch, dass man erst stolz sein kann, wenn man sich liebt, und das geht nur, wenn man auf das, was man ist, stolz ist, und genau das sollte er hin und wieder überprüfen.

Wir sind jetzt gemein und stellen uns vor, dass die beiden ihre Eheaufgabe nicht gelöst haben und sich somit trennen wollen. Obwohl die Ursprungskonstellation gut war, müssen wir immer noch unser Leben leben. Die Numerologie zeigt lediglich an, wie wir sind. Wir können anhand dessen erkennen, wie wir reagieren und welche Ressourcen wir in uns tragen und wie wir diese sinnvoll einsetzen können. Doch es gibt keinen Garant für eine gute, dauerhafte Beziehung, daran müssen wir selbst arbeiten. Und solange wir unsere Themen im Partner suchen, solange finden wir nicht zu uns selbst. Wir gehen jetzt davon aus, dass die beiden sich mit der Liebesfähigkeit verstrickt haben und nun enttäuscht sind, weil sie nicht das bekommen haben, was sie sich wünschten. Karin hat sich von Klaus nicht geliebt gefühlt und wird sich mit Sicherheit selbst immer noch nicht lieben. Klaus wiederum hatte das Gefühl, egal was er tat, er bekam von seiner Frau dafür keine Anerkennung. Nun, die beiden sind sich einig: Sie wollen sich scheiden lassen und bekommen ein Scheidungsdatum vom Gericht vorgelegt. Dieses Datum setzt der Ehe ein Ende (der Tag der Gerichtsverhandlung, an dem offen die Ehe geschieden wird). Damit trennen sich die Wege.

Das Scheidungsdatum ist der 15.10.1999 =
1+5+1+0+9+9+= 25 +1 (für 19.) = 26 = 2+6 = (8)

Somit ist die Trennung durch die mangelnde Herzlichkeit -(8)- entstanden, gerade Klaus, der auch eine -(8)- als Lernthema in seinem Geburtsdatum trägt, wird sich zu wenig anerkannt gefühlt haben. Ansonsten steht der Kopf vorne -1+1-, die Scheidung ist also ein Kopfentscheidung, die sich durch die Fünf -5- materialisiert hat. Die Null -0- steht für den Weitblick und den gemeinsamen Traum, der nun gewandelt wird. Die Doppel-Neun -9+9- zeigt eindeutig an, dass vor der Scheidung einige Kämpfe stattgefunden haben; sie symbolisiert die Kraft der Durchsetzungsfähigkeit. Mit hoher Wahrscheinlichkeit wird vorher ein Gerangel um die Kompetenz stattgefunden haben. Das bedeutet, dass jeder versucht hat, seine eigenen, emotional verletzten Themen auf den anderen abzuwälzen. Bei einer Scheidung werden beide Partner energetisch getrennt und müssen sich somit auch emotional wieder trennen, sonst würde die emotionale Verbindung über einen längeren Zeitraum weiterhin bestehen bleiben. Da wir jedoch bei diesem Datum die geschlossene -(8)- als Thema haben, kann es sehr wohl sein, dass die emotionalen Verletzungen noch weiterhin anhalten, bis die Beziehung endgültig geklärt und innerlich abgeschlossen ist. Deshalb ist es so wichtig, eine Beziehung im Nachhinein zu verarbeiten, damit keine Emotionen im Raume stehen bleiben und die zukünftige Energiefrequenz nicht blockiert ist.

154

Gerade das Datum der Doppel-Neun -9+9- zeigt eindeutig an, dass in einem solchen Fall der energetischen Verbundenheit zukünftig große Probleme bestehen bleiben könnten, die jeden einzelnen in seiner eigenen Entwicklung behindern würden. Je mehr wir an den vergangenen Partner denken und hinter ihm her trauern, desto weniger können wir unseren Blick auf das Wesentliche richten - auf unser eigenes Leben. Es ist immer gut, sich im Nachhinein Gedanken über die Partnerschaft zu machen, damit die Verletzungen und Beweggründe für die Trennung sichtbar vor einem liegen – nur so können wir den Sinn einer Partnerschaft erkennen und nutzen, indem wir lernen zu verstehen, was uns die Partnerschaft sagen wollte. Somit wäre es wichtig, diese Erkenntnisse einzusetzen und eine endgültige energetische Trennung herbeizuführen. Gerade auch wenn Kinder, die aus dieser Ehe stammen, da sind, muss eine andere Ebene der Kommunikation gefunden werden, damit die geschiedenen Partner zukünftig anders miteinander umgehen können. Immerhin wechselt dann der einst so strittige Lebenspartner auf eine andere Ebene, und somit kann es sehr gut sein, dass wir uns später freundschaftlich bestens mit ihm verstehen. Versuchen können wir es doch mal. Nur Vorsicht: Jede stark verletzte partnerschaftliche Emotion könnte sich immer mal wieder nach vorne schleichen, um den vermeintlichen Frieden zu stören. Achten Sie auf sich und lassen dies nicht zu. Immerhin ist der partnerschaftliche Anspruch ein anderer, als der freundschaftliche. Versuchen Sie nach Möglichkeit auf der Ebene zu bleiben, die Sie für richtig halten. Viel Erfolg.

Was sagen die geschlossenen Zahlen des Begegnungsdatums über die Lernaufgabe in der Beziehung aus?

Wenn wir auf eine andere Person, also einen zukünftigen Partner, treffen und wir uns auf das Abenteuer Partnerschaft einlassen wollen, dann können wir anhand des Datums erkennen, auf was wir in der Beziehung achten sollten. Jede Partnerschaft, die sich neu bildet, muss somit mit Glace-Handschuhen angefasst werden, immerhin kann der seidene Faden, der sich sanft um die Herzen der Liebenden legt, auch schnell wieder reißen. Somit können wir anhand der Numerologie sehr leicht erkennen, welche Aufgabe wir haben und womit wir behutsam umgehen sollten.

Die erste Zahl, wie immer, zeigt das gemeinsame Bild, also die Partnerschaft im Außen. Viele innere, also gerade Zahlen deuten auf eine gefühlsbetonte Partnerschaft hin, in der sich jedoch auch sehr schnell emotionale Verletzungen aufbauen können. Diese Partner werden viel Zeit zu Hause gemütlich auf der Couch verbringen. Hingegen die äußeren, also die ungeraden Zahlen, deuten auf eine Partnerschaft hin, die viel Aktivität braucht: Freunde besuchen, viel ausgehen, unter Leuten sein und so weiter. Die geschlossenen Zahlen geben uns einen wichtigen Hinweis, auf das, was wir beachten sollten:

(10) Bei dieser Komponente ist es wichtig, nicht zu viel den Kopf einzuschalten, am besten den anderen in seiner Auffassung so zu belassen, wie er ist. Nicht beleidigt sein, wenn der andere die eigene persönliche Meinung nicht verstehen kann. Typisch für solche Partnerschaften: Beide stellen sich was anderes vor und fragen sich, warum der Partner diese Wünsche und Vorstellungen nicht wahrnehmen kann oder möchte. Ein gutes Gespräch (einmalig – nicht zehnfach) könnte Abhilfe schaffen.

(20) Jeder hat eine andere Sichtweise und selbst geprägte Strukturen. Vorsicht: Hier können energetische, emotionale Übertragungen stattfinden, und plötzlich lebt man etwas, was man niemals leben wollte. Also immer wieder fragen, ob ich das, was ich jetzt tue, auch wirklich tun will? Auf jeden Fall auf das eigene Gefühl hören und sich selbst wichtig nehmen. Auch wenn der Partner eine andere emotionale Meinung und Sichtweise vertreten sollte, so sollten Sie trotzdem auf Ihr Gefühl vertrauen und sich selbst treu bleiben.

(2) Hierbei handelt es sich um ein ähnliches Thema; jeder muss seinem eigenen Gefühl treu bleiben. Nicht dem Partner mehr glauben, als sich selbst. Vor allen Dingen sich nicht korrigieren lassen. Sie können sich die Meinung des anderen anhören und dann in Ruhe überlegen, ob Sie der gleichen Meinung sind oder nicht. Bleiben Sie sich selbst treu, sonst würden Sie sich im Nachhinein dauerhaft nur über den anderen ärgern, und das kann es nicht sein.

(3) Diese Partnerschaft braucht Aktivität und Power. Lassen Sie sich immer wieder etwas einfallen, unternehmen Sie alles Mögliche. Warten Sie nicht darauf, dass der Partner Sie fragt, sondern, wenn Sie Lust auf eine Sache haben, dann fragen Sie ihn. So sind Sie sicher, dass diese Partnerschaft immer beweglich und aktiv bleibt. Vorsicht vor Einengung, dass kann keiner in dieser Konstellation gut gebrauchen. Fragen Sie sich immer, was Sie machen würden, wenn der Partner Sie einengen würde, dann kennen Sie die Antwort.

(4) Diese Partnerschaft braucht ganz viel Harmonie, nur so kann sie gelingen. Genießen Sie das Zusammensein, erfreuen Sie sich an dem Partner und an der Gemeinsamkeit. Doch bewahren Sie sich davor, zu viel eigene Verletzungen in die Beziehung hineinzulegen, Ihr Partner ist nicht Ihr verkörperter Heiler und wird dies auch niemals sein. Ein Partner, der zu viele eigene, nicht gelöste Probleme mit sich bringt, könnte dauerhaft störend wirken; also räumen Sie, wenn das der Fall ist, in sich auf.

(5) Diese Partnerschaft muss sich langsam aufbauen. Anfangs handelt es sich in den meisten Fällen eher um eine tiefe Freundschaft, die dann langsam in eine Partnerschaft hinüberwechselt, und das braucht Zeit. Doch was haben Sie mehr als Zeit, also genießen Sie, bleiben Sie am Ball, freuen Sie sich auf Ihren Partner und akzeptieren Sie beide, dass Sie sehr früh ein Klärungsbedürfnis über die Zukunft der Partnerschaft haben werden. Die

zukünftige Gemeinsamkeit und die damit verbundenen Ordnungsprinzipien müssen Sie halt beide früh genug geklärt haben.

(6) Hierbei handelt es sich um pure Liebeslust. Lassen Sie Ihren Gefühlen freien Lauf und genießen Sie, was das Zeug (das Bett) hält. Der sexuelle Austausch und die tiefe körperliche Begierde werden an der Tagesordnung stehen. Diese Beziehung weckt in Ihnen, alle bis dato schlafenden Geister, also lassen Sie es geschehen; es ist ein so wichtiges Ereignis in Ihrem Leben, das Sie einfach akzeptieren sollten. Letztlich bleibt der Genuss des Lebens und somit die innere Harmonie. Schalten Sie jedoch auf alle Fälle den Kopf aus, den brauchen Sie momentan nun wirklich nicht.

(7) Hierbei handelt es sich um eine Partnerschaft, die flexibel und offen gelebt werden muss. Diese Partnerschaft lässt sich in keinen Rahmen stecken, sondern sie muss sich leicht und locker entwickeln können. Meist merkt man erst nach Jahren, dass man immer noch glücklich zusammen ist, ohne dies früher jemals offen geplant zu haben. Und genau das ist die Chance, man kann diese Partnerschaft nicht planen, man weiß nicht, wo sie hinführt, doch das ist egal. Je leichter und flexibler sie gelebt wird, desto fester und verbindlicher wird sie sich entwickeln; das ist des Rätsels Lösung.

(8) Diese Partnerschaft besteht wieder aus sehr viel Liebe und Zuneigung. Die beiden müssen kreativ und harmonisch miteinander schwelgen können. Meist wirken Sie auf ihr Umfeld wie das optimale Paar, das sich gefunden hat und nun glücklich miteinander verschmelzen darf. Doch Vorsicht: Hier lauert die Gefahr. Man muss sich immer wieder mit Hochachtung begegnen, sonst glaubt der Partner, dass der andere das wahrhaftige Interesse an ihm verloren hat. Es ist besonders wichtig in dieser Partnerschaft, darauf zu achten, dass jeder den anderen achtet und beide sich gegenseitig fördern.

(9) In dieser Partnerschaft geht es sehr stark um die gegenseitige extreme Faszination - das Spiel der Erotik und der Liebe. Beide müssen sich immer wieder umgarnen, um sich fast „mit Haut und Haaren auffressen" zu können; hierbei sind keine Grenzen gesetzt. Doch beide haben nun mal ein

sehr großes Geltungsbedürfnis, und das wiederum kann zum Problem werden, sollten beide meinen, sich mit dem anderen überwerfen zu müssen. Die Akzeptanz, dass jeder so ist, wie er ist, ist hier besonders wichtig, denn das „Macht-/Ohnmacht-Spiel" darf nicht zur verletzenden Sucht werden.

Nun widmen wir uns dem nächsten Thema und schauen uns die Lernthemen der Hochzeitsdaten an, um wieder erkennen zu können, um welche Aufgaben es sich hierbei handelt.

Was sagen die geschlossenen Zahlen am Hochzeitstag über die Lernaufgabe der verbindlichen Beziehung aus?

Jede Ehe verbindet die Beziehung neu und löst somit das Begegnungsdatum und dessen Aufgabe ab. Das ist auch der Grund, weshalb es Menschen gibt, die lange Zeit glücklich zusammen waren und nach der Ehe Probleme haben. Den Aufgaben, die diese Ehe an die Personen stellt, fühlen sich die beiden nicht gewachsen. Dies erklärt das immer wieder auftretende Phänomen.

Somit sagt uns das Hochzeitsdatum aus, was wir miteinander zu lernen haben. Das ausschlaggebende Datum ist übrigens das Hochzeitsdatum vor dem Standesamt, denn die kirchliche Trauung wird eher zur Stärkung und somit zur Unterstützung der Beziehung gewertet. Man sollte das kirchliche Trauungsdatum jedoch nicht unterschätzen; wenn Sie kirchlich geheiratet und einen tiefen Glauben zu Ihrer Religion haben, dann wird auch dieses Datum sehr stark auf die Beziehung einwirken. Ich würde Ihnen auf jeden Fall raten, das Datum der kirchlichen Trauung auch zu analysieren, es jedoch nicht so stark zu gewichten, wie das standesamtliche Datum.

Für eine Hochzeit ist es immer wichtig, dass die Eheleute diesen Tag selbst bestimmen und auch in vollen Zügen genießen – immerhin ist es ihr Tag. Viele jedoch feiern mit allen Anverwandten und Bekannten, da man zumeist keinen ausschließen möchte. Wenn unter den Hochzeitsgästen kein tiefer Verbund besteht, dann ist das für die frisch vermählten Eheleute sehr belastend; sie feiern dann mehr für die anderen, als für sich selbst. Das Hochzeitspaar sollte den für sie so wertvollen Tag so gestalten, wie sie es wirklich möchten. Sollten sie Gäste dazu einladen wollen, dann nur Menschen, mit denen sie wirklich verbunden sind und die sie gerne um sich herum haben. Sollte sich die Familie dabei ausgeschlossen fühlen und man lädt sie trotz Widerwillen ein, dann heiratet man eher für die andern, als für sich selbst, und das kann es doch nicht sein, oder? Die Ehe ist ein viel zu wichtiges Ritual, als dass man ihr so wenig Beachtung schenkt. Somit kann ich nur jedem raten, den ausschlaggebenden Tag so zu gestalten, wie er es möchte. Wenn man unbedingt mit allen feiern möchte, dann könnte man doch einen oder zwei Tage später diese Feier nachholen, damit sich keiner vernachlässigt und ausgeschlossen fühlt, dann wäre doch alles perfekt.

Wenn beide Partner in ihrem Geburtsdatum mehr innere Zahlen haben, dann sollte auch das Hochzeitsdatum viele innere Zahlen aufweisen, genauso umgekehrt im Fall der äußeren, also ungeraden Zahlen. Die geschlossenen Problemzahlen zeigen die Aufgabe der Ehe und somit die Aufgabe des Zusammenspiels der Personen untereinander an. Auch hier gilt: Sollte es sich bei der geschlossenen um eine ungerade Zahl handeln, dann wird das äußere Bild angesprochen, dann muss gehandelt werden; umgekehrt bei den geraden Zahlen; diese Ehe muss emotional gelebt werden, jedes emotionale Verschließen würde der Ehe enormen Schaden zufügen. Denken Sie auch bitte an die erste Zahl (Aszendenten) im Datum, daran können Sie erkennen, wie Sie gemeinschaftlich auftreten, also welches Bild Sie nach außen abgeben. Hier nun eine kurze Auflistung der geschlossenen Zahlen und deren Aufgabe an die Ehe und somit an die Partner:

(10) Diese Konstellation bedeutet, dass beide lernen müssen, sich zu verstehen. Unter keinen Umständen sollte einer der Partner gegenüber dem anderen auf sein Recht und seine persönliche Meinung und Sichtweise pochen oder den Partner belehren wollen, dann kann es zu sehr schwierig zu schlichtenden Streitigkeiten kommen. Sollten sich Verständigungsprobleme gebildet haben, dann könnte ein neutraler Schlichter helfen, die Schwierigkeiten aus dem Weg zu räumen. Die Meinungsfreiheit sollte somit oberstes Gebot sein.

(20) Die geschlossene Zwanzig fordert die Partner gegenseitig auf zu lernen, den anderen emotional wahrzunehmen und ihn so zu akzeptieren, wie er ist. Unter keinen Umständen dürfen die Partner sich emotional andocken und dem inneren Trieb folgen, sich energetisch auf allen möglichen Ebenen unterstützen zu wollen; das könnte irgendwann zu viel werden, und ein „sich-lösen" könnte verheerende Folgen haben. Es ist wichtig, darauf zu achten, dass die Energien und somit die emotionalen Ansprüche der beiden nicht die Hauptgewichtung in der Partnerschaft übernehmen.

(2) Die Aufgabe heißt, lernen dem eigenen Gefühl zu vertrauen und den anderen in seiner individuellen Wahrnehmung zu belassen. Nicht die Meinung des Partners unbedingt als wahr anerkennen, das könnte die eigene Intuition verklären, und dann müsste immer wieder ein emotionaler Bruch durchgeführt werden, damit sich jeder wieder selbst glauben kann. Hierbei handelt es sich jedoch nicht um bewusstes Bemogeln, sondern eher um unbewusst gelebte Strukturen, die nichtsdestotrotz erheblichen Schaden anrichten können.

(3) In dieser Konstellation besteht die Aufgabe darin, immer wieder aktiv auf die Partnerschaft zuzugehen. Das heißt, auf jeden Fall aktiv sein, oft weggehen, Freunde einladen, das Leben bunt und vielseitig gestalten. Die Aufforderung liegt darin, eine fortwährende Bewegung in die Partnerschaft zu bringen, und dafür darf kein Weg zu weit sein. Die gemeinsame oder auch teilweise alleinige Aktivität darf von keinem der Partner unterdrückt oder verboten werden, sonst könnten die Energien der Partnerschaft, wie bei einem Vulkanausbruch, explodieren.

(4) Die Aufgabe liegt darin, den Partner und auch sich selbst immer wieder mit kleinen Gesten glücklich zu machen. Es gilt, die kleinen Freuden des Alltags aufzufrischen, den Partner zu überraschen - viel Spaß und Glück in die Beziehung hineinzubringen; jedoch gilt dies für beide. Oberstes Gebot: Das gegenseitige Verständnis. Sollten jedoch Verletzungen entstanden sein, dann müssen diese wieder bereinigt werden. Vorsicht: Der Heilungsanspruch, der sich durch so eine Konstellation gegenseitig stellt, könnte die Beziehung ins Unglücklichsein führen und dadurch einen emotionalen Riss verursachen.

(5) In dieser Partnerschaft steht die Stabilität an vorderster Stelle. Hierbei ist der gemeinsame Aufbau wichtig; dadurch bekommen beide das Gefühl, an allem beteiligt zu sein. Somit heißt es, immer vorausschauend auf die Partnerschaft zu bauen; beide sollen lernen, verbindlich die Partnerschaft zu gestalten. Doch Vorsicht: Das Thema der Monotonie schleicht sich gerne in solch eine Partnerschaft hinein. Dann wäre es enorm wichtig, darauf zu achten, wieder Lebendigkeit und Fröhlichkeit in die Beziehung zu bringen.

(6) Die Aufgabe dieser Konstellation ist zu lernen, sich selbst und auch den Partner wahrhaftig zu lieben und somit dem Thema Partnerschaft gerecht zu werden. Beide Partner werden in Bezug auf Liebe sehr empfindlich reagieren, deshalb ist es wichtig, darauf zu achten, dass sich energetisch kein Außenstehender dazwischen mischen kann; gerade das könnte Probleme in die Partnerschaft bringen, die keiner will. Da die Sechs für die Partnerschaft steht, handelt es sich meist bei diesen Paaren um Menschen, die sich schon in früheren Leben verstrickt haben und in diesem Leben lernen müssen, sich einfach zu lieben und diese Partnerschaft, wie eine junge Pflanze, zu pflegen, zu hegen und natürlich zu genießen. Viel Erfolg.

(7) Diese Partnerschaft braucht Power, muss verrückt und außergewöhnlich gelebt werden. Sie sollte sich von Normen und Mustern abwenden und viel Spaß ins Leben bringen. Mit reiferem Alter wird sich dieses Thema ein wenig zurückstellen, jedoch besteht bei eintretender Monotonie schnell die Gefahr, dass es einem Partner zu langweilig wird. Deshalb sind Gespräche, die früh genug geführt werden, für das dauerhafte Gelingen der Partnerschaft enorm wichtig. Normalerweise könnte man sagen, dass eine solche Ehe nicht unbedingt lange halten muss; dies trifft jedoch nur zu, wenn wir zu unbeweglich sind. Je mehr wir selbst mit unserem Leben zufrieden sind, desto eher wird sich auch der Partner daran erfreuen können.

(8) In dieser Konstellation müssen wir lernen, die Herzen sprechen zu lassen und den Partner so anzunehmen, wie er ist. Jeder Mensch ist wichtig und wertvoll, und keiner hat das Recht, einen anderen menschenunwürdig zu behandeln. Genau da liegt der Punkt, in dieser Konstellation kann es sehr schnell passieren, dass man seine eigenen nicht gelebten Themen auf den Partner legt, sich somit gegen ihn auflehnt und ihn negativ behandelt. Jeder Mensch hat es verdient, positiv behandelt zu werden, und das sollten wir niemals vergessen. Wenn die gegenseitige Wertschätzung gesichert ist, dann können die beiden ein Leben lang in Glück und Harmonie, verbunden mit ästhetischen Schönheitsidealen, leben.

(9) Hierbei geht es darum, dass beide lernen müssen, gemeinsam die Möglichkeiten und somit die Chancen des Lebens auszuschöpfen, denn diese Partnerschaft alleine nur in Zweisamkeit zu sehen, wird bei weitem nicht genügen. Somit müssen sich beide auch intensiv mit äußeren Erfolgsthemen auseinander setzen, das ist ihre einzige Chance, damit sich keine Unzufriedenheit auf die Partnerschaft legen kann. Es gibt einige Menschen, die ihren Partner unterstützend hinter sich stehend brauchen, damit sie überhaupt erfolgreich sein können, und das wiederum besagt diese Konstellation. Wenn beide sich ihre Erfüllung gewähren, dann haben wir hier eine lang andauernde erfolgsversprechende Verbindung, die sich lohnen wird.

Ich wünsche Ihnen viel Erfolg in Ihrer Partnerschaft.

Was sagen die geschlossenen Zahlen über das Scheitern der Beziehung aus?

Nun bewegen wir uns von den Hochzeitsdaten weg und gehen hinüber zu den Scheidungsdaten; anhand dieser Konstellation können wir feststellen, woran die Beziehung gescheitert ist, welche Aufgabe dahinter stand und was die Personen hätten leben sollen. Doch bevor wir uns in dieses Thema hineinvertiefen, vorab noch ein paar Anmerkungen zu Scheidungsdaten. Sie können die hier erwähnten Deutungen für die Trennung, also das Trennungsdatum, genauso auch für das Scheidungsdatum verwenden. Die Trennung beinhaltet immer den Grund für das Scheitern der Beziehung, hingegen löst die Scheidung eine Ehe auf und gewährt somit wieder die energetische Freiheit. Das Scheidungsdatum erklärt somit das „Versagen" der Ehe. Interessant ist es, immer alle vier Daten - das Begegnungsdatum, das Hochzeitsdatum, das Trennungsdatum und das Scheidungsdatum - zu analysieren. Anhand dieser Komponenten können Sie einiges über die Beziehung aus einer ganz anderen Perspektive erfahren.

Schauen Sie sich zuerst das komplette Datum an; wenn es sich mehr um gerade, also weibliche Zahlen handelt, dann haben wir es mit einer gefühlsmäßigen, also einer emotional verletzten Trennung zu tun. Hier spielen äußere materielle Werte kaum eine Rolle, hierbei geht es vielmehr um Emotionen. Bei den ungeraden, also den männlichen Zahlen, geht es hingegen eher um eine Trennung/Scheidung, die logische, also äußere Gründe beinhaltet. Diese Trennung wird somit rational und teilweise sogar aufrechnend betrachtet. Die geschlossene Zahl weist auf das Thema der Trennung/Scheidung und auf den Grund für das Scheitern der Beziehung hin:

(10) In diesem Fall sind logische und sichtbare Missverständnisse aufgetreten, die nicht mehr geklärt werden konnten. Meist kamen die beiden nicht auf einen Nenner, und alte Verletzungen tauchten immer wieder auf. Thema Dauergespräche, die keinen weitergebracht haben. Die Trennung erfolgte zumeist aufgrund trauriger, jedoch unausweichlicher Kommunikationsprobleme.

(20) Hierbei handelt es sich um gefühlsmäßige Verstrickungen, die mit negativen inneren Bildprägungen zu keiner Einigung führen konnten. Wenn verletzte Emotionen geprägt durch unterschiedliche Sichtweisen auf Unverständnis stoßen, dann gibt es kaum eine Chance, diese zu glätten. Beide sind emotional absolut verletzt, und keiner weiß hinterher so genau, warum die Beziehung gescheitert ist.

(2) In dieser Beziehung wurde zu wenig Gefühl gezeigt; beide wollten sich emotional nicht mehr einlassen. Die Aufgabe: Sie hätten sich selbst mehr Gefühl geben müssen. Wenn solche Beziehungen in einer Krise stecken, dann haben die Partner zumeist kaum eine Möglichkeit zur Versöhnung. Sollten in so einer Konstellation beide verletzt sein, dann nützt nur noch eine klärende Hilfe von außerhalb. Sollte dieses Vorhaben scheitern, dann treten alte Verletzungen immer wieder neu ans Tageslicht und töten weiterhin Emotionen ab, bis nichts mehr übrig bleibt.

(3) Das Scheitern dieser Beziehung trägt nur einen Namen: Zu wenig Aktivität. Die Beziehung hätte wesentlich mehr Bewegung gebraucht, dann wäre es besser gelaufen. Meist hat man sich zu wenig Mühe gegeben; dann tritt oftmals eine Monotonie ein, die für eine solche Beziehung tödlich ist. Eine häufig gelebte Form, die ein Scheitern der Beziehung beinhaltet, ist, dass ein Partner versucht hat, den anderen zu bremsen, da dieser sich mehr mit seiner eigenen Aktivität, als mit gemeinsamen Unternehmungen, auseinander gesetzt hat und diese Einengung wiederum kann eine solche Beziehung nicht überstehen.

(4) Hierbei war das zu geringe gegenseitige Verständnis Schuld am Scheitern der Beziehung. Jeder hat den anderen für das eigene Unglücklichsein verantwortlich gemacht. Beide sind in sich unglückliche Menschen, die vom anderen den Heilungsanspruch erwartet haben; das kann jedoch kein verletzter Partner erfüllen. Beide müssen verletzte Seelen sein, die sich gegenseitig immer wieder den Spiegel der noch nicht verarbeiteten Probleme vor die Nase gehalten haben. Die daraus resultierenden Emotionen können schon sehr heftig und rasant sein. Meist trennt sich diese Beziehung aus einem unkontrollierten Streit und Schmerz heraus.

(5) In dieser Beziehung gab es zu wenig Stabilität, kein gemeinsamer Aufbau, sondern jeder ging seinen eigenen Weg. Die Angst vor der tiefen Verbindlichkeit sowie den äußeren Verpflichtungen haben viel zu viel Platz eingenommen, so dass die eigentliche Beziehung daran erstickt ist. Meist handelt es sich dabei um einen schleichenden, jedoch bewussten Prozess, der nach Veränderung schreit. Die beiden hätten miteinander reden und bestimmt eine Lösung finden können. Jede noch so große Stabilität (Haus etc.) im Außen kann keine Beziehung auf Dauer halten; und einfach daraus eine Zweckgemeinschaft bilden zu wollen, kann auch nicht der Sinn einer Beziehung sein.

(6) In dieser Beziehung gab es zu wenig Liebe - eventuell sogar andere Partnerschaften - ,zu wenig Vertrauen, jedoch der Hinweis, dass es sich bei dieser Beziehung um wirkliche Liebe gehandelt hat. Man hätte versuchen können, diese wertvolle Beziehung zu erhalten und zu klären, es hätte sich bestimmt gelohnt. Doch wie schnell sind wir enttäuscht und schauen uns anderweitig um, ob sich nicht noch etwas Besseres findet. Das Thema des Fremdgehens wird in dieser Konstellation meist leider groß geschrieben. Denken Sie bitte immer daran, dass der betrogene Partner in den Betrug mit eingebunden ist, denn jemand kann nur fremdgehen, wenn er in einer festen Partnerschaft ist; somit braucht er den Partner, um seine eigenen egoistischen Ziele zu verfolgen.

(7) In dieser Beziehung gab es zu wenig Flexibilität, die Beziehung schlief sozusagen in Monotonie ein. Hier hätte Bewegung und Spaß hinein gemusst. Die Aufgabe wäre gewesen, das Leben beweglicher zu gestalten. In den meisten Fällen haben beide die Beziehung bei weitem nicht so wichtig genommen und werden somit über den Verlust leicht hinwegkommen. Doch nicht nur die Beziehung war hier angesprochen, sondern gerade auch die individuelle Person selbst; also sollte man nach so einer Beziehung darauf achten, dass man frei und beweglich sein Leben gestaltet.

(8) Hier wurde an Herzlichkeit und Nächstenliebe gespart. Beide erwarteten die Anerkennung vom anderen und sind emotional enttäuscht worden. Diese Konstellation ist nicht einfach, da beide vom Partner als etwas besonders Wertvolles anerkannt werden wollten. Da sie sich das selbst nicht zugestanden haben und es keinen Partner geben kann, der mir das gibt, was ich mir selbst nicht gebe, ist das Scheitern schon vorprogrammiert. Die Personen müssten dringend an ihrem eigenen Selbstwert arbeiten. Oftmals ist der Trennungsschmerz und der Verlust, also das „Versagen" der Beziehung, so groß, dass einige immer wieder die Erfahrung machen, erst über einen solch schmerzvollen Verlust zu ihrer eigenen Harmonie zu gelangen. Von daher kann eine solche Trennung im Nachhinein doch noch sehr fruchtbar sein.

(9) In dieser Konstellation führte die zu geringe Durchsetzungsfähigkeit zum Scheitern der Beziehung. Leider paart sich dies oftmals mit Wutexzessen und offener Gewalt. Es ging hier um Chefgebärden: Wer hatte die Hosen an? Wer hielt das Machtzepter in den Händen? Wer war der Ohnmächtige? Meist handelt es sich hier um karmische Beziehungen, bei denen die einzelnen Partner durch den intensiven Kontakt zum anderen ihr eigenes Selbstvertrauen wiederfinden sollen. Doch: Gewalt, das Macht-/Ohnmachtspiel sind in diesen Partnerschaften leider ein beliebtes Ritual. Einer versucht den anderen unter Kontrolle und somit zur Ohnmacht zu bringen. Eifersucht und sexuelle Exzesse paaren sich mit tiefer Zuneigung und bitterer Enttäuschung. Diese Beziehung musste getrennt werden.

Eltern und Kinder

Auch bei diesem Themenbereich ist die Numerologie eine Hilfe, um unterschiedliche Erwartungshaltungen sowie Problemsituationen analysieren zu können. Somit können wir anhand dieser Deutungsmöglichkeit sehr leicht feststellen, wie Eltern und Kinder miteinander harmonieren oder über welche energetischen Verstrickungen sich schnell ein Streit entwickeln kann. Gerade Kinder haben einen starken emotionalen Bezug zu den Eltern und belegen dadurch bestimmte emotionale Anteile in ihnen, um sich über diese Schiene die erforderliche Nähe und Anerkennung zu holen. Kinder brauchen enorm viel Zuneigung von den Eltern. Viele Eltern sind jedoch so stark mit ihrem eigenen Leben beschäftigt, dass es ihnen schwer fällt, sich intensiv um ihre Kinder zu kümmern. Unbewusst docken Kinder sich emotional an die Eltern an. Jedes Kind sucht sich dabei einen anderen energetischen Platz bei seinen Eltern. Diese emotional belegten Plätze müssen für die Eltern nicht unbedingt positiv sein, es kann sich hierbei genauso gut um das hauptsächliche Problemthema handeln, mit dem der Elternteil sich sowieso auseinander setzen müsste. Sollte das Kind sich nun diesen Platz gewählt haben, dann wird es sich über diese Schiene immer wieder Aufmerksamkeit holen, und diese muss dann nicht unbedingt positiv sein. Somit kann es sehr wohl passieren, dass sich ein Elternteil emotional durch sein Kind stark belastet fühlt und nicht weiß, wie er mit der Situation umgehen soll. In den meisten Fällen wird zwischen den Eltern und dem Kind immer wieder ein Streit entfachen, der emotional sehr belastend ist. Der einzige und wahrhaftige Grund, warum dies geschieht, ist das Bedürfnis nach Aufmerksamkeit und nach Liebe, denn ohne Liebe können wir alle nicht leben. Dass wir uns jedoch selbst lieben müssen, um überhaupt Liebe von anderen empfangen zu können, ist leider vielen immer noch fremd. Deshalb suchen einige immer noch die Liebe in Form eines Partners, der die Wunden heilen soll.

Gerade Kinder übernehmen viele Strukturen, die von den Eltern vorgelebt werden. Somit lernen Kinder kontinuierlich von den Erwachsenen und gehen grundsätzlich davon aus, dass diese wissen, was sie tun. Sollten die Eltern liebevoll miteinander umgehen, dann lernen die Kinder, wie wichtig und wertvoll jeder Mensch ist und wie schön das Miteinander sein kann. Meist ist das jedoch nur bedingt der Fall. Die Eltern sind oftmals, gerade auch aus dem oben erwähnten Grund, überfordert und genervt, so dass sie ihre ungelösten emotionalen Belastungen unbewusst auf ihre Kinder übertragen. Diese wiederum lernen in einem solchen Fall, dass das Leben voller Unzufriedenheit sein muss. Das prägt die Kinder wiederum, und somit kann es passieren, dass sie glauben, auch ihr zukünftiges Leben werde voller Stress und Unannehmlichkeiten sein. Sollte sich dieser Glaubenssatz über die Jahre hinweg manifestieren, dann werden diese Menschen nach diesem System leben.

Die meisten Kinder suchen sich also bei den Eltern eine bestimmte Struktur, über die sie sich emotional anbinden und somit die Aufmerksamkeit fordern können. Die Eltern wiederum bekommen durch die Aufgabe der Kindererziehung eine neue Lern- und Lebensaufgabe, mit der sie sich auseinander setzen müssen. Somit lernen die Kinder von den Eltern und die Eltern von den Kindern - es beruht auf Gegenseitigkeit. Damit wir in der Lage sind, uns mit den Problemübertragungsmustern Eltern/Kind noch besser auseinanderzusetzen, haben wir die Möglichkeit anhand der Numerologie mehr Klarheit, Verständnis und Erkenntnis in das System zu bringen. Zum besseren Verständnis nun ein paar Beispiele:

Der Mann Richard, geboren am 13.5.1953 = (9). Er ist ein Mensch der viel Aktivität -3+3- braucht. Er handelt vom Kopf heraus -1-, dieser steht an erster Stelle und fordert auch von seinen Mitmenschen, dass sie ihn als Autorität anerkennen -(9)-; das wird ihm persönlich besonders wichtig sein. Er muss genau wissen, wo er hingehört -5+5-, und sämtliche Änderungen müssen für ihn kalkulierbar und überschaubar sein. Er wird sich stetig das aufbauen, was er braucht, damit er sich in seinem Leben wohl fühlen kann. Doch für ihn alleine wäre das alles zu wenig, deshalb braucht er jemanden, der ihm die Anerkennung -(9)- für seinen mühevollen Arbeitseinsatz gibt.

Seine Frau Petra, geboren am 23.12.1965 = (20) ist eine sehr gefühlsbetonte Person. Sie braucht das Gefühl von Wärme und Geborgenheit -2+2-, genauso jedoch auch von Sicherheit -5-. Die Zwei steht am Anfang, und

170

somit muss sie andere Personen gefühlsmäßig erreichen können, das ist für sie besonders wichtig. Die Aktivität -3- hilft ihr immer wieder, durch ihren eigenen Energie-/Krafteinsatz ihre Themen des Lebens anzupacken und sich somit die materielle Sicherheit zu gewähren -5-. Die geschlossene -(20)- zeigt jedoch eindeutig an, dass sie lernen muss, auf ihr Gefühl und ihre ureigenste Sichtweise zu achten. Sie darf unter keinen Umständen ihre eigene Intuition einem anderen Menschen, zum Beispiel ihrem Partner, überlassen. Sie muss sich selbst treu bleiben.

Die beiden lernen sich am 6.6.1993 = (7) kennen. Die Aufgabe dieser Beziehung liegt nun in der Flexibilität; beide müssen sich somit immer wieder beweglich und dynamisch begegnen. In einer solchen Konstellation passiert es jedoch häufiger, dass die Menschen sich eher einengen, da sie Angst haben, den anderen zu verlieren, sollten sie ihm zu viel Freiraum gewähren. Doch gerade bei der geschlossenen Sieben ist die Gefahr, den Partner durch Gewährung der Freiheit zu verlieren, am wenigsten gegeben. Schon alleine wenn einer der Partner eine Fessel an seinem Fußknöchel fühlt, kann die Partnerschaft aufgrund der Einengung zerbrechen. Ansonsten steht in dieser Beziehung die Liebe an der Tagesordnung -6+6-, und darauf sollte besonders geachtet werden.

In unserem Beispiel wird diese partnerschaftliche Konstellation nicht ganz einfach sein. Richard wird Angst haben, Petra die Freiheit zu gewähren, denn seine Eifersucht, angetrieben durch die geschlossene Neun -(9)-, wird sich nicht mit dem Thema Vertrauen zufrieden geben. Auf der anderen Seite wird er die Freiheit lieben, er braucht die Möglichkeit der eigenen Entfaltung. Gerade ein Neuner-Mensch, auch wenn diese geschlossen ist, liebt es, gesehen und beachtet zu werden. Ja, und Petra, mit der geschlossenen Zwei-Null -(20)- Kombination, wird es auch nicht einfach haben. Wem soll sie nun vertrauen? Für ihre Konstellation ist diese Partnerschaft die Herausforderung schlechthin. Sie muss sich immer wieder in ihrem Inneren die Sicherheit geben und sich selbst treu bleiben.

Unsere beiden schaffen es und heiraten am 13.7.1995 = (8). Nun, die Aufgabe der Ehe liegt darin, den anderen so zu achten, wie er ist. Nichts sollte als normal angesehen werden. Beide Partner müssen sich gegenseitig schätzen und achten lernen. Beide müssen sich individuell entwickeln können, damit sie ihr eigenes Leben neben dem Partnerdasein gestalten können und auf sich selbst stolz sind. Das ist die Aufgabe dieser Ehe.

Für Richard nicht ganz einfach, denn durch seine Konstellation und gerade durch die geschlossene Neun -(9)- muss er besonders viel emotionale Beachtung und Aufmerksamkeit bekommen. Danach strebt er, und wenn nötig, benutzt er unbewusst sogar emotionale Gewalt, um sich die erforderliche Anerkennung zu holen. Petra hingegen wird sich aufgrund ihrer Zwei-Null -(20)- mit der Situation ein wenig überfordert fühlen, würde sie sich doch am liebsten ins hintere Eckchen zurückziehen und einfach warten, was passiert. Leider geht das nur nicht, denn nun wird ihr inneres Harmoniebedürfnis -6- und somit ihr Selbstwertgefühl durch die Aufgabe in der Ehe, die geschlossene Acht -(8)-, immer wieder angesprochen - solange bis sie nachgibt und über ihre Situation nachdenkt. Erst dann wird sie in sich Frieden finden, der ihr die Möglichkeit gewährt, sich intensiv mit ihrer Persönlichkeit auseinanderzusetzen.

Für alle Menschen ist die Geburt eines Kindes ein Höhepunkte im Leben. Gerade neues Leben zu erschaffen, erhält unsere Inkarnationslinie und gibt uns somit das Gefühl, etwas für den gesamten Kreislauf getan zu haben. Doch ist ein Kind auch mit sehr viel Aufwand und Zuwendung verbunden und sollte somit nicht unterschätzt werden. Eltern werden erfahren, was es heißt, sich auf eine andere Ebene - die Hilfestellung für einen Hilfsbedürftigen - umstellen zu müssen. Junge Eltern gehen im wahrsten Sinne des Wortes einen Schritt zurück und opfern sich in Teilen zeitweise für ihre Kinder auf. Das ist besonders wichtig: Kinder brauchen eine Zeit lang den ersten Platz, und damit dieser belegt werden kann, treten die Eltern in ihrem Leben ein wenig zurück. Das wiederum lässt die Eltern ganz andere Erfahrungen sammeln, über die sie dann reifen und sich somit zu reiferen Persönlichkeiten entwickeln können. Es gibt viele Menschen, die den Wunsch nach dieser geistigen Weite, jedoch auch gleichzeitig die Angst vor der einengenden Lernphase in sich tragen. Denn zuerst muss ein Kind kommen, und somit die Zeit der Einschränkung, und erst dann kommt die Phase der reifen Erfahrung.

Leider gibt es immer noch viel zu viele Eltern, die sich auf diese Phase nicht einlassen wollen und die trotzdem Kinder haben. Diese Kinder wiederum kämpfen dann regelrecht um den Platz, der ihnen zusteht, und die Eltern kämpfen oftmals dagegen. Doch schauen wir uns das anhand eines Beispiels weiter an.

Das erste Kind kommt: Tobias geboren am 18.1.1997 = (9). Tobias ist sehr kopflastig, er hat zwei Einser -1+1-, eine sogar an vorderster Stelle. Er ist beweglich mit seiner Sieben und will immer wieder neue Dinge entdecken und erleben. Er ist auch kreativ -8- und durch die Acht sehr auf seine Person bedacht. Die offene und die geschlossene Neun -9+(9)- weisen jedoch auf einen großen Zwiespalt hin, denn einerseits ist er sein eigener Chef und damit sehr früh eigenständig -9-, und auf der anderen Seite sucht er immer wieder Streit -(9)- und gleichzeitig einen anderen, den er vor seinen eigenen Karren spannen und dem er somit die Schuld für seine eigenen Taten auferlegen kann. Somit steht er sich in diesem Bereich selbst im Weg, was natürlich nicht einfach ist. Gerade in der Neun -9+(9)- stecken sehr viele rohe, also ungeformte, gewaltige Energien, die immer wieder darauf warten, endlich sortiert zu werden.

Richard wird durch seine eigene geschlossene Neun -(9)- immer wieder mit Tobias aneinander stoßen, doch Tobias hat einen Heimvorteil, da er zudem noch eine offene Neun hat; somit wird er energetisch stärker als sein Vater sein. Im schlimmsten Fall treten die beiden als Rivalen auf. Natürlich alles unbewusst, nur wird Richard bestimmt manchmal sehr aggressiv auf Tobias reagieren.

Petra hingegen wird sich durch Tobias gestärkt fühlen; immerhin ist er stärker als Richard und wird ihr in ihren unsicheren Gefühlen unterstützend helfen können. Auch das läuft unbewusst ab. Doch mit jedem Kind wächst die Familie heran. Somit ist jedes Mitglied dafür da, um zukünftig in dem bestehenden Familientopf mitzurühren. Das Kind ist da, will gesehen und wahrgenommen werden. Ein Kind ist zwar körperlich, jedoch keineswegs

173

energetisch schwach. Kinder haben ein hohes Maß an Energie und sind meist nicht so verstrickt, wie die Erwachsenen, was letztlich dazu führt, dass sie viel gezielter ihre Energien auf einen Punkt zentrieren können. Und wehe die punktuelle Fixierung liegt dann auf Papas Schwachstelle, dann tut es richtig weh.

Nun zurück zu unserem Beispiel: Wir können aus der jetzigen Konstellation schon beginnende Probleme erkennen, die nach einer Lösung rufen. Doch was ist die Lösung? Erkennen, welches Spiel miteinander gespielt wird! Dadurch haben wir die Möglichkeit, eine andere Sichtweise zu bekommen und aus der bisherigen Form herauszugehen. Kinder sind einfach zu wichtig und wertvoll, als dass wir Sie als Fußmatte unserer Problemspiegelungen nutzen sollten. Also, wenn Sie merken, dass Sie sich emotional durch Ihr Kind belastet fühlen, dann überlegen Sie, welche innere, emotional belastete Rolle Sie mit Ihrem Kind verbinden. Nach Möglichkeit verlassen Sie die Rolle und begegnen Ihrem Kind auf einer anderen Gefühlsschiene, und Sie werden merken, dass Ihr Kind und Sie wieder emotional zusammenwachsen können.

Das zweite Kind, Katja, kommt am 24.6.1998 = (30). Katja ist sehr gefühlsbetont -2- und spürt somit jede noch so feine Energie, die sich im Raum befindet. Als Baby kann ihr dies besonders zu schaffen machen. Sie braucht viel Liebe -2+4+6+8- und muss ihre Mutter somit spüren können, was bei der Konstellation von Petra -2+6- mit Sicherheit funktionieren wird. Katja braucht Liebe und Kreativität. Sie wird mit Aggression und Disharmonie nicht umgehen können und würde sich wahrscheinlich in einer Familie mit einem hohen Potenzial an Gewalt emotional verkapseln. Sie spürt durch die -2- an erster Stelle sehr deutlich, wie die Energien in ihrer Umgebung sind. Sollten nun die Energien durch den Vater -(9)- und den Bruder -9+(9)- zu sehr belastet sein, dann zieht sie sich innerlich ein wenig zurück. Sie muss lernen, sich selbst zu erlauben, hinter ihren Taten -(30)- und Aktivitäten zu stehen, das ist das, worum sie sich kümmern muss. Sie muss lernen, alles das, was sie tun möchte, besonders wichtig und wertvoll zu nehmen und vor allen Dingen, alleine dafür verantwortlich zu sein.

Nun spielen wir das Beispiel ein wenig durch und stellen uns das folgendermaßen vor: Richard wird mit Katjas sehr weiblicher Energie gut umgehen können, er wird sie beschützen -(9)- wollen. Petra wird sie mit sehr viel Liebe -2+2+6- einhüllen, was ihr selbst das Gefühl der Eigenliebe geben wird. Trotzdem Tobias wird sich nicht so einfach an sie gewöhnen können, und er wird sich immer wieder mit ihr zanken -9+(9)- wollen, denn er erkennt, wie seine Eltern mit ihr umgehen, und er möchte das genauso haben. Also versucht er alles, um sie an ihrem Problemthema zu packen. Somit holt er sich die Aufmerksamkeit -8-, wenn er sie ärgert -(9)-, dann quitscht sie und alle schauen hin. So verbreitet er eine immer während Unruhe, denn er hat gelernt, nur wenn er so reagiert, dann wird er gesehen -8-, sonst nicht, und das hat er sich sehr wohl gemerkt.

Wenn Sie nun wissen wollen, was Sie in einer solchen Situation tun können, dann beschäftigen Sie sich mit den Zahlen, - denn jeder Mensch ist so, wie er ist. Darüber können wir uns gegenseitig erkennen, wahrnehmen und sehen, was wir an unseren wechselseitigen Verhaltensmustern ändern können. Wir alle müssen lernen, uns mit uns selbst so auseinanderzusetzen, dass wir uns selbst erkennen, dann fühlen wir uns auch nicht mehr emotional angesprochen, wenn ein anderer in unserem Umfeld seine eigene Meinung vertritt. Keiner möchte dem anderen schaden, und keiner will durch den anderen leben. Das tun wir teilweise nur unbewusst, weil wir uns immer wieder und wieder angesprochen fühlen, obwohl keiner bewusst unseren Namen gerufen hat. Jeder Mensch ist so, wie er ist, und wir alle müssen uns gegenseitig akzeptieren, wie wir sind, wir haben keine andere Chance, als diese.

Somit können wir sehr klar erkennen, dass wir anhand der Numerologie sehr wohl Lösungsansätze finden. Gerade wenn zwei Menschen, die in einer engen Partnerschaft zusammenkommen, zusätzlich in einer verletzten Struktur aufeinander treffen, dann werden sich die beiden als erstes schützen wollen. Denn jeder Mensch, der angegriffen wird, wird sich zuallererst schützen und somit einen Abwehrmechanismus aufbauen. Die Erwachsenen untereinander sind dabei unabhängiger, als die Verbindung zwischen Eltern und Kindern. Somit versuchen die Kinder immer wieder an die Emotionen ihrer Eltern heranzukommen. Das wiederum führt dazu, dass sie sich, wenn sie auf einer verletzten Struktur getroffen werden, schützend energetisch und emotional verschließen. Die Kinder jedoch können mit der emotionalen Distanz nicht umgehen und versuchen wiederum an eine andere emotional geöffnete Schiene heranzukommen.

Oftmals stellt sich jedoch auch die Frage, inwieweit Kinder die Themen der Erwachsenen/Eltern kompensieren und sich somit in den Ehestreit mit hineinbegeben. Also sollten die Erwachsenen nach Möglichkeit darauf achten, ob das Kind Themen der Partnerschaft nachlebt oder sich einem Partner emotional zur Verfügung stellt. Nehmen wir dazu ein Beispiel und wählen einen Sohn, der seiner Mutter durch seinen energetischen Einsatz helfen möchte. Die Mutter mag sich nicht mit ihrer Partnerschaft auseinander setzen und lebt somit eine ängstliche Opposition zu ihrem Mann. Sie braucht die emotionale Unterstützung ihres Sohnes, der daraufhin eine parteiische Opposition zum Vater leben muss. Auf der anderen Seite wird er seine Mutter nicht mehr los. Es sei denn, dass diese Mutter lernt, wieder die energetische Verantwortung für ihr eigenes Leben zu übernehmen. Meist passiert das jedoch nicht. Und somit ist es keine Seltenheit, dass der Sohn eine reale, ein Leben lang andauernde, fürsorgliche Partnerschaft zur Mutter leben muss. Können Sie sich vorstellen, dass dies wirklich passiert? Leider ist das viel zu häufig der Fall.

Ich möchte nachfolgend ein paar Beispiele anführen, die zeigen, wann Eltern mit ihren Kindern und umgekehrt Probleme haben können. Wir gehen hier hauptsächlich von den geschlossenen Zahlen aus. Es ist mir jedoch im Vorfeld wichtig anzumerken, dass Eltern, die mehr äußere, also ungerade Zahlen in ihrem Geburtsdatum haben, nicht besonders sensitiv sind, denn ihr Fokus ist mehr auf die äußere Realität gerichtet. Wenn diese Eltern dann ein ausgeprägt gefühlsbetontes Kind haben, dann kann es sehr wohl sein, dass dieses Kind sich emotional nicht aufgefangen fühlt und sich dadurch energetisch aus dem Familienverbund zurückziehen wird. Somit sollte dies eine besondere Beachtung finden.

Damit wir uns das ein wenig näher anschauen können, wählen wir ein paar Fallbeispiele, die wir im Extremen darstellen. Natürlich wird sich das am lebenden Objekt etwas anders auswirken, da hier keine anderen Komponenten als die geschlossenen Zahlen Berücksichtigung finden. Ich beschreibe die Umgangsform im Erwachsenenalter, mit der in der Kindheit erlernten Problematik. Auch hierbei habe ich keinerlei Entwicklungsveränderung berücksichtigt, so dass ich von dem extremsten negativsten Fall ausgehe.

Die Problemzonen: Wenn die geschlossenen Zahlen von Eltern und Kindern aufeinander treffen

Nun also zu den geschlossenen Komponenten und ihre mögliche, belastende Wirkungsweise. Ich möchte hier noch einmal besonders darauf aufmerksam machen, dass die geschlossenen Zahlen auf der einen Seite als Thema, also belastend auftauchen, auf der anderen Seite jedoch immer wieder ins Leben gebracht werden. Somit wird beispielsweise ein geschlossener Dreier -(3)- einerseits mit seiner Aktivität kämpfen, andererseits jedoch diese permanent in den Vordergrund stellen und somit auch auf andere aktiv wirken, wobei seine Aktivitäten, wie schon erwähnt, nicht unbedingt Sinn machen müssen.

Bei den hier genannten Beispielen handelt es sich auch wieder rein um fiktive Schilderungen und ebenfalls um keine Pauschalanalyse. Sollten Sie individuell wissen wollen, wo die Themen in Ihrer Familie liegen, dann analysieren Sie die Geburtszahlen, und Sie werden einige Erklärungen finden, die Ihnen wiederum weiterhelfen können. Doch widmen wir uns nun den Beispielen.

Ein Mädchen mit einer geschlossenen Sechs -(6)- als Problemzahl wird sich sehr schnell verletzt fühlen, da die Sehnsucht nach Liebe und Geborgenheit besonders groß ist. Wählen wir dazu einen Vater, der eine geschlossene Drei -(3)- hat und sich somit mit seiner eigenen Handlungsunfähigkeit auseinander setzen muss. Die Mutter sucht gerne mit ihrer geschlossenen Fünf -(5)- die Stabilität im Außen. Das Kind wird das Gefühl haben, dass die Eltern sehr nach außen orientiert sind und somit kaum ein Gefühl für das Kind entwickeln können. Gerade dieses Kind bräuchte aber die uneingeschränkte Aufmerksamkeit und Liebe der Eltern. Da es nicht das tiefe Gespür bekommt, diese Liebe zu empfangen, trägt es in sich den Glauben, dass es keinen emotionalen Platz im Leben hat, dass es nicht genährt wird. Doch der Schmerz, dieses zu ertragen, wird zu groß sein, und so nimmt es die Problemthemen der Eltern -(3)+(5)- als Alibifunktion und glaubt tief im Inneren daran, dass alles anders gekommen wäre, wenn die beiden nicht so viel mit ihren eigenen Themen zutun gehabt hätten. Das Kind wird dann

178

später im Erwachsenenalter, wenn es nicht gelernt hat, seine Struktur in positiver Form zu leben, einen Partner -(6)- suchen, der ihm wiederum über die Sicherheit -(5)- und über die Aktivität -(3)- genauso wenig die gewünschte Liebe entgegenbringen kann – damit wiederholt sich das Muster und somit die gewohnte Struktur. Man sollte nicht vergessen: Nach dem Muster, das wir erlebt haben, suchen wir uns wieder Menschen, mit denen wir Ähnliches leben können. Gerade der Partner kommt auf der emotionalen Beliebtheitsskala nach den Eltern auf Platz zwei. Somit leben wir unbewusst gerne das aus, was wir schon in der Kindheit gelernt haben. Der zukünftige Partner muss dazu nicht unbedingt die oben erwähnten geschlossenen Zahlen vorweisen können, nein, er braucht sie lediglich teilweise offen zu haben, das reicht schon aus, und unser geschlossenes verletztes -(6)er- Kind wird sich daraufhin, die für es notwendigen Emotionen ableiten können. Doch warum das Ganze? Die Anwort ist einfach: Damit wir wieder unserer Lernaufgabe gerecht werden; in unserem Fallbeispiel: Damit der Mensch nicht vergisst, sich selbst die Liebe zu geben, die er braucht -(6)-.

Ein anderes Beispiel: Ein Junge, sein Name ist Klaus, hat die geschlossene Drei -(3)-, der Vater hat die geschlossene Acht -(8)- und die Mutter die geschlossene Sechs -(6)-. Somit steht der Sohn in einer mehr äußeren und aktiveren Konstellation als die Eltern zum Leben. Die Mutter muss lernen, sich zu lieben und ihr Leben zu genießen -(6)-, der Vater wiederum, stolz auf sein Leben -(8)- zu sein. Der Sohn muss lernen, genau auf seine Aktivität und somit seine Handlungen oder Nicht-Handlungen zu achten. Die Eltern sind sehr auf die inneren und somit gefühlsbetonten, energetisch spürbaren Themen gerichtet. Im Gegensatz dazu der Sohn, der mit dem Gefühlswirrwarr der Eltern nicht viel anfangen können wird. Die Eltern hingegen werden, veranlasst durch ihre eigene emotionale Unklarheit, die Klarheit ihre Sohnes immer wieder verschleiern; denn er will Klarheit, und das wird bei diesen emotional ausgerichteten Eltern nicht einfach sein. Die Eltern werden sich teilweise durch den Sohn und seine starre Handlungsunfähigkeit belastet fühlen. Emotional veranlagte Menschen werden immer wieder gefühlsmäßig auf andere zugehen, um denjenigen zu helfen, damit sie selbst Hilfe erfahren können. Emotional betroffene Menschen hingegen wollen energetisch belastende Themen aus dem Weg räumen, damit sie sich wieder mit sich selbst beschäftigen und zu ihrer inneren Harmonie gelangen können. Das jedoch funktioniert nur, wenn die anderen Menschen, mit denen sie sich emotional austauschen, sie wieder in Ruhe lassen. Typisch für ein solches Elternpaar ist, dass sie sich permanent fragen, was sie falsch gemacht haben, da der Sohn in unserem Fall so wenig Einsatz bringt. Sie werden viel Energie aufwenden, um ihn in die Aktivität zu bringen; das wiederum ist für ihn jedoch auch nicht einfach, denn je mehr Druck er bekommt, desto mehr stellt er sich dagegen. Er muss lernen, die komplette, alleinige Verantwortung für sein Leben und somit seine Handlungen zu übernehmen. Das ist seine Aufgabe. Er wird die Eltern mit ihrem Standpunkt wohl kaum verstehen können. Deshalb ist es nicht ausgeschlossen, dass er sich als Erwachsener eine Partnerin suchen wird, die genauso gefühlsbetont ist, und darüber müsste er lernen, diesen Menschen - im Nachhinein auch die Eltern - zu verstehen.

Ein anderes Beispiel: Ein Mädchen namens Stefanie hat die geschlossene Fünf -(5)-, die Mutter hat die geschlossene -(3)- und der Vater die geschlossene -(4)-. Die Tochter und die Mutter sind nach außen gerichtet, der Vater hingegen nach innen. Die Tochter will die Stabilität -(5)- und braucht somit die vermeintliche Beweglichkeit -(3)- der Mutter. Solange die Mutter aktiv ist, ist die Tochter sich sicher. Der Vater hingegen will Gefühl -(4)- und somit harmonische, glückliche Emotionen. Er muss lernen, seinem eigenen Gefühl zu vertrauen, auch wenn sein Umfeld – Frau und Tochter – anders reagieren. Doch das wird für ihn, mit all der Aktivität um ihn herum, nicht ganz einfach sein, zumal seine Tochter über sein tiefes inneres Gefühl -(4)- auch emotionale Sicherheit -(5)- bekommen möchte. Somit wird er zwangsläufig seiner Tochter die emotionale Sicherheit geben, die sie braucht. Da er jedoch die Sicherheitsproblematik -(5)- seiner Tochter wenig begreifen kann, wird ihm dies gleichzeitig auch wieder schwer fallen.

Ein weiteres Beispiel: Eine Familie mit zwei Kindern; das erste Kind namens Peter hat eine -(6)- und das zweite namens Claudia eine -(7)-, der Vater hat eine -(9)- und die Mutter eine -(2)-. Der Sohn Peter und die Mutter werden ein sehr tiefes emotionales Verständnis füreinander haben. Die beiden wollen Emotionen und Gefühle. Die Mutter wird den Sohn gefühlsmäßig empfangen und ihm somit die Liebe, die er braucht, so weit es in ihrer Macht steht, geben. Die Tochter will alles chaotisch Bewegliche und hat trotzdem Angst, dieses zu leben. Sie wird den Bruder und auch die Mutter kaum verstehen können, zumal die Mutter immer wieder Angst um die Tochter haben wird, denn für die Mutter sind die ausgeflippten Taten der Tochter ein Gräuel. Der Vater hingegen wird die Tochter verstehen, er findet Menschen, die aktiv sind, toll, denn auch er ist nach außen orientiert und braucht eine entsprechende Anerkennung. Der Vater will die Autorität und wird gerade von seinem Sohn (gleiches Geschlecht) erwarten, dass dieser ihm die gebührende Anerkennung gibt. Der Sohn hingegen wird den Vater mit seiner geballten Energie als gefährlich einstufen und sich emotional zurückziehen. Zumeist wird er lange unter diesem Phänomen leiden und immer wieder die glättenden Emotionen vom Vater erwarten, da er dauerhaft mit Disharmonie nicht umgehen kann. Immerhin will er geliebt werden und dafür wird er viel tun. Einerseits wird die Schwester für ihn zu beweglich sein, andererseits wird er sie auch toll finden, da sie - aus seiner Perspektive gesehen - einfach das tut, was sie will. Für die Schwester hingegen wird ihre dargestellte Flippigkeit zu wenig sein, denn sie wird sich durch die fürsorgliche Emotion der Mutter, eingesperrt fühlen. Hier machen wir einen Schnitt. Alle in dieser Familie lebenden Personen könnten mit dieser Konstellation zufrieden sein; wenn sie sich gegenseitig akzeptieren würden, könnten sie ein sehr schönes Leben in Harmonie miteinander verbringen. Doch die Gefahr, dass sie sich aus Unwissenheit ihrer Strukturen gegenseitig einsperren, ist enorm groß.

Sie sehen, wie deutlich sich die einzelnen Komponenten darstellen können. Wir alle sind so, wie wir sind, und wir müssen lernen, miteinander zu leben, dass können wir jedoch nur, wenn wir den einzelnen so leben lassen, wie er ist. Jeder Mensch ist sich selbst der Nächste und wird sich entsprechend nur um seine eigenen Belange kümmern. Keiner tut bewusst etwas gegen sich. Doch sollten wir jeden so behandeln, wie es ihm gebührt, und vor allen Dingen, wie wir selbst auch behandelt werden möchten. Somit sollten wir tunlichst vermeiden, unsere eigenen Themen auf andere zu legen; damit können wir in unserem eigenen Leben nicht weiterkommen. Nur wir selbst richten unser Leben aus und können das erreichen, was wir erreichen wollen, anders geht es nicht.

Nun noch ein kleiner Leitfaden, wie wir mit den geschlossenen Zahlen unserer Kinder umgehen können - sprich: Welches Bedürfnis das Kind hat. Sie können diese Thematik auch noch einmal für sich selbst nutzen und fragen, wie ihre Eltern mit Ihnen umgegangen sind?

(10) Dieses Kind will verstanden werden, und trotzdem muss es das Gefühl haben, seine eigene Meinung prägen und auch ausdrücken zu dürfen. Der Erwachsene sollte das Kind selbst erzählen lassen, also keine vorgefertigten Dogmen als Erziehungsmuster verwenden; das Kind würde in einem solchen Fall auf stur schalten und sich unverstanden fühlen. Das wäre jedoch für diese Konstellation die schwierigste Ebene, und das Kind würde sich innerlich immer weiter gegen sich selbst stellen und sich versperren.

(20) Das Kind braucht seine absolute, emotionale Freiheit und seine eigene verträumte Sichtweise. Dieses Kind kann Emotionen und Energien der anderen wahrnehmen und wird entsprechend darauf reagieren. Somit sollte man ehrlich mit ihm sein und nicht sagen, dass alles in Ordnung ist, wenn die Mutter tränenüberströmt auf der Couch sitzt. Das Kind würde dann an seiner eigenen Wahrnehmung zweifeln. Es braucht auf jeden Fall viele Träume, in die es hineingleiten kann.

(2) Dieses Kind braucht seine eigene Gefühlswelt, in die es sich verkriechen kann. Es braucht die emotionale Sicherheit der Eltern. Es muss lernen, seinen Gefühlen Glauben zu können. Deshalb ist es wichtig, nicht den Gefühlen der Kinder zu widersprechen - das Kind wird auf seine Weise recht haben. Je mehr wir uns jedoch gegen die Gefühlswelt des Kindes stellen, desto schwieriger wird sich dies im Leben des Kindes auswirken.

(3) Wichtig: Das Kind in seiner eigenen Aktivität belassen. Auf keinen Fall immer wieder auf unerledigte Aufgaben hinweisen: „Du musst noch das Zimmer aufräumen, die Hausaufgaben machen!" und so weiter. Damit würde das Kind sich nur gegen den Befehl der Eltern stellen, eine Antihaltung einnehmen und somit eine gegensätzliche Struktur prägen.

(4) Dieses Kind braucht viel Vertrauen und Geborgenheit. Es sollte von den Eltern lernen, dass es nichts auf der Welt gibt, was man nicht lösen kann; die Lösung der Probleme ist in jedem von uns individuell vorhanden. Das Kind muss lernen, sein eigenes Gottvertrauen zu finden und mit dieser Sicherheit seinen eigenen Lebensweg zu beschreiten. In der negativen Form zieht das Kind alle belastenden Energien an und fühlt sich tief im Inneren damit absolut unglücklich.

(5) Dieses Kind braucht absolut klare Verhältnisse und will genau wissen, wo sein Zuhause ist und was dort abläuft. Es braucht die Konstante und die Sicherheit. Jede Unebenheit könnte für das Kind zum Problem werden. Leider brauchen diese Kinder sehr viel Aufmerksamkeit, bis sie sich gefunden haben, und somit eine Art von Kontrolle. Wenn dieser Mensch sich selbst vertraut, dann wird er in seinem eigenen Leben wie ein Fels in der Brandung sein.

(6) Dieses Kind braucht ganz viel Liebe und Aufmerksamkeit, sonst kann es sich nicht wohl fühlen. Liebe und Geborgenheit sind das Wichtigste in seinem Leben. Körperkontakt ist ein wesentlicher Wegweiser. Das Kind wird sehr schnell die Probleme der Eltern auf sich laden, nur um diese von den belastenden Energien zu befreien. Ein solches Kind führt die Eltern letztlich an die Eigenliebe heran. Mit Kreativität und Charme kann man ein solches Kind immer wieder aus seinem Schneckenhaus herausholen.

(7) Dieses Kind braucht Bewegung. Es kann nicht mit Moral oder sonstigen ordnungsgemäßen Vorstellungen umgehen. Seine Individualität ist das Wichtigste, was es betrifft. Das Kind braucht Bewegung und Spontaneität. Bekommt es das nicht, dann wird es sein Umfeld mit seiner eigenen Nervosität und Hibbeligkeit sehr schnell anstecken.

(8) Dieses Kind sollte kreativ gefördert werden. Es braucht die kreative Ebene, damit es sich ausdrücken kann. Es braucht die Anerkennung und will gesehen werden. Dieses Kind ist sehr ästhetisch und braucht daher ein schönes Zuhause, ein gepflegtes Äußeres; darauf wird es wert legen. Die beste Förderung ist jedoch: Die künstlerische Schiene zu fördern; diese

Entfaltung wird für das Kind ein lebenslanger Wegbegleiter sein.

(9) Dieses Kind braucht klare Linien. Es will gesehen und geachtet werden. Gerne übernimmt es schon in jungen Jahren sehr viel Verantwortung und kümmert sich um die Belange, die notwendig sind. Wenn diese Kinder Eltern haben, die selbst mit ihren eigenen Problemen überlastet sind, dann werden diese Kinder alles dafür tun, um den Eltern zu helfen, was sie natürlich von ihrem eigenen Weg abbringen wird. Der Vorwurf, der dann später im Erwachsenenalter an die Eltern gestellt wird, wird wohl kaum zu überhören sein. Diese Kinder müssen lernen, nur für sich selbst verantwortlich zu sein.

Vielleicht hat Ihnen dieser kleine Abstecher ein wenig mehr Klarheit und Transparenz in die Kommunikationsebene zwischen Eltern und Kindern gebracht? Egal, welchen Weg wir auch beschreiten wollen, die Numerologie kann immer ein wichtiger Wegbegleiter sein, und das wollen wir nun anhand eines weiteren Themas darstellen. Wir widmen uns nun der Arbeitswelt. Immerhin verbringen wir viele Stunden an unserem Arbeitsplatz; und natürlich können wir uns auch hier die für uns passenden Mitspieler aussuchen, damit wir tagtäglich den eigenen Spiegel vor die Nase gehalten bekommen.

Arbeitgeber und Arbeitnehmer – die Mitarbeiter unter sich

Sind Sie in einem Arbeitsverhältnis? Wie stehen Sie zu den Personen, mit denen Sie fast tagtäglich zu tun haben? Haben Sie inneren/äußeren Streit mit jemandem? Gehen Sie davon aus, dass jede Person, mit der Sie sich streiten, mit Ihnen einen emotionalen Verbund hat und umgekehrt. Rechnen Sie nach Möglichkeit die Geburtsdaten aus, damit Sie erkennen können, auf welcher Ebene Sie emotional angesprochen werden. Was erwarten Sie von der anderen Person? Auf welcher in Ihnen liegenden Schmerzschiene befindet sich diese Person? Was können Sie tun, um sich davon wieder zu befreien?

Sollten Sie beispielsweise eine geschlossene Sechs -(6)- haben, dann kann es sein, dass Sie ein ausgesprochen starkes Harmoniebedürfnis in sich tragen und somit immer wieder auf die harmonischen Energien der anderen besonderen Wert legen. Meist viel zu viel. Denn je mehr Sie gedanklich bei den anderen sind, desto weniger kümmern Sie sich um sich selbst und das kann fatale Folgen haben. Somit wäre es besonders wichtig, genau darauf zu achten, für was Sie Ihre wertvollen Energien einsetzen. Sollte beispielsweise ihre Kollegin, mit der Sie Probleme haben, eine geschlossene Neun -(9)- haben, dann kann es sein, dass zwischen Ihnen beiden heftige Energiekämpfe entstehen. Die Kollegin geht dann wahrscheinlich davon aus, dass Sie Ihr den Platz streitig machen wollen. Sie selbst braucht die Anerkennung und Beachtung besonders stark und fühlt sich unbewusst schnell von anderen verdrängt, das wiederum motiviert sie zum energetischen Kampf. Wenn Sie jetzt eine geschlossene Sechs -(6)- haben und Sie mit ihrem auferlegten Harmoniebedürfnis immer wieder versuchen, auf die Energien der Kollegin zu achten und auch einzuwirken, dann stören Sie sich gegenseitig, Sie hängen dann symbolisch in einer emotionalen Abhängigkeit. Das kann so weit gehen, dass die energetischen Kämpfe sich auf die gesamte Firma übertragen und sich dadurch sehr negativ auf das weitere Arbeitsteam auswirken. Es wäre hier besonders ratsam, eine Einigung zu finden, so dass sich jeder nur wieder mit sich selbst beschäftigt; das ist die Chance, um wieder in der eigenen Energie zu bleiben.

Jede noch so kleine Streitigkeit unter Kollegen ist für alle Beteiligten und somit auch für die gesamte Firma sehr unangenehm, so dass es immer wieder wichtig ist, darauf zu achten, dass so etwas nicht passiert. Gerade wenn wir mit unseren inneren Energieanteilen kämpfen, dann kann es sehr schnell passieren, dass wir uns gegenseitig im Weg stehen und uns als Alibi vor uns selbst, lieber mit dem Gegenüber beschäftigen und über diesen unseren inneren Streit ausleben. Wir alle müssen lernen, mit unseren inneren Energieanteilen in Harmonie zu leben. Da wir das jedoch zumeist nicht tun, streiten sich viele Energien in uns. Doch meist ist uns dies nicht bewusst, und somit kämpfen wir eher mit anderen Menschen, die einen energetischen Verbund zu unseren inneren Energien haben, anstatt direkt nach Innen zu schauen. Das ganze Spektakel hat letztlich nur den Sinn, dass wir uns selbst über uns klar werden und uns entsprechend um unsere inneren Streitigkeiten kümmern; damit wir die Chance haben, Frieden in uns zu finden. Somit werden wir in äußeren Bereichen kaum Streitpunkte mit anderen finden können, wenn wir im Inneren in Harmonie sind. Wir sollten daher immer wieder auf uns achten, ob wir mit uns in Frieden und Einklang sind. Sollte das nicht der Fall sein, dann müssen wir lernen, uns auf der inneren Ebene zu harmonisieren. Die meisten Menschen wissen jedoch nicht, dass sie immer nur im inneren Streit leben können, da das äußere Spiel nur ein Spiegelbild ihres inneren Selbst ist. Viele nutzen äußere Situationen, um die inneren gestauten Wutenergien loszuwerden. Das wiederum nützt keinem etwas und sollte somit, so weit es machbar ist, unterbunden werden. Also sollten Sie disharmonische Themen mit Kollegen haben, dann schauen Sie sich das Geburtsdatum und die damit verbundene Lernaufgabe an; lernen Sie Ihr Gegenüber anders kennen und Sie werden den anderen so akzeptieren, wie er ist. Denn jeder ist so, wie er ist, und warum sollte sich jemand zur Verfügung stellen, damit ein anderer sich an ihm austoben kann? Wir sind doch in keiner Kampfarena, oder?

Der Chef und die Mitarbeiter

Sollten Sie Chef einer Firma sein, dann ist es besonders wichtig, darauf zu achten, welche Thematik Sie selbst in sich tragen. Sie können ihre eigenen Themen nur erkennen, wenn Sie selbst auf sich Acht geben. Jeder von uns hat Lernaufgaben, die auf unterschiedlichen Ebenen sichtbar werden. Deshalb ist es besonders wichtig, zu erkennen, was für Lernaufgaben Sie sich selbst gegeben haben, damit keine energetischen Übertragungen auf andere Menschen/wichtige Kunden/Mitarbeiter stattfinden können. Das könnte unangenehme und für die Firma eher negative Folgen haben, und wer will das schon?

Sollten Sie in Ihrer Firma Mitarbeiter beschäftigen, dann müssen Sie mit diesen Menschen klar und sachlich verbleiben. Die Mitarbeiter, mit denen Sie arbeiten, sind somit auf Ihr Wohlwollen angewiesen; Sie sind der Chef und müssen in Verbindung mit Ihren Mitarbeitern tagtäglich Entscheidungen treffen. Doch wie gerne finden Übertragungsmuster statt: Wir alle haben Eltern oder andere Erziehungspersonen erlebt und wissen, wie wir mit Autoritätspersonen umgehen müssen. Die meisten Menschen legen den Chef auf dieselbe Schiene, die sie erlebt haben, und erwarten die wiederholte verantwortungsvolle Autorität. Der Chef wird somit als Verantwortlicher erkannt und wie der Elternteil behandelt. Sollten Sie sich als Chef von diesem Rollenverhalten becircen lassen, dann kann es sein, dass Sie dieser Rolle zustimmen und sich dann noch mehr als üblich für die betreffende Person verantwortlich fühlen. Wir alle sollten nicht vergessen, dass ein Firmeninhaber keine Mitarbeiter einstellt, weil er zu viel Geld übrig hat, sondern weil er zu viel Arbeit hat, die er abgeben muss. Deshalb ist es so besonders wichtig, diese Komponenten zu berücksichtigen. Gerade der Chef wird heutzutage in der Gesellschaft noch gerne als Prellbock für die eigenen, nicht verarbeiteten Themen gesehen.

Dieses Kapitel ist jedoch nicht alleine für Firmeninhaber gedacht, sondern für alle, die sich auf dem Arbeitsmarkt unter Mitarbeitern bewegen. Wenn Sie sich wie ein Chef verantwortlich fühlen, dann kann Ihnen genau dasselbe passieren, was ich gerade erwähnt habe. Sollte Ihnen also permanent einer der Kollegen im Kopf herumspuken, dann werden Sie sich mit dieser Person emotional verbunden haben, was zur Folge hat, dass Sie sich innerlich für diese Person verantwortlich fühlen und nicht wissen, wie sie da wieder herauskommen können. Analysieren Sie diesen Bereich, und Sie werden mehr Klarheit bekommen. Wenn Sie wissen, was der andere von Ihnen will, dann sind sie wieder handlungsfähig und können noch einmal frei entscheiden, ob Sie auf dieses Spiel erneut eingehen wollen. Bevor Sie sich emotional verbunden haben, hatten Sie schon einmal die freie Wahl, doch Sie wussten nicht, was auf Sie zukommt. Doch nun sind Sie um eine Erfahrung reicher und können erneut überlegen, was Sie tun wollen. Immerhin kann eine andere Person, für die wir uns verantwortlich fühlen, enorm viel Kraft kosten und, diese lässt sich doch bestimmt für andere Bereiche sinnvoller einsetzen.

Es ist wichtig, dass die Arbeitsenergien klar erkannt und genutzt werden. Doch trotzdem wird die Übertragung von emotionalen Erwartungshaltungen immer noch ein wichtiges Thema sein. Anhängend führe ich ein paar geschlossene Zahlen und deren mögliche Kompensation im Betrieb auf. Ich möchte hierbei jedoch eindringlich erwähnen, dass es sich nur um eventuelle Möglichkeiten handelt. Ähnlichkeiten wären natürlich nicht zufällig - es gibt keine Zufälle - und sollten eine Besserung herbeiführen. Um dies noch einmal auf den Punkt zu bringen: Der Chef - oder jede sich verantwortlich fühlende Person - wird in unseren Beispielen als Respektsperson betrachtet und ihm wird öfter unbewusst die nicht verarbeitete Kindheitsproblematik auferlegt. Die nachfolgend aufgeführten Punkte dienen dem Erkennen der Möglichkeiten. Immerhin sollten wir nicht vergessen: Wenn einer die Struktur - also die Spielebene - verlässt, dann hat sich das Thema gelöst.

Nachfolgend also die geschlossenen Zahlen in den Geburtsdaten der Mitarbeiter und das negative Verhalten gegenüber dem Chef/oder einer verantwortungsvollen Person. Der Schlusssatz beinhaltet immer die absolut positive Form, denn wir können uns leben, wie wir wollen, und ein Problem zu haben, heißt noch lange nicht, dass man dies auch nach außen transformieren muss:

(10) Dieser Mitarbeiter nimmt ungern die Order des Chefs entgegen und sträubt sich somit nach vorgegebenen Anweisungen zu arbeiten. Er wird diese innere, zumeist sogar unbewusste Verweigerung dem Chef gegenüber kaum im Außen erkennen lassen, doch wird er ebenfalls unbewusst die ihm gestellten Aufgaben boykottieren und sich mit unwichtigeren Dingen ablenken. Somit wäre er für Termingeschäfte nicht unbedingt sinnvoll einzusetzen. Er stellt sich im Inneren quer und ist nur auf sich selbst bedacht. Welche Nachteile er damit für die Firma bringt, will er nicht sehen. Er will sowieso nicht sehen und wird alle Verfehlungen, so weit es seine Person betreffen, hinten anstellen, damit er sich nicht mit den Konsequenzen auseinander setzen muss. Im Extremfall würde er eine andere Person in die Verantwortung ziehen. In der positiven Form, wenn er gewillt ist, in und mit der Firma zu arbeiten, ist der geschlossene Eins-Nuller -(10)er- ein stetiger Arbeiter, der strebsam die Aufgaben nach vorgegebenen Angaben erledigt.

(20) Dieser Mitarbeiter braucht emotionale Nähe zum Chef, will von ihm gesehen und wahrgenommen werden. Somit wird ein emotionaler Anspruch gestellt, der letztlich dazu dient, dem eigenen Vertrauen, in Form der Vertrauensperson Chef, ein wenig näher zu kommen. Doch wehe der Chef wendet sich ab, dann ist das Problem besonders groß. Der geschlossene Zwei-Nuller -(20)er- fällt in ein tiefes Loch und wird kaum noch einsatzfähig sein. Wenn er mit seinem Problem beschäftigt ist, dann ist er so tief darin verhaftet, dass er sich kaum anderen Bereichen, außer seinem Schmerz, widmen kann. Er fühlt sich im Recht, innerlich und äußerlich so verfahren zu dürfen. Das andere davon ebenfalls betroffen sein könnten und eventuell dann auch noch für ihn mitarbeiten müssen, interessiert ihn wenig, denn er ist mit sich beschäftigt und nur aus diesen Augen möchte er schauen. In positiver Form ist der geschlossene Zwei-Nuller -(20)er- für die Emotionen und somit die Feinheiten in der Firma zuständig; gerade er spürt und sieht voraus, um was es sich stets handelt. Somit kann er sehr intensiv auf energetische Problemfelder in der Firma einwirken und darauf aufmerksam machen.

(2) Hier geht es nur um das Gefühl. Der Mitarbeiter möchte immer wieder emotional wahrgenommen werden, das ist besonders wichtig für ihn.

Wenn er das Gefühl hat, nicht mehr emotional wichtig zu sein, dann zieht er sich in sein Schneckenhaus zurück. Diese Mitarbeiter kümmern sich auch gerne um andere, um eine emotionale Nähe zu schaffen. Sie brauchen diesen tiefen Kontakt und können nicht damit umgehen, wenn sie keine spürbare Beachtung finden. Sie werden sauer und versuchen, leidvolle Emotionen in der Umgebung zu versprühen. Sie wirken dann oftmals launig und sogar giftig, und können anderen kaum noch freundlich gegenübertreten. Wenn die geschlossenen Zweier -(2)er- dann auch noch persönlichen Kundenkontakt pflegen, dann wird diese Launenhaftigkeit auch vor den Kunden nicht Halt machen, und somit bekommt der Kunde auch seine Portion ab. Das ist für die Firma besonders schwierig, denn immerhin repräsentiert der Mitarbeiter die Firma nach außen. In positiver Form sorgen diese Mitarbeiter für die emotionale Nähe in allen Firmenbereichen und könnten sich somit auch besonders fürsorglich um Kunden kümmern.

(3) Oftmals wirken diese Mitarbeiter in ihrem Arbeitsablauf unsicher, sie überprüfen permanent ihre Handlungen und kommen dabei nicht sonderlich schnell vorwärts. Sie können somit einen ganzen Arbeitsablauf lahm legen. Diese Menschen stehen meist nicht zu ihrer eigenen Schwäche und wälzen ihre Problematik auf andere Bereiche ab. Wenn ihnen bewusst ist, dass sie eine verpatzte Angelegenheit selbst verschuldet haben, dass ihnen somit ein Fehler unterlaufen ist, dann werden sie diesen zumeist vertuschen - aus Angst, vor den daraus resultierenden Konsequenzen. Das heißt, die geschlossenen Dreier -(3)er- verstecken gerne die ihnen unterlaufenen Fehler, damit sie keiner zur Verantwortung ziehen kann. Im gesamten Firmenteam vermitteln sie jedoch häufig den Eindruck, als würden sie all den Anforderungen gewachsen sein. Somit fallen sie meist erst im Nachhinein auf, und dann kann der entstandene Schaden enorm groß sein. Ein Tipp: Tief im Inneren will der geschlossene Dreier -(3)er- gar nicht arbeiten, da er Angst hat, Fehler zu machen. In der positiven Form brauchen diese Mitarbeiter klare Anweisungen. Darüber bekommen sie die erforderliche Sicherheit. Dann können sie selbstsicher und aktiv sein. Flink kümmern sie sich dann um viele Arbeitsbereiche, erbringen somit viel Leistung mit einem entsprechenden Energieeinsatz.

(4) Diese Menschen brauchen immer wieder das Gefühl, wahrgenommen zu werden. Sie wollen Glück versprühen und möchten dies auch zurückbekommen. Mit Disharmonie und Streit können sie wenig anfangen. Sie müssen lernen, auf sich selbst zu bauen und auch zu vertrauen. In den meisten Fällen kümmern sie sich jedoch zu wenig um ihre eigene innere Sicherheit. Somit suchen sie diese eher bei anderen und vertrauen dann viel zu schnell. Dabei sind emotionale Enttäuschungen, wenn sich der andere nicht so verhält, wie man sich das vorgestellt hat, vorprogrammiert. Das kann so weit gehen, dass diese Menschen emotionale Probleme bekommen, die sich auf den gesamten Organismus und somit auf die körperliche Ebene legen. Sie sind dann nicht mehr in der Lage, ihrer pflichtbewussten Arbeit nachzugehen. Sie hoffen allzu sehr, auf das große Glück in Form eines tollen Jobs und einer entsprechenden Anerkennung. Somit ist es wichtig, dass diese Menschen verstehen, dass keiner ihnen dazu verhelfen kann, das eigene Glück zu finden, außer sie glauben an sich selbst - dann sind sie glücklich. In positiver Form sind diese Menschen die Glücksbringer der Firma und leben sich, indem sie sehr viel emotionalen Einsatz bringen. Wenn das der Fall ist, dann kümmern sie sich um die Belange, die notwendig sind, ohne das einer diese erteilen müsste; sie sind eigenständig und könnten fast mit der Firma verheiratet sein.

(5) Diese Mitarbeiter brauchen absolute Sicherheit und werden auch bewusst darauf bauen. Sie stellen ihre eigenen Bedürfnisse gerne in den Vordergrund und erwarten, dass man auf ihre Forderungen eingeht. Somit können sie so tun, als würden sie zu viel tun und lassen andere für sich mitarbeiten. Das wiederum könnte bedeuten, dass ein Chef nicht nur für ein Gehalt mehr zu sorgen, sondern auch noch mehr Arbeit hat. Zwischendurch sollte man -(5)er- Mitarbeiter auf ihren Leistungseinsatz immer mal wieder überprüfen, ob sie auch genug für ihr Geld leisten. Geschlossene Fünfer kennen sich mit ihren Arbeitsrechten gut aus. Somit kann ein Streit auch unangenehme Folgen nach sich ziehen. Wenn man den geschlossenen Fünfer -(5)er- positiv betrachtet, dann erkennt man sehr schnell eine treue Seele, die fast zum Inventar gehört, stetig und pünktlich seine Arbeit nach vorgegebenen Regeln bewältigt.

(6) Diese Mitarbeiter wollen geliebt werden und können nicht damit umgehen, wenn sie keine Beachtung finden. Sie beanspruchen gerne einen Menschen für sich selbst und verfallen in Eifersucht, wenn dieser Mensch sich auch noch mit anderen auseinander setzen sollte. Sie fordern die hundertprozentige Liebe und Aufmerksamkeit; sollten sie diese nicht bekommen, dann schmieden sie teilweise sogar vor lauter Egozentrik Rachepläne und Intrigen. Diese negativ geladenen Energien könnten wiederum den Fluss einer Firma lahm legen. Im positiven Sinne stehen diese Menschen für die „Mutter der Firma" und werden sich fürsorglich und mütterlich um alle erforderlichen, emotionalen Belange kümmern: Seelsorger Nummer Eins.

(7) Diese Menschen sind stets auf der Suche nach etwas Neuem. Somit ist von vornherein nicht klar, ob eine Investition in diese Person sich auch dauerhaft lohnen wird. Tief im Inneren ist der -(7)er- wandlungsfähig, da er das Gefühl von Weite und Freiheit braucht. Zumeist wechselt er gerne den Arbeitsplatz, da es ihm allzu schnell passiert, dass er sich in der Firma wieder einmal unwohl fühlt und den Grund dafür in der Firmenkonstellation sucht. Die Firma wäre dann der äußere Grund - der innere ist jedoch, dass diese Person sich nicht wirklich einlassen kann, da sie Angst vor Nähe und Verbindlichkeit hat. Somit ist es besonders wichtig, einem geschlossenen Siebener -(7)er- auf seinem Arbeitssektor die Möglichkeit der flexiblen und eigenständigen Arbeitsgestaltung zu gewähren, dann sind auch diese Menschen treu und ein Zugewinn für die Firma. Immerhin ist der -(7)er- besonders gut für den Außendienst geeignet, denn Reisen unternimmt er nun einmal für sein Leben gern.

(8) Diese Menschen wollen Geltung und Anerkennung. Sie wollen gesehen werden. Sie sind der kreative Kopf der Firma. Sollten sie während des normalen Arbeitsgeschehen zu wenig Beachtung bekommen, dann werden sie alles tun, um Aufmerksamkeit zu erhaschen, egal um welchen Preis auch immer. Wenn sie sich verletzt fühlen, dann werden sie kämpfen und sich eventuell sogar rächen. Sie träumen vom großen Erfolg und auch davon, selbst einmal Chef zu sein; meist sind sie dazu jedoch nicht in der Lage, was ihnen nicht bewusst ist. Sie sind der Meinung, das Leben muss so einfach sein, also kann es dabei keine Schwierigkeiten geben. Sie sind selten bereit, wirkliche Sorgen zu teilen, und somit stehen sie gerne im Rampenlicht, ohne all die Umstände dieser grandiosen Entwicklung zu kennen. In positiver Hinsicht ist der geschlossene Achter Typ -(8)- nicht sehr belastbar, doch bei weitem sehr kreativ und von daher für eine Firma absolut nützlich und auch wertvoll.

(9) Diese Mitarbeiter möchten selbst Chef sein. Sie lassen sich nicht gerne etwas sagen und wirtschaften teilweise sogar gegen die Firmenenergie. Schnell fühlen sie sich auf den Schlips getreten und gehen zum Gegenangriff über. Das kann sogar so weit gehen, dass ein energetischer Kampf zwischen dem -(9)er- und einem anderen Mitarbeiter/Chef entstehen kann. Wenn der geschlossene Neuner -(9)er- einen anderen für sein Leid verantwortlich macht und anfängt zu kämpfen, dann kann man sagen, dass auf diesem Platz kein Gras mehr wächst. Die Wut wird sich immer weiter steigern, und ihm sind alle Mittel recht, um sich durchzusetzen. Wenn der Kampf nicht endet, dann würde ein Krieg entstehen, der mit Sicherheit für die Firma Nachteile hätte. Doch so weit muss es nicht kommen. Somit ist es besonders wichtig, bei einem beginnenden emotionalen Kampf klare Worte zu benutzen, um eine Änderung herbeizuführen. Nur so kann Frieden wieder einkehren. Die positive Seite der geschlossenen Neuner -(9)er-: Diese Personen sind für Chefpositionen geeignet, sie können eigenständig viele Projekte entscheiden und auch hinter ihren Entscheidungen verantwortungsvoll stehen.

Sie sehen, wie wichtig eine Datenanalyse für den Umgang mit Mitarbeitern/Kollegen sein kann. Denn je mehr man die Stärken und auch die Schwächen der Mitarbeiter kennt, desto mehr Chancen hat man, die Personen in ihrer Ursprungsenergie zu erfassen. Den Mitarbeiter als Person anzuerkennen, ist für die zukünftige Zusammenarbeit in Unternehmen unerlässlich. Jedoch sollte man dabei nie vergessen, dass wir nicht alles mit einem Menschen leben müssen; wir alle haben unterschiedlich geprägte Strukturen, die zwar aufeinander treffen können, jedoch nicht unbedingt müssen. Miteinander zu arbeiten, heißt noch lange nicht, miteinander verheiratet zu sein und einen Partnerschaftsanspruch zu stellen. Somit können bestimmte emotionale Verstrickungen vermieden werden. Wir alle können uns gegenseitig unterstützen und uns damit helfen, den erforderlichen Arbeiten und Aufgaben gewachsen zu sein. Doch keiner sollte einen anderen in ein Rollenverhalten drängen und ihn somit für seine eigenen Zwecke missbrauchen.

Für alle Chefpersönlichkeiten sei jedoch noch erwähnt, dass es immer gut ist, wenn man seine eigene Energiegewichtung auch bei seinen Mitarbeitern wiederfinden kann. Als Beispiel: Sollten Sie selbst sehr viel ungerade, also männliche Anteile in sich tragen, dann sollten auch die Mitarbeiter eher männliche Anteile haben, damit die Arbeitsenergie aktiv bleiben kann; umgekehrt natürlich bei der weiblichen Komponente und somit den geraden Zahlen. Letztlich muss natürlich immer das sichere Gefühl und die Qualität des Mitarbeiters bei einer Einstellung ausschlaggebend sein. Die Numerologie bietet jedoch einen kleinen Einblick in die Möglichkeiten, die machbar sind, um eventuellen Missverständnissen von vornherein aus dem Weg zu gehen. Doch eins ist sicher, wir können mit jedem Menschen auskommen, solange wir uns nicht unbewusst in Rollenzwängen bewegen und unser Gegenüber zum negativ geladenen Spiel auffordern. Ein Streit kann somit nur entstehen, wenn wir ihn entstehen lassen wollen. Je mehr wir uns selbst erlauben, frei zu leben, desto freier und ungebundener können wir auch mit anderen umgehen. Wenn diese Menschen dann auch noch eigenverantwortlich in ihrer eigenen Arbeit die Möglichkeit sehen, das Geld zu verdienen, das sie brauchen - mehr braucht ein Mitarbeiter nicht zu tun -, dann kann nichts mehr schief gehen.

Die Eigenschaften einer Firma

Auch eine Firma lässt sich numerologisch analysieren. Wir können jedoch darüber nur sinnvolle Informationen erhalten, wenn wir bereit sind, die Firma als Persona zu betrachten und somit charakteristische Stärken und Schwächen ausfindig zu machen. So erhalten wir entsprechende Anmerkungen über den Grundaufgabenbereich und die Grundthematik der Firma. Je mehr wir über die Grundenergie einer Firma erfahren, desto besser können wir mit den Firmenenergien umgehen. Wir können somit wie bei einer Person erkennen, welche starken und schwachen Konstellationen diese Firma in sich trägt. Auch hierbei ist die geschlossene Zahl eine sehr wichtige Komponente, um den Schwachpunkt der Firma gut zu erkennen. Des Weiteren werden natürlich auch die Anzahl männlicher und weiblicher Konstellationen gewertet. Hat die Firma mehr weibliche Energien, dann ist sie eher auf die Dienstleistung, also mehr auf die Arbeit direkt am Menschen ausgerichtet. Diese Firma braucht dann emotionale Fürsorge. Sollte der Besitzer oder andere dort arbeitenden Personen ihre eigene Unzufriedenheit auf die Firma legen, dann wird die Firma energetisch immer schwächer. Somit braucht diese Firma die permanente Fürsorge und emotionale Kontrolle. Sie hat sich über die Emotionen/Energien der Gründer aufgebaut und lebt nun darüber, jede noch so kleine Störung kann auf Dauer verheerende Folgen haben.

Bei den ungeraden Zahlen ist es umgekehrt. Diese Firma braucht eine maskuline Führung und muss sich entsprechend geerdet vergrößern dürfen. Somit sind die Themen der Firma nach außen gerichtet und wollen auch mit entsprechender Power und Größe gelebt werden. Doch wie finden wir heraus, ob eine Firma eher feminin oder maskulin ist, und welche Problemaufgabe sie zu lösen hat? Ganz einfach, wir nehmen dazu das „Geburtsdatum" der Firma, also die offizielle amtliche Anmeldung oder das offizielle Übernahmedatum. Doch auch die Daten der Gründer in Verbindung mit den Firmendaten sind interessant anzuschauen. Sollte die Firma in eine andere Gesellschaftsform wechseln, dann sollte auch dies numerologisch Beachtung finden.

Bei Firmengründungen ist es besonders wichtig, darauf zu achten, dass die Numerologie der Firma der Numerologie des Gründers/der Gründer entspricht. Sollte die Firma dieselbe Lernthematik, also geschlossene Zahl, haben, wie der Gründer selbst, dann wird er über die Firma sehr viel Lernerfahrungen, die für sein Leben wichtig sind, sammeln können. Je mehr er sich als Eigner lebt, desto mehr wird die Firma davon profitieren.

Vor allen Dingen ist es wichtig, dass die Aktivität, das heißt eine Dreier- oder Siebener-Komponente, vertreten ist. Wichtig ist bei der Auswahl des Datums - wie bei einer Person - die Wertung und Deutung der geschlossenen Zahl als Lernaufgabe, die unbedingt Berücksichtigung finden muss. Wenn es in der Firma Probleme gibt, dann hängt der Energieknoten mit der Lernaufgabe, die an die Firma gestellt wird, zusammen. Genau damit wollen wir uns jetzt auseinander setzen und geben dazu ein paar Beispiele in der absolut positiven, also eher auffordernden Form:

(10) Lernen, immer eine neue Sichtweise zu bekommen und niemals am Althergebrachten festzuhalten. Doch egal was in der Firma energetisch abläuft, immer den Kopf einschalten und die klare Sichtweise bewahren, damit Sie als Eigner immer ein klares Bild behalten können. Bleiben Sie sich selber treu! Doch achten Sie darauf, dass Sie niemals trotzig mit Ihrer Firma umgehen. Jeder noch so negative Gedanke kann sich umsetzen und somit der Firma schaden. Sollten Sie persönliche Probleme haben, dann bringen Sie diese unter keinen Umständen in die Firma hinein. Lassen Sie sich von keinem erzählen, was besser sein könnte. Sie sind der Boss und werden wissen, was richtig ist. Aufgabe: Auf die eigene Sichtweise achten!

(20) Lernen, dem eigenen Gefühl zu vertrauen und Firmenprojekte zu sehen, energetisch wahrzunehmen und zu erkennen. Ihre Nase wird Sie leiten, Sie haben den richtigen Riecher. Dadurch können sich neue Sichtweisen durchsetzen, die letztlich den Erfolg der angestrebten Erneuerung schon vor Augen haben. Je mehr Sie diese Bilder vor Ihrem geistigen Auge sehen und daran glauben, desto schneller lassen sich diese Vorhaben realisieren. Deshalb immer die Gefühle sprechen lassen, damit die Firma kreativ und beweglich bleibt. Aufgabe: Auf die eigenen emotional gesteuerten Visionen

196

achten!

(2) Lernen, dem Gefühl zu vertrauen, sich daran zu orientieren und die Firma danach zu leiten. Das Gefühl wird Ihnen den Weg in die richtige Richtung weisen. Vertrauen Sie auf sich selbst. Glauben Sie Ihrem Gefühl und suchen Sie energetisch die passenden Geschäftspartner aus. Jeder, der emotional zu Ihnen passt, mit dem werden Sie gut zusammenarbeiten können. Je mehr Sie darauf achten, desto besser für die Firma. Auch muss der Geldfluss in Harmonie sein. Bitte keine Geldsorgen, das kann für Sie verheerende Folgen haben. Je mehr Sie sich sorgen, desto mehr ziehen Sie sorgenvolle Energien an – räumen Sie besser auf, dann wird schon wieder alles in Fluss kommen. Wenn Sie sich vertrauen, dann können Sie sich absolut sicher sein. Aufgabe: Auf die emotional wahrgenommenen Energien achten!

(3) Lernen, genau auf die Aktivitätsenergie zu achten. Nicht zu schnell und zu spontan handeln, das könnte negative Folge haben. Immer genau überprüfen, ob der Impuls, dem Sie folgen wollen, auch richtig ist. Wenn Sie jedoch Klarheit gewonnen haben, dann sollten Sie, wie ein Adler, Ihr Ziel anpeilen und natürlich handeln. Sie sind aktiv genug, all das zu schaffen, was sie schaffen wollen. Egal was passiert, Sie haben immer genug Power, um sich auf die Beine zu stellen. Das Motto: Wir packen es an! Aufgabe: Auf die aktiven Impulse achten, nachdenken und handeln!

(4) Lernen, sich von dem inneren Licht lenken und leiten zu lassen; das ist die Aufgabe. Das innere Licht wird in diesen Firmen den Weg aufzeigen, den die Firma zu gehen hat. Wenn die Firma dem inneren Glauben folgt, dann wird sie erfolgreich sein. Jede noch so emotionale Unebenheit wird der Firma Schaden zufügen können, deswegen sollte diese Firma emotional geschützt sein. Aufgabe: Auf die innere göttliche Stimme/Impulse achten und sich im Einklang mit den kosmischen Gesetzen energetisch lenken lassen!

(5) Diese Firma baut sich langsam, jedoch stetig auf. Sie wird durch die Ausdauer dauerhaft erfolgreich sein. Die Konstante wirkt wie ein Fels in der Brandung, und so ist die gesamte Firmenenergie zu betrachten. Diese Firma

wird lange, stetig wachsen, wahrscheinlich sogar familiär übergeben werden, und kann somit Generationen überleben. Aufgabe: Die Ausdauer und die Konstante ist das Ziel. Je mehr für diese Firma getan wird, desto größer wird sie sich dauerhaft entwickeln, wie eine Pflanze, die regelmäßig genug Licht und Wasser bekommt und liebevoll gepflegt wird.

(6) Diese Firma muss geliebt werden, nur über diesen Weg wird sie zur inneren Harmonie finden. Es geht hierbei um Kreativität und die schönen Dinge des Lebens, genau diese tauchen dabei besonders stark auf. Wenn diese Firma geliebt wird, dann wird sie, ohne viel Anstrengung, erfolgreich sein. Diese Firma braucht einen klaren Besitzer, der sie energetisch mit Liebe versorgt, wie eine nährende Mutter, die ihr Kind immer wieder behutsam an die Brust legt. Jede Disharmonie könnte sich jedoch sehr schnell negativ auf die Firmenkonstellation auswirken. Diese Firma wird nur unter Liebe ihre harmonische Energie versprühen. Aufgabe: Die Liebe zur Selbstliebe, diese Firma muss geliebt und angenommen werden, dann wird sie stetig die Freude und den Erfolg widerspiegeln, die ihr entsprechen.

(7) Lernen, immer flexibel und kreativ zu sein. Gerade die Kreativitätsschiene ist für diese Firmen besonders wichtig. Nur durch Schnelligkeit, Beweglichkeit und spontane Entscheidungskraft wird diese Firma zum Erfolg kommen. Die Spontaneität sollte oberstes Gebot sein. Diese Firma übernimmt gerne außergewöhnliche Aufträge, denen sie sich dann intensiv widmen kann. Reisen gehören zu diesem Bereich wie auch extreme, jedoch kurzweilige externe Aufträge, die einen hohen Einsatz fordern. Alles zu normale wäre für diese Firma dauerhaft tödlich, denn darüber würde die eigene Kreativität an der Monotonie ersticken. Aufgabe: Sich immer wieder frei und locker zu entwickeln. Egal was kommt, es wird schon passen. Die Firma muss ein vielseitiges Angebot bieten.

(8) Diese Firma muss mit Hochachtung betrachtet werden. Hier muss alles stimmen, das Ambiente, die Ausstattung, die Werbung. Man kann daher eher von Klotzen, als von Kleckern reden. Dabei entsteht jedoch sehr schnell die Gefahr, dass diese Firma sich energetisch/materiell übernimmt, somit muss auf den Finanzfluss besonders geachtet werden. Diese Firma

muss sich über die Schönheitssymbole präsentieren können, sonst würde sie sich eher verstecken, und mit dieser Unsicherheit kann keine Firma auf dem Wettbewerbsmarkt bestehen. Doch auch im Kleinen kann man Dinge harmonisch gestalten, das sollte man nicht vergessen. Aufgabe: Die Firma muss sich repräsentieren können, um erfolgreich zu sein, und somit sollte dies als oberstes Gebot Beachtung finden.

(9) Hier wird eindeutig auf die Durchsetzungsfähigkeit und somit die klare Führung der Firma hingewiesen. Es geht um die Chefgebärden. Die Aufgabe liegt somit in der Disziplin und absolut klaren Führungsgewalt, dadurch besteht die Möglichkeit sich auch mit extremen geschäftlichen Situationen auseinanderzusetzen. Wenn diese Komponenten Berücksichtigung finden, dann kann diese Firma sehr groß werden. Oftmals jedoch findet in einer solch energetisch gelenkten Firma Konkurrenzdenken statt, so dass es extrem wichtig ist, darauf zu achten, dass einer der Lenker der Firma ist und die anderen sich diesen Energien unterordnen und sich mit ihrem eigenen Ordnungssystem einbringen. Aufgabe: Klärung! Wer ist der Chef? Was ist das Ziel der Firma? Wie können wir das Ziel anpeilen? Wenn diese Punkte klargestellt sind, dann steht dem zielgerichteten Erfolg nichts mehr im Weg.

Anhand der geschlossen Zahlen können wir natürlich auch die negativ gelebte Form der Firma und somit das Scheitern der Zielsetzung allein durch die Erstanalyse der Gründung/des Geburtstages feststellen. Das Versagen der Firma liegt an dem Nichtverstehen der ursprünglichen Aufgabe, und diese Thematik konnten Sie aus der vorangegangenen Auflistung gut entnehmen. Doch nun gehen wir noch einen Schritt weiter und beschäftigen uns mit dem endgültigen „Aus", dem Herzversagen, dem Herzstillstand der Firma. Damit wir hier genau erkennen können, warum diese Firma letztlich gescheitert ist, analysieren wir das Aufgabe-/Todesdatum. Hier ein paar Beispiele für das Scheitern einer Firma, analysiert anhand der geschlossenen Zahl, des Tagesdatums der Liquidation/Aufgabe der Firma:

(10) Zu wenig auf die Lernthemen der Firma eingegangen. Immer wieder vom Kopf heraus versucht, die Firma in eine Norm gerechte Form zu pressen. Somit wurde auf die Individualität der Firma viel zu wenig Rücksicht genommen. Irgendwann verklärte sich der ursprüngliche Durchblick, und dann ging es nur noch bergab.

(20) Zu wenig auf das Gefühl und die Sichtweisen geachtet. Somit wurde gegen die Ursprünglichkeit der Firma gearbeitet, die emotional geankerten Sichtweisen fanden keine Berücksichtigung. Zumeist wurde die Ursprungsaufgabe der Firma umgestellt, und dadurch entstand eine Art Opposition. Die Firma konnte mit dem neuen Bild nicht leben.

(2) Viel zu wenig dem Gefühl vertraut, eher gegen das Gefühl gearbeitet. Dies passiert immer dann, wenn in einer solchen Konstellation logische Komponenten die Firma leiten. Der Kopf soll regieren, obwohl die Firma gefühlvoll ist, und somit entsteht ein energetischer Gegenfluss, der die ursprüngliche Energie zerstört.

(3) Zu schnell gehandelt, ohne auf die Folgen zu achten. Eine bessere Überprüfung der Angelegenheiten wäre wichtig gewesen. Eine zu schnelle Reaktion kann verheerende Schäden anrichten, das wird hier der Fall gewesen sein. Die Firma wurde unbewusst in Disziplinen und Verantwortlichkeiten, die zumeist auch noch mit anderen zu tun hatten, verstrickt.

(4) Zu wenig auf das Gefühl gehört; zu wenig der Fügung gefolgt. Zu viel Kopfgedanken zerstören die spirituelle Ebene und somit den Glauben an die Fügung. In dieser Konstellation hat man sich meist mit Geschäftspartnern eingelassen, die einen großen Nachteil für die Firma brachten, obwohl man tief im Inneren genau wusste, dass diese eher schädlich sein werden. So manch einer neidet anderen den Erfolg und versucht sich dreist, ein großes Stück vom Kuchen abzuschneiden. Das dabei andere zu schaden kommen, interessiert diese Personen dann nicht.

(5) Zu wenig Sicherheit, zu wenig Fundament. Scheitern an der Materie, zumeist stimmten die Sicherheiten nicht. Die Firma hätte viel mehr Zeit gebraucht, um sich aufzubauen, wurde somit schon in den Kinderschuhen unter Druck gesetzt, dem sie nicht standhalten konnte. Viel zu häufig werden Gelder aus Firmen gezogen, die ein zu großes Energieloch reißen. Das

200

kann dann schnell zum Aus der Firma führen.

(6) Zu wenig Liebe, zu wenig Fürsorge. Die Firma wurde eher als Belastung und als Druck empfunden. Oftmals hatte der Firmengründer zu viele eigene ungelöste Probleme, die er über die Firma zu kompensieren versuchte. In einem solchen Fall wenden sich die positiven Energien ab, richten sich gegen die Urenergie - die Firma stirbt.

(7) Zu wenig Flexibilität und dadurch Starre, die letztlich die dynamische Energie der Firma zerstört hat. Diese Firma wurde in eine Stagnation und rigide Ordnung gepresst, die letztlich das Ganze zum Platzen gebracht hat. Man kann eine solche Firma nicht kalkulieren, man muss sie leben, nur so ist sie lebensfähig.

(8) Zu wenig Herz, zu wenig Stolz. Die Firma wurde zu wenig gesehen, dadurch trat der Herzinfarkt ein. Sie wurde viel zu stark vernachlässigt, und all die anfänglichen positiv investierten Energien wurden ins Negative umgewandelt. Das kann eine solche Firma nicht verkraften.

(9) Zu wenig Führungsgebärden. Wer war zuständig? Wahrscheinlich wurde zu viel Verantwortung auf Menschen übertragen, die sich für ihre Handlungen nicht verantwortlich fühlten. Dadurch entstehen Fehlentscheidungen, die verheerende Folgen hatten.

Wenn Sie wollen, dann analysieren Sie Ihre Firmengeschichte. Ich hoffe, dass diese Daten Ihnen weiterhelfen werden.

Auto - Führerschein und unsere Fahrweise

Bei diesem Kapitel werden Sie jetzt bestimmt schmunzeln. Doch wir können anhand der Numerologie auch eine Analyse unserer Fahrweise erstellen. Auch hierbei gilt wieder: Wenn wir beim Prüfungsdatum viele innere, also gerade Zahlen haben, dann fahren wir mit viel Gefühl, wir spüren den Verkehrsfluss – wir fahren somit größtenteils intuitiv - unbewusst. Wenn wir jedoch viele ungerade, also männliche Zahlen haben, fahren wir logisch orientiert und bewusst aktiv; dann kann es sehr wohl sein, dass wir teilweise sogar aggressiv fahren und gerne auf unser Recht im Straßenverkehr pochen. Natürlich wirkt auch unser Geburtsdatum in diese Komponente mit hinein, denn rein theoretisch müssten wir beide Daten miteinander verbinden, um eine klare Antwort zu erhalten.

Ist beispielsweise eine Person numerologisch betrachtet eher weiblich und das Führerscheindatum eher männlich, dann wird sie nicht so aggressiv und dominant Auto fahren können, wie eine Person, die von beiden Daten her, eher männlich ist. Somit sind diese Verbindungen wichtig und zeigen klar an, ob sich jemand im Straßenverkehr sicher fühlt. Wenn diese Person sehr gefühlsbetont ist und der Führerschein eine eher dominante Fahrweise erfordert, dann fühlt der Fahrer sich im Straßenverkehr oftmals eher unsicher und reagiert schnell überfordert. Natürlich ist alles gewöhnungsbedürftig, und wir lernen mit den Umständen zu leben, doch eine Grundkonstellation haben wir auch in diesem Bereich. Damit wir uns nun ein wenig damit beschäftigen können, kümmern wir uns wieder um die geschlossenen Zahlen - diese sind wiederum ein Hinweis auf die Problematik. Ich beschreibe anschließend ein paar Beispiele, in extremer Form, ohne Berücksichtigung der Geburtsdaten oder anderer Zahlen, ich nutze also wieder einmal nur die geschlossenen Komponenten. Zusätzlich gebe ich noch ein paar Angaben über das möglicherweise bevorzugte Gefährt:

(10) Dieser Mensch träumt sehr gerne beim Fahren, dabei wird er wenig bewusst gesteuerte Entscheidungen treffen. Meist kann er sich dem Verkehrsfluss gut anpassen. Man könnte meinen, er rollt gemütlich zu seinem Ziel, ohne dass dies ihn besonders anstrengen muss. Jedoch will er

202

gesehen werden, von daher sollte das Auto schon etwas darstellen. Sollte diese Person jedoch einen Beifahrer neben sich sitzen haben, dem er etwas beweisen will, dann kann es sehr wohl sein, dass er unsicher wird, weil er sich zu stark mit dem anderen beschäftigt.

(20) Diese Menschen fahren mit Gefühl und Weitblick. Das Gefährt muss ihnen energetisch absolut entsprechen. Der Verkehr muss im Fluss sein; dann fühlt sich dieser Mensch wohl und sicher. Alle sonstigen Änderungen, die viel Kopfanstrengung benötigen, können somit Unsicherheit hervorrufen. Auch dieser Mensch träumt gerne. Dies wiederum kann ihn jedoch vom Verkehrsfluss ein wenig ablenken, so dass er aufgerufen wird – es könnte sich hierbei um eine Hupe handeln - sich auf den Verkehr zu konzentrieren; dann fühlt er sich zumeist gestört. Passiert das öfter, kann er sogar ungemütlich, ungerecht bis aggressiv reagieren.

(2) Dieser Autofahrer fährt rein vom Gefühl heraus, er muss den Verkehr fühlen können. Des Weiteren muss er das passende Auto haben, zu dem er ein Gefühl entwickeln kann. Das Auto hat für ihn eine eigene Persönlichkeit, und er wird sich mit seinem Auto emotional verbinden; das wiederum gibt ihm eine ausgesprochene Sicherheit, die er fürs Fahren braucht. Deswegen werden diese Menschen ihr Auto kaum verleihen, allein der Gedanke könnte in ihnen schon Ängste und Unsicherheiten hervorrufen. Somit muss sich dieser Mensch emotional sicher sein, damit er befähigt ist, locker und leicht Auto zu fahren.

(3) Diese Autofahrer müssen ihre Aktivität kontrollieren, zu gerne lassen sie sich zu aktiven Taten motivieren, die sie später bereuen könnten. Sie tun einfach das, was sie für richtig halten. Gerade in jungen Jahren lassen sich geschlossene Dreier -(3)er- gerne zur schnellen Raserei hinreißen, die letztlich als Resultat nur einen Haufen Blech übrig lassen. Dieser Mensch muss lernen, mit Geduld und Harmonie Auto zu fahren, das wird ihm jedoch immer wieder schwer fallen. Auffahrunfälle weisen übrigens typisch darauf hin, dass man gebremst wurde, wenn man auf ein anderes Auto aufgefahren ist und umgekehrt -(5)-, dass man einen Tritt in den Hintern bekommen hat, wenn einem stets jemand an der Stoßstange klebt.

(4) Diese Konstellation weist darauf hin, dass dieser Mensch wieder mit Gefühl, geleitet durch die kosmischen Energien, fahren muss. Das Gefühl, sich beim Auto fahren einfach gut und glücklich zu fühlen, ist oberstes Gebot. Das Auto wird somit eine wichtige Rolle spielen, denn immerhin muss es absolutes Glück versprühen. Die Fahrweise selbst wird entsprechend vorsichtig sein, eine innere, zumeist unbegründete Angst, dass ein Schaden entstehen könnte, ist schon gewaltig groß. Das wiederum kann jedoch dazu führen, dass diese Menschen so vorsichtig Auto fahren, dass sie den Verkehr vor lauter Angst aufhalten und somit einen Unfall, veranlasst durch ihre eigene Vorsicht, herbeiführen.

(5) Diese Menschen brauchen Sicherheit und genaue Gesetze, an die sie sich halten können. Sie haben dann das tiefe Gefühl, dass das System funktioniert, und daran werden sie sich orientieren. Somit sind die geschlossenen Fünfer -(5)er- gute und ordnungsgemäße Autofahrer. Die Autos, die sie nutzen, werden sicher und praktisch sein. Zu viel Schnick-Schnack lenkt von dem eigentlichen Gebrauchsgegenstand Auto ab, und dafür gibt ein geschlossener Fünfer -(5)er- kaum Geld aus. Im Straßenverkehr pochen sie gerne auf ihr Recht, meist sogar zu Recht, was jedoch den einen oder anderen Verkehrsteilnehmer manchmal ein bisschen wütend werden lässt; doch das macht unserem Fünfer nicht viel aus, und er fährt weiter in derselben Geschwindigkeit und erfreut sich an dem Anblick der Landschaft, die da langsam an ihm vorbeizieht.

(6) Diese Menschen lieben ihr Auto und die fließende Fahrweise, die sie an den Tag legen. Somit muss jede Fahrt etwas Besonderes sein. So werden sie auch von anderen Verkehrsteilnehmern wahrgenommen; diese Menschen lieben es, sich auf der Straße zu bewegen. Ihre Fahrweise ist eher weiblich und grazil. Der geschlossene Sechser -(6)- muss spüren, wohin sein Weg ihn führt, das heißt, er fährt gerne nach seiner inneren Landkarte. Er kann sehr unsicher werden, sollte er einen dominanten Beifahrer befördern und diese Person als wichtig erachten; dann verliert er teilweise die emotionale Kontrolle. Unsicherheit kann in ihm ein panisches Gefühl auslösen, und damit kann er gar nicht umgehen. Das Auto, das er fährt, muss er lieben, egal wie es aussieht. Handelt es sich um ein älteres Modell, würde dies wahrscheinlich

204

nach einem Verkauf auseinanderbrechen, da es fast nur noch durch die Energie des Fahrers -(6)- gehalten wurde.

(7) Diese Autofahrer lieben alles Außergewöhnliche. Somit muss das Auto absolut auffällig sein, so dass jeder erkennen kann, dass dieses Modell von einem außergewöhnlichen Menschen gefahren wird. Das heißt jedoch nicht, dass dieses Auto besonders wertvoll sein muss, nein, es geht hierbei mehr um die Auffälligkeit. Somit kann es sich sehr wohl um ein altes Gefährt handeln, das kunterbunt angemalt wurde, Hauptsache aus dem Rahmen fallen. Die Fahrweise dieser Menschen ist eher schnell, für andere nicht berechenbar und trotzdem sicher. Sie wissen genau, wann sie eine Spur wechseln können, und entsprechend sind sie sehr spontan in ihren Handlungsweisen. Sie sind so geschickt und schnell, dass sie um Haaresbreite auch an etwas brenzligen Situationen vorbeikommen.

(8) Hier muss das Auto eine Augenweide sein und darf ruhig einiges kosten. Diese Autofahrer lieben ihre Autos und pflegen sie wie ihren Augapfel, denn gerade die geschlossenen Achter -(8)er- sind ausgesprochene Auto-Fetischisten und tun fast alles dafür. Das Auto gilt als Prestige-Objekt und wird dementsprechend behandelt. So fährt auch der geschlossene Achter -(8)er- mit Hochmut und will gesehen werden. Er will das man ihm die Bahn frei macht - den roten Teppich ausrollt - und er nimmt sich das Recht dies auch zu fordern, wenn nötig mit Karosserie-Gewalt. Er will König der Straße sein, zumeist erreicht er sein Ziel dann auch noch.

(9) Diese Menschen lieben Streit und Auseinandersetzung. Gerne suchen sie nach dem „Idioten auf der Straße", über den man sich wieder ärgern kann. Sie sind auf Provokation aus und wollen unter allen Umständen die Energien der anderen haben. Gerne spürt man sie auf der Autobahn hinter sich fast im Nacken sitzen. Sie sind die Energievampire der Straße und wollen den Kampf, die Auseinandersetzung um sich ihrer Kompetenz bewusst zu werden. Sie wollen die Straßenschlacht, damit das Leben bunt wird, und von daher stören sie, wo sie nur stören können, und wirken somit sehr unverfroren auf andere ein. Sie lieben die Dominanz und sind sich ihrer Fahrweise absolut bewusst. Positiv betrachtet: Sie wissen, was sie kön-

nen, und verlassen sich darauf. Als Beifahrer kommt man mit Sicherheit ans Ziel, kein Weg ist zu weit.

Sie sehen: Anhand dieser Daten können Sie einiges ableiten; wenn Sie Lust haben, dann rechnen Sie und beobachten Ihren Fahrstil. Viel Vergnügen damit.

Doch nicht nur unsere Fahrweise können wir numerologisch berechnen, nein, wir können jedes Datum nehmen, ob es sich dabei nun um eine Prüfung handelt, um ein Einstellungsdatum oder ähnliches, es sind der Vielfalt dieser Analysemöglichkeit keine Grenzen gesetzt. Nun möchte ich Ihnen im Anhang noch einige Geburtsdaten analysieren, damit Sie noch besser erkennen können, wie das System funktioniert.

Datenbeispiele

Die nun folgenden Beispiele sind auch wieder fiktiv und geben lediglich einen Einblick, wie man eine Analyse vornehmen kann:

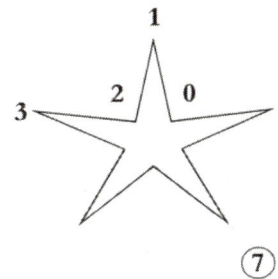

1.2.1930 = (7) Diese Person benutzt sehr viel Logik -1- um Themenbereiche aufzugreifen, und verbindet danach das Gefühl -2- mit dem Kopf. Der innere Blick -0-, die dritte Komponente, fügt eine Dreiheit herbei. Kopf, Gefühl und Sichtweise müssen hierbei im Einklang sein, damit diese Person Klarheit bekommt. Sollte das nicht der Fall sein, dann wird diese Person immer wieder über Gefühle nachdenken und diese somit „zer-denken". Der Kopf - er steht in dominanter Haltung an erster Stelle - würde dann hauptsächlich nur noch negative Gedanken aussenden, was die ganze Kopf-/Gefühlsebene noch mehr verwirren lässt. Wann dieser Mensch dann noch schlafen und den Kopf ausschalten will, scheint ein Rätsel. Ansonsten ist er aktiv -3- und muss lernen, beweglich -(7)- das eigene Leben zu gestalten. Somit haben wir ein großes Kopfpotenzial mit allen geöffneten Kanälen. Die Aktivität und die Beweglichkeit tun ihr Übriges. Sollte diese Person sich nicht leben wollen und auf andere angewiesen sein, dann dreht sich die gesamte Konstellation ins Negative und wird den Menschen vor lauter Denken nicht mehr ruhen lassen.

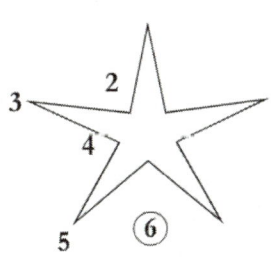

5.2.1934 = (6) Dieser Mensch braucht und liebt Stabilität -5- und bringt dieses Gefühl auch nach außen. Bevor er eine Entscheidung trifft, wird er erst einmal alles abwägen, inwieweit die vor ihm liegende Angelegenheit für ihn sicher sein kann. Weiter wird er seinem Gefühl -2- als einzigem Empfangskanal vertrauen müssen, das ist sein Sensor zur Außenwelt. Die Power -3- wiederum ermöglicht ihm klar, und offen die Dinge tun zu können, die er tun möchte. Die innere Verarbeitung -4- bietet ihm die Möglichkeit, alle Themen, die über das Gefühl -2- auf ihn zukommen, entsprechend abzuwägen. Denn er muss sich absolut sicher sein, bevor er eine Entscheidung trifft. Das Lernthema, die eigene Liebesfähigkeit -(6)-, zeigt eindeutig an, dass er sich emotional mit anderen sehr verstricken kann und somit immer wieder auf seine Energien Acht geben muss.

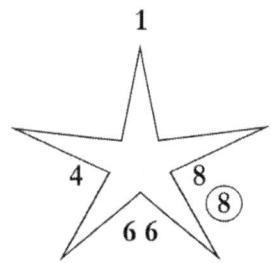

16.6.1948 = (8) Diese Person braucht absolut viel Gefühl -6+6-; auch wenn der Kopf -1- im Vordergrund steht, so wird doch das Gefühl -6+6+4+8- der Haupttenor in ihrem Leben sein. Sie will repräsentieren -8- und etwas Besonderes darstellen. Sie braucht Anerkennung -8- und somit Publikum, das sie toll findet. Die Liebe und der Genuss -6+6- sind bei dieser Person ausgepragt stark spürbar. Somit kann sie mit Disharmonie und negativen Emotionen schlecht umgehen. Sie muss lernen, sich selbst zu vertrauen -4- und ihrem inneren Licht zu folgen. Erst wenn sie wirklich stolz -(8)- auf sich ist, dann kann sie ihrer Kreativität freien Lauf lassen. Am Ende ihres Lebens muss sie mit einem zufriedenen Lächeln dieser Welt Adieu sagen können.

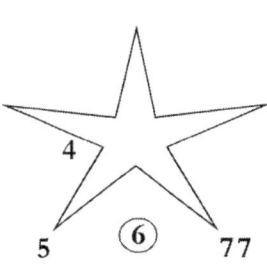

7.5.1947 = (6) Dieser Mensch ist flexibel -7+7- und beweglich. Immer den Blick nach vorne gerichtet, dass ist sein Hauptaugenmerk. Die Stabilität -5- wiederum wird einige Vorhaben auf Sicherheit überprüfen und eventuell mit der inneren Verarbeitungsthematik -4- und einem schlechten Gewissen auf bestimmte Punkte aufmerksam machen. Die Aufgabe der Eigenliebe -(6)- wird für diese Person nicht ganz einfach zu erfüllen sein, da sie immer wieder durch beweglich, spannende äußere Momente -7+7- von wichtigen inneren Themen abgelenkt wird. Dieser Mensch könnte seine innere Lernaufgabe -(6)- kompensieren, indem er ständig wechselnde Partnerschaften sucht und auch findet. Der Nachteil: Er wird sich nirgendwo zu Hause fühlen.

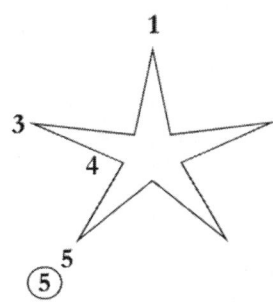

3.4.1951 = (5) Bei dieser Person handelt es sich um einen aktiven -3- Menschen, der immer etwas tun muss; ohne die stetige Aktivität geht es nicht. Die innere Verarbeitung und das Glücksgefühl -4- können sich nur breit machen, wenn sie auch etwas für ihre mühevolle Arbeit -5- bekommt. Denn gerade die -3+5er- Achse zeigt eindeutig an, dass die Person weiß, was ihr für die mühevolle Arbeit zusteht. Somit wird sie den materiellen Fluss über ihre Denkmuster -1- kontrollieren. Die Unsicherheit -(5)- zeigt jedoch eindeutig an, dass diese Person sehr viele Ängste hat, sich auf sich selbst zu verlassen. Somit braucht sie oftmals andere, die ihr wiederum die Sicherheit geben, die sie sich selbst nicht geben möchte. Aus diesem Teufelskreis herauszukommen, kann sie nur durch ihre eigene Aktivität schaffen; sie muss so viel Materie aufbauen, dass sie sich ihrer finanziellen und somit auch energetischen Sicherheit sicher sein kann.

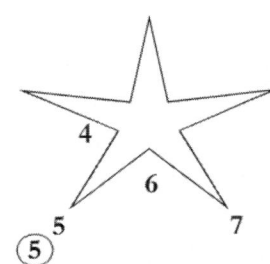

4.7.1956 = (5) Dieser Mensch muss in erster Linie Vertrauen zu seinem eigenen inneren Gefühl bzw. Gottvertrauen -4- entwickeln, bevor er weiß, was er tun kann. Da nützt auch die Unruhe in ihm nichts -7-. Denn er kann sich nur auf die Spontaneität einlassen, wenn sein inneres Gefühl sein O.K. dazu gibt. Die Stabilität -5- wird genauso wenig mit den flexiblen Entscheidungen der -7- umgehen können, und somit wird sie immer wieder abwägen, ob das Vorhaben gelingen kann oder nicht - zumal die Problematik -(5)- darin besteht, dass dieser Mensch lernen muss, sich seinem inneren Gefühl und somit seiner schnellen Handlungsfähigkeit zu beugen: Nur über diesen Weg baut er sich im Verbund mit seinem inneren Glauben -4- die wahrhaftige Stabilität -(5)- auf. Der Genuss -6- des Lebens wird ihm dann den wohlverdienten Lebensschmaus bescheren, vorausgesetzt er steht sich nicht wieder selbst im Weg -(5)-.

6.6.1962 = (3) Dieser Mensch braucht enorm viel Liebe und Aufmerksamkeit, um sich in seinem Leben selbst gerecht zu werden. Er braucht die Liebe und Geborgenheit, um zu wissen, wo er steht. Diese starke -6+6+6-

Konstellation zeigt eindeutig an, dass er ohne Liebe und Vertrauen gar nicht existieren kann und somit immer wieder Harmonie braucht. Man könnte fast sagen, dass er harmoniebedürftig/-süchtig ist, denn, ohne das tiefe Gefühl der Vertrautheit, geht es nicht. Die Intuition -2- soll ihm helfen, sich selbst Glauben zu schenken, denn er kann, wenn er sich auf sein Gefühl einlässt, sehr schnell erkennen, wem er vertrauen kann und wem nicht. Die eingeschränkte -(3)- Aktivität zeigt ihm ganz klar, dass er selbst lernen muss, sich zu vertrauen und mit Hilfe seiner eigenen Aktivität, das zu erreichen, was er erreichen will.

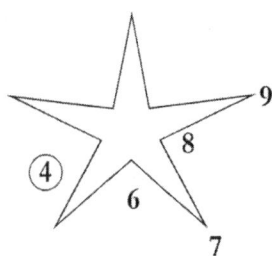

8.9.1967 = (4) Dieser Mensch braucht zuallererst die Anerkennung -8- und somit die Aufmerksamkeit anderer Menschen. Seine Autoritätshaltung -9- wird ihm das Gefühl vermitteln, etwas Besonderes zu sein und dies auch repräsentieren zu können. Die Harmonie -6-, die er braucht, wird wohl kaum Einklang finden mit seiner Flexibilität -7- und somit der Suche nach immer neuen Möglichkeiten. Wahrscheinlich wird er diese Konstellation und auch die Erotik -9- nutzen, um sich beim anderen Geschlecht, mit immer wieder neuen Eroberungstechniken, beliebt zu machen. Sein tiefes inneres Gefühl -(4)-, an das er sich erinnern muss, wird er über Emotionen des Frischverliebtseins erfahren. Solange ihn andere mit ernähren, wird es ihm kaum auffallen, dass er sich selbst nicht nährt. Er muss lernen, sich seinem tiefen Gottvertrauen stärker anzunähern, als er das bisher getan hat, sonst hätte er die Aufgabe der -(4)- nicht bekommen.

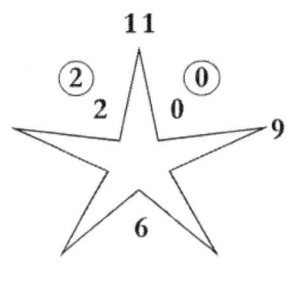

12.10.1969 = (20) Dieser Mensch trägt viel Wissensdurst in sich und muss sich somit mit vielen Themenbereichen des Lebens auseinander setzen, damit er alle seine drei Empfangskanäle -0,1,2- gut beschäftigen und auch befriedigen kann. Er will Liebe und Harmonie -6- und gleichzeitig tiefe autoritäre Auseinandersetzung -9-, er will wahrgenommen werden, er will Aufmerksamkeit erlangen, all das braucht er für sein Leben. Er will wirken und somit seinem Umfeld zeigen -9-, was er kann, dafür braucht er wiederum sein Wissen; Wissen ist Macht. Meist ist er sich seiner Sache/ seinem Wissen ganz sicher und kann es entsprechend darstellen, wäre da nicht die problembezogene Komponente der Fehlsichtigkeit -(20)-; anhand dieser Konstellation muss er lernen, seinem Gefühl und seiner eigenen Sichtweise zu glauben. Somit muss er lernen, seine Kopfkomponenten zu unterscheiden, dann kann er das ganz einfach, indem er sich vorstellt, dass alles das, was er einfach und ohne Emotionen erlernen kann, unproblematisch ist. Hingegen wird er, wenn er mit seinen eigenen tiefen Emotionen konfrontiert wird, sich selbst und seiner eigenen Intuition kaum noch Glauben schenken können. Also müsste er lernen, seine Themen aus der Vogelperspektive zu betrachten.

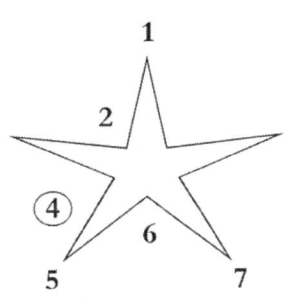

26.5.1971 = (4) Dieser Mensch lebt sich zumeist über sein Gefühl -2-, seine Intuition und seine Liebesfähigkeit -6-. Wenn er sich wohl fühlt, dann geht es ihm gut, und das kann er ohne Probleme nach außen durch sein strahlendes Äußeres demonstrieren. Die Sicherheit -5-, die er im Leben braucht, wird er mehr durch materielle Stabilität mit unterstützender Hilfe anderer erleben. Durch seine Liebesfähigkeit strahlt er jedoch ein Fürsorgebedürfnis aus, das mit Sicherheit Resonanz erwartet und natürlich auch findet. Da er jedoch die Freiheit -7- liebt, wird es ihm nicht ganz leicht fallen, diese Freiheit zu leben, wenn er in Abhängigkeiten zu anderen steckt; und somit wird er gedanklich -1- immer wieder neue Möglichkeiten durchleben, die ihm die real gelebten Abhängigkeiten geringer erscheinen lassen. Trotzdem wird es ihm an seiner inneren Sicherheit und an Vertrauen auf den Sinn -(4)- des Lebens mangeln, denn er wird sich oft gegen die natürlichen Gesetze stellen. Er muss lernen, sich in den kosmischen Fluss des Lebens zu stellen und mit dem, was er hat, glücklich zu sein.

30.10.1978 = (20) Dieser Mensch braucht eine fortwährende Aktivität -3-, denn ohne Power ist das Leben für ihn nicht lebenswert. Die hellsichti-

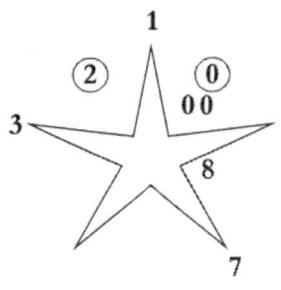

gen Fähigkeiten -0+0- werden ihm immer wieder Bereiche eröffnen, die ihn reizen, sich diesen neu dargestellten Lebensmöglichkeiten zu stellen. Er hat auch genug Spontaneität -7-, die Möglichkeiten so anzupacken, wie er es möchte. Sein Kopf -1- wird all die Themen nach seiner eigenen Sichtweise überprüfen, damit das spätere Resultat vorher schon sichtbar wird.

Sein innerer Stolz -8-, der ihn immer wieder antreiben wird, wird sein Übriges dazu beitragen. Wenn da nicht die eingeschränkte, emotional fehlgeleitete Sichtweise -(20)- wäre und er lernen müsste, eine absolute Klarheit zu empfangen. Er muss aber lernen, trotz der vielen Kopfthemen -0+0+1- genau hinzusehen, damit er erkennen kann, wann er Fehlinformationen empfängt; das ist seine Aufgabe, der er sich stellen muss.

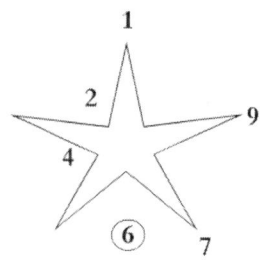

4.12.1979 = (6) Diese Person tritt mit sehr viel innerem Glauben -4- und persönlicher Überzeugungskraft auf. Der Kopf -1- und das Gefühl -2- sind dafür verantwortlich, dass sie das potenzielle Know-How für ihr Leben und somit für ihre Sicherheit bekommt. Die Spontaneität -7-, gekoppelt mit dem Gefühl von Freiheit, wird dafür sorgen, dass diese Person sich locker und leicht verhalten kann. Jedoch sorgt die Durchsetzungsfähigkeit -9- dafür, dass sie sich, wenn es drauf ankommt, stark verteidigen wird. Denn tief im Inneren ist sie, aufgrund ihrer Lernaufgabe der Eigenliebe -(6)- und die damit verbundene Gefahr des „mit-einem-anderen-verschmelzen-Wollens" gefährdet, sich selbst innerlich emotional zu verlieren. Sollte das der Fall sein, dann wird sie mit sich selbst rebellisch -9- kämpfen. Somit muss sie lernen, dass sie der wichtigste Mensch in ihrem eigenen Leben ist.

8.1.1984 = (4) Bei diesem Menschen handelt es sich in erster Linie um eine Person, die sehr herzlich -8+8- wirkt. Sie will gesehen und verstanden -1- werden. Da sie als einzige ungerade Zahl die Eins -1- hat, wird sie diese auch besonders gewichten, dass heißt, für sie ist es wichtig, genau mit dem Kopf zu verstehen, worum es letztlich geht. Die Doppel-Acht -8+8- gibt ihr das Gefühl von Stolz und eigener Persönlichkeit; diese wird sie bewusst

ausstrahlen. Häufig jedoch leben diese Menschen mehr in der Thematik des anderen und müssen erst einmal lernen, zu sich selbst zu finden und somit ein Verständnis für ihre eigene Person -4+(4)- zu entwickeln. Die Problematik, sich dem eigenen Leben und Schicksal einfach hinzugeben -(4)-, werden für einen Menschen mit der offenen und der geschlossenen vier -4+(4)- nicht einfach zu leben sein. Denn immer dann, wenn er sich selbst Glauben schenken möchte, dann kann es sehr wohl sein, dass er sich diese innere Sicherheit wieder selbst zunichte macht.

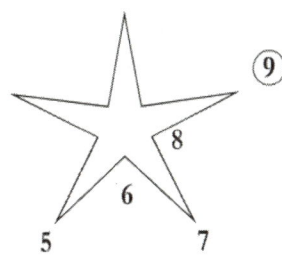

5.6.1987 = (9) Dieser Mensch muss sich seinen Lebensmut durch seine selbst gestaltete Sicherheit -5- immer wieder ins Bewusstsein rufen. Denn wenn er sich nicht auf sich verlassen kann, dann weiß er nicht, wo er ansetzen soll. Ihm fehlen sämtliche Kopfzahlen und somit die geöffneten Bewusstseinskanäle - natürlich kann er denken, jedoch sind diese Bereiche in seinem Datum nicht gewichtet. Das heißt, dieser Mensch lebt sehr stark in seinem Inneren und muss sich mit anderen offenen Komponenten durch sein Leben ertasten. Sein Hauptaugenmerk wird auf der Sicherheit liegen. Da er jedoch auch die Flexibilität -7- liebt, werden diese Komponenten sich nicht einfach verbinden lassen. Die Liebe und der Genuss -6- im Leben verbunden mit dem Eigenstolz -8-, werden ihn zu einer interessanten Person machen, die immer mal wieder mit einem großen Schuss Erotik -(9)- andere in Erstaunen versetzt. Doch muss er lernen, immer wieder auf den inneren Frieden zu achten, denn seine inneren Energieanteile sind besonders dominant und wollen gelebt werden. Das ist nicht einfach für ihn, jedoch unvermeidbar.

16.12.1988 = (9) Dieser Mensch ist wieder sehr Kopf-bezogen -1+1-, der Kopf und somit die kommunikative, logische Kontaktaufnahme stehen an erster Stelle. Er liebt jedoch auch die schönen Seiten des Lebens -6-, die ihm gleichzeitig die innere Nähe und Intuition -2- mit der absoluten Kreativität -8+8- versprechen. Er muss sich leben und sich seiner Energien -

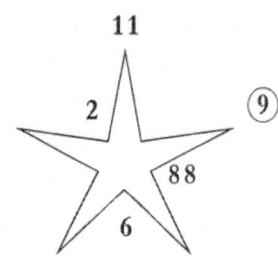

6+2+8+8- vollkommen bewusst sein, sonst würde er sich selbst im Wege stehen -(9)-. Dieser Mensch (9) ist sehr weich und gefühlsbetont. Jedoch muss er sich erlauben, diese emotionalen Bereiche auch wirklich zu leben. Die heftigen Kopfzahlen -1+1- und die geschlossene -(9)- könnten ihn jedoch daran hindern und ihm das Leben unnötig schwer machen, deshalb ist es für ihn so wichtig sich immer wieder mit seiner Kreativität -8+8- in seinem Leben zu erfrischen; dann ist er stolz, und nichts in seiner Welt kann ihm mehr was anhaben.

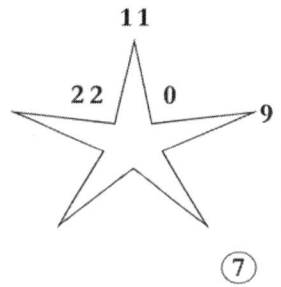

21.10.1992 = (7) Dieser Mensch tritt als erstes mit seiner heftig spürbaren Emotion -2+2- auf. Somit erfüllt er seine Welt mit weichen warmherzigen Energien und erwartet natürlich von seinem Umfeld eine entsprechend gefühlsmäßige Resonanz. Die weiteren Kopfkomponenten -1+1+0- stehen dabei ein wenig abseits. Dieser Mensch hat ein absolutes Kopfbewusstsein und kann sehr viele Bereiche des Lebens erkennen und annehmen. Doch wird dabei seine überdurchschnittliche Intelligenz sein Leben nicht unbedingt vereinfachen, denn er stellt sich teilweise mit aller Kraft immer wieder gerne gegen seine natürlichen Begabungen -9- und somit gegen die Besonderheiten des Lebens. Gerade so viel Kopf -1+1+0- und Intuition -2+2- können sich energetisch selbst im Wege stehen. Er muss lernen, damit flexibel, locker -(7)- und leicht umzugehen. Somit wird er höchstwahrscheinlich die Schwere des Lebens suchen – und wenn er dazu auch nur sein Umfeld betrachtet und dessen Probleme auf sich selbst lädt -, damit er dann selbst die Schwere leben kann und an der Aufgabe „Freiheit" -(7)- immer wieder scheitert.

23.4.1996 = (7) Auch dieser Mensch ist wieder sehr gefühlsbetont. Er spürt -2- die Energien seines Gegenübers genauso wie die Energien in Räumen, wenn er diese betritt. Er spürt und setzt um, denn er ist ein aktiver Mensch -3- und will immer etwas zu tun haben. Das kann er jedoch nur, wenn er weiß, dass es in Ordnung ist und er das tun darf. Wenn er spürt -

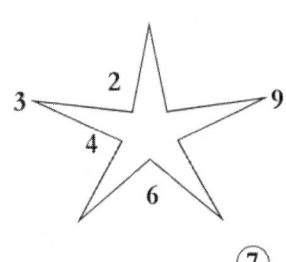

4+6-, dass es einem anderen unangenehm wäre, wenn er die geplante Handlung vollziehen würde, dann wüsste er nicht, wie er mit der empfangenen Emotion umgehen sollte. Das würde ihn sehr unruhig, hibbelig und nervös -(7)- machen. Er fühlt sich dann wie ein Hamster, der sich immer wieder im Rad dreht und nicht weiß, was er mit seinen Energien anfangen soll. Aufgrund der -2- am Anfang ist er so sehr auf die Gefühle und somit auf seine innere Erlaubnis, als Resonanz auf die Reaktionen seines Umfeldes, angewiesen, dass er sich eher aktive -3- Bereiche untersagt, als sie frei und locker -(7)- auszuüben. Und genau dass muss er lernen, sich so zu leben, wie er ist, egal ob es den anderen passt oder nicht, denn es ist sein Leben, und so sollte es auch sein.

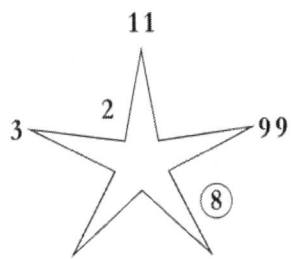

31.12.1999 = (8) Bei diesem Datum ist die Aktivität -3- wieder im Vordergrund und bedeutet, dass, egal was passiert, dieser Mensch aktiv sein muss. Die Logik -1+1- und somit der Kopf sind eine weitere entscheidende Gewichtung; dieser Mensch braucht logische Deutungsmöglichkeiten, um analysieren zu können. Die Intuition -2- ist besonders wichtig, denn sie ist die einzig weibliche offene Zahl, und somit könnte sie bei der gesamten maskulinen Dominanz zu kurz kommen. Sie würde sich als Unbeachtete dann immer wieder über ein schlechtes Gewissen bemerkbar machen. Die Doppel-Neun -9+9- steht mit einer absolut dominanten Energie da, die einen fast umhauen könnte, und diese will gelebt werden. Das geht jedoch nur, wenn die Aktivität -3- dies ermöglicht. Ansonsten würde dieser Mensch das Gefühl haben, als würden sich seine Energien stauen und er könnte innerlich platzen. Er muss lernen, stolz auf sein Leben -(8)- und somit auf seine Werke zu sein, was jedoch mit diesen wahnsinnigen Powerzahlen nicht ganz einfach sein wird. Sollte dieser Mensch in Frieden damit leben wollen, dann ist es wichtig, dass er sich in seinem Berufsleben - voller Aktivität - immer wieder neuen Aufgaben stellt, die er mit vollem Arbeitseinsatz lösen kann und die ihm dann wiederum das Gefühl vermitteln, etwas Besonderes -(8)- zu sein.

11

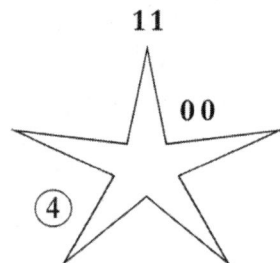

1.1.2000 = wir schreiben 1.1.00 = 1+1 = 2+2 für das (2000) = **(4)** Unser Neujahrstag, der erste in diesem Jahrtausend, beginnt mit dem Kopf- und Wissensbereich -1+1,- und somit steht das Wissen und darauf folgend die Sichtweise -0+0- der Möglichkeiten im Vordergrund. Der Kopf nun will etwas anderes, als uns die Sichtweise vor Augen zu führen versucht, und die geschlossene vier -(4)- will uns darauf aufmerksam machen, dass wir damit umgehen lernen müssen. Denn wir alle bekommen durch die Wandlung eine andere Sichtweise gespiegelt, mit der wir uns auseinander setzen müssen. Wir müssen lernen, neu zu verstehen und neu zu sehen. Denn nur, wenn wir bereit sind, uns dem Fluss des Lebens anzupassen, dann haben wir die Möglichkeit der Wandlung und der Veränderung, die von uns allen, verursacht durch den Zeitwandel, verlangt werden. Die Problematik des Verständnisses -(4)- und das Finden zu unserem inneren Licht wird durch die lockere und vielseitige Sichtweise -0+0- zu neuem Leben erweckt. Gerade der Kopf -1+1- ermöglicht uns in dieser Zeitepoche neue Wege zu gehen. Wir müssen nur noch lernen, ein Verständnis -(4)- für uns aufzubauen und uns damit neu in unserem Leben zu orientieren.

Zahlenkombinationen

Nicht nur Daten eignen sich für eine Analyse, sondern auch sämtliche andere Zahlenkombinationen, mit denen wir alltäglich zu tun haben. Nehmen wir dazu zuerst einmal das Thema Geld und beschäftigen uns mit Geldbeträgen. Auch hier können wir Summen entsprechend zusammenzählen, bis wir auf eine Durchschnittszahl kommen, und die nutzen wir wiederum für unsere Analyse, also auch als Lernthematik, wie wir das in den vorherigen Fällen bestens kennen gelernt haben. Ich spreche hierbei jedoch nicht die alltäglichen Käufe an, sondern die besonders wichtigen und wertvollen: Wie ein Hauskauf, ein Autokauf, ein Klavierkauf oder sonstige außergewöhnliche Anschaffungen. Dasselbe gilt übrigens auch für Verkäufe, doch hier nun ein paar Beispiele.

Beim Erwerb eines Gegenstandes sollten wir uns nach Möglichkeit immer das Kauf- bzw. Herstellungsdatum anschauen. Das heißt auch, dass alles das, was besteht, irgendwann seinen Ursprung gefunden hat. Sollten wir nun dieses Anfangsdatum - erste Zulassung eines Autos, Fertigstellung des Hauses (Richtfest) etc. - ausfindig gemacht haben, dann können wir dies wie ein Geburtsdatum analysieren und natürlich einiges davon ableiten. Ansonsten bieten die Zahlenkombinationen der Angebotspreise Analysemöglichkeiten. Wir erfahren anhand der errechneten Problemzahl einiges über die Verkaufssituation und was uns erwartet, wenn wir den zu verhandelnden Gegenstand erwerben. Das heißt jedoch nicht, dass ein neu verhandelter Preis die Ursprungssituation ändert. Doch schauen wir uns das nun ein wenig näher an.

Wir wollen ein Haus kaufen und sollen dafür 598.000,-- DM zahlen = 5+9+8 = 2+2 = -(4)-. Dieses Haus beinhaltet eine gewissen Stabilität - die -5- steht vorne -, muss jedoch geliebt und geschätzt werden -(4)-. Sollte diese Aufgabe sich nicht erfüllen, dann werden die Menschen, die dieses Haus erwerben, darin kein Glück finden können, denn der Anspruch an das innere und äußere Glück ist alleine durch die -(4)- gestellt worden. Dieses Haus sollte rein gefühlsmäßig ausgewählt werden.

Ein anderes Haus, Kaufpreis 750.000,-- DM = 7+5 = 1+2 = -(3)-. Dieses Haus braucht bewegliche Energie - die -7- steht vorne - und muss durch die -(3)- auch wirklich aktiv behandelt werden. Somit handelt es sich hierbei - trotz der -5- nicht gerade um ein ruhiges Haus. Dieses Haus dürfte unter keinen Umständen mit einer knappen Geldkalkulation gekauft werden, dann würde es der Flexibilität -7- und der Lernaufgabe der geschlossenen Drei - (3)- nicht gerecht werden können.

Ein anders Objekt, Preis 270.000,-- DM = -(9)-. Bei diesem Haus muss viel Gefühl - die -2- steht vorne - eingesetzt werden. Doch die -7- zeigt an, dass es beweglich gehalten werden will. Die -(9)- hingegen könnte auf einen großen Krafteinsatz hinweisen, der wahrscheinlich noch getätigt werden muss, denn typisch für diese Konstellation der geschlossenen Zahl sind versteckte Mängel. Also hier genau hinschauen, ob auch wirklich alles in Ordnung ist.

Ein weiteres Haus, Preis 440.000,-- DM = -(8)-. Dieses Haus will geliebt und geschätzt werden. Es will immer wieder die schönen Seiten zeigen können, von daher werden immer wieder kleine Schönheitsmakel auf ihre baldige Korrektur hinweisen. Wer in diesem Haus lebt und sich erfreut, der kann sich glücklich schätzen, denn er wird glücklich sein.

Jetzt beschäftigen wir uns mit dem Thema eines Autokaufs und der entsprechenden Analyse:

Ein Auto: Preis 19.500,-- DM = 1+9+5 = 1+5 = -(6)-. Dieses Auto will geliebt -(6)- werden, es braucht somit trotz der Kopflastigkeit - die -1- steht am Anfang - viel emotionale Aufmerksamkeit. Es ist also kein Fahrzeug, dass man mal einfach jemanden zum Fahren ausleihen kann. Wenn das Auto sich emotional nicht angenommen fühlt, dann kann es Schwierigkeiten machen.

Ein anderes Auto: Preis 22.500,-- DM = -(9)-. Dieses Auto will gesehen und gefahren werden -(9)-, es braucht die absolute Präsenz und verleitet somit zum schnellen fahren, obwohl es durch die anderen Komponenten - doppel 2- auch Gefühl und Harmonie braucht. Das Auto ist somit nicht das Geduldigste.

Ein anderes Auto: Preis 8.900,-- DM = 17 = -(8)-. Dieses Auto will geliebt werden, das zeigt die Acht -8- am Anfang und auch noch als Problemzahl -(8)-. Es will die absolute Aufmerksamkeit. Doch Vorsicht: Die -9- kann die zwei Achten, die nicht harmonisch zueinander stehen, mit ihrer zerstörerischen Kraft gegeneinander aufwirbeln, was dann nicht unbedingt einfach sein wird. Also muss auch hierbei wieder darauf geachtet werden, wie mit den Achtern umgegangen wird.

Ein anderes Auto: Preis 56.000,-- DM = 11 = -(2)-. Dieses Auto zeigt Stabilität - die -5- steht direkt am Anfang – und verspricht ein großes Maß an Sicherheit. Die -6- wiederum zeigt den Schönheitsgeist des Autos, also muss dieses mit Genuss gefahren werden. Die Problemsituation -(2)- ist hier, dass dies trotz Sicherheit -5- emotionale Unsicherheit hervorrufen kann. Das heißt, der Fahrer könnte sich zeitweise unsicher fühlen. Deshalb sollte man die Thematik der -(2)- nicht unterschätzen.

Ein anderer Bereich sind die Hausnummern. Anhand dieser Analyse können wir sehr deutlich erkennen, wie wir uns in dem Zuhause fühlen werden und welche Anforderung das Haus mit sich bringt:

Hausnummer 75 = -(3)-. Dieses Heim bringt Bewegung -7- mit sich und fordert gleichzeitig die -(3)- Aktivität. Sollten die Personen, die unter dieser Hausnummer leben, nicht aktiv genug in ihrem Leben sein, dann werden sie immer unruhiger -7- werden.

Hausnummer 81 = -(9)-. Dieses Heim braucht Herzlichkeit -8- und natürlich auch viel gute Kommunikation -1-. Das Problem, die -(9)-, kann sehr viel Disharmonie in das ganze System bringen, und somit könnte die -8-

durch die geschlossene -(9)- ganz schön angegriffen werden.

Hausnummern, die nur einstellig sind oder mehrere Nullen hinter der Zahl haben (10,200,4000,5,6 etc.), haben keine direkte Problemzahl, da hier keine Zahl errechnet werden kann. Da jedoch jedes Symbol eine Lernsituation in sich trägt, müssen wir trotzdem die erste Zahl als Rechengrundlage nehmen und deuten. Die hier angegebene Anfangszahl entspricht also immer der geschlossenen Zahl, und somit können wir sehr gut erkennen, dass es sich stets um einen Aufgabenzwiespalt handelt. Es muss also nicht ein direktes Problem spürbar sein, doch indirekt ist ein Anspruch da. Zwei Beispiele:

Hausnummer 60 = -(6)-. Dieses Haus muss gemocht und geliebt -6+(6)- werden, diesen Anspruch stellt es an seine Bewohner, denn es will den Weitblick -0- und somit die absolute Harmonie.

Hausnummer 5 = -(5)-. Dieses Haus gibt und braucht Stabilität, und somit müssen die Bewohner immer wieder ihre eigene Standfestigkeit überprüfen.

Schlusswort

Nun sind Sie am Ende des Buches angelangt und haben viel über das Thema Numerologie erfahren. Je mehr Sie üben, desto eher werden Sie zukünftig ein Analyse-Profi sein. Sie können dafür jedes Datum, das für Sie interessant ist, nutzen. Alle Daten, die uns begegnen, haben für uns eine Sinnhaftigkeit, und die gilt es zu verstehen und zu analysieren. Ich hoffe, dass Ihnen dieses Buch gefallen hat und Sie sich nun in der Welt der Numerologie mit Freude zurechtfinden.

Sollten Sie noch mehr über dieses System erfahren wollen, dann kann ich Ihnen das Buch der „Numerologie-Karten" empfehlen. In diesem Buch erfahren Sie noch einmal - anhand der ursprünglichen Numerologie deutlich aufgeführt -, wie es sich anfühlt, unter einer bestimmten Konstellation geboren zu sein. Zu dem Buch gibt es ein Karten-Set mit 65 Kartenbildern, die Ihnen anhand der extra lustig dargestellten Energiekonstellationen Ihre Thematik noch näher bringen. Wir erfahren hier jedoch nicht nur, wie wir selbst sind, sondern auch gerade, mit welchen Themen wir konfrontiert werden; was wir zu lernen haben, über welche Energieebene wir uns mit anderen auseinander setzen. Ein Muss für jeden Numerologie-Fan.

Die Opalia Numerologie-Karten
Blick in die Persönlichkeitsenergien

Die Numerologie erfreut sich immer größerer Beliebtheit. Aus diesem Grund gibt es für alle Numerologie Anhänger und Interessierten nun etwas ganz Besonderes: Basierend auf ihrer jahrelangen Erfahrung mit der numerologischen Daten- und Zahlenanalyse hat die Autorin ein eigenes Numerologie-Kartensystem entwickelt. 65 Karten und ein Kartenlege- wie - deutungsbuch geben dem Leser Einblick, Aufschluss und Klärung über alle für ihn wichtigen Daten und Zahlen. So erfahren Sie, was die Zahlen Ihres Geburtsdatums über Ihre Eigenschaften, Grundenergien und energetischen Schwachstellen verraten. In Kombination mit anderen Daten – wie etwa dem Geburtsdatum des Partners – können Sie darüber leicht erkennen lernen, welche Gemeinsamkeiten sie verbinden, wo der andere einfach anders ist und an welchen Stellen sie aufpassen müssen, damit sie sich nicht verstricken. So können Sie anhand der Numerologie-Karten sehr leicht für alle Lebensbereiche ermitteln, auf welcher energetischen Ebene Sie mit wem wie zusammentreffen oder warum Ihnen etwas immer wieder passiert. Helfen Sie sich auf diesem Wege, sich selbst und Ihr Umfeld besser zu verstehen, so dass Sie sich nicht mehr als Opfer der Umstände, sondern als Schöpfer Ihres Lebens erfahren.

Buch: „Die Opalia Numerologie-Karten"
    Blick in die Persönlichkeitsenergien
Autorin: Sabine Guhr-Biermann
208 Seiten - DM 26,-   ISBN 3-934982-07-7

Karten: „Opalia Numerologie-Karten"
gezeichnet von Stefan Wiehl
65 Stück - DM 22,-   ISBN 3-934982-08-5

Der Blick ins innere Licht

Der Blick ins innere Licht ist ein Resümee aus der jahrelangen Arbeit der Autorin als esoterisch-psychologische Lebensberaterin und Astrologin. In einem gelungenen Balanceakt zwischen Tiefgang und humorvoller Leichtigkeit nimmt dieses Buch den Leser an die Hand und führt ihn zu seiner eigenen inneren Erkenntnis. Den Blick von außen nach innen lenkend hilft es ihm, die Strukturen menschlichen Handelns zu verstehen und verdeutlicht ihm, wie negative Energieverbindungen zu anderen Menschen sein Leben beeinflussen und sein freies Handeln einschränken. So ist es denn auch ein Anliegen dieses Buches, nicht allein in der Theorie zu bleiben, sondern dem Leser auch praktisch zu vermitteln, wie er über seine eigene Betroffenheit belastende Energieverbindungen erkennen und sich von ihnen lösen kann. Der all-umfassende Erfahrungsschatz der Autorin und eine Vielzahl von Übungen und Anleitungen laden somit den Leser dazu ein, sich selbst zu begegnen, sich auf sein inneres Licht einzulassen und die Zügel für sein Leben wieder in die Hand zu nehmen. Eine Begegnung, die sein Leben verändern wird.

Ein absolut alltagsnahes und lebenspraktisches Buch voll tiefster Weisheit und Wahrheit, das einfach berühren muss. Der Leser wird sich ständig die Frage stellen, woher die Autorin ihn kennt.

Dr. Dorit M. Suwelack

Buch: „Der Blick ins innere Licht“
Autorin: Sabine Guhr-Biermann
356 Seiten - DM 29,80   ISBN 3-934982-00-X
Libellen-Verlag, Neunkirchen

Die Opalia Lichtkarten
Reise zur inneren Wahrheit

Legen Sie gerne Karten? Fasziniert Sie die Wahrsagerei? Dann freuen Sie sich auf das Buch **Die Opalia Lichtkarten/Reise zur inneren Wahrheit**. Sie erfahren hier alles, was Sie über Karten - das Kartenbefragen, das Kartenlegen und das Kartendeuten - wissen müssen. Sie lernen, über den äußeren Spiegel Ihre innere Wahrheit zu erkennen, d.h. über sich selbst wahrzusagen. In alltagsnaher und klarer Sprache vermittelt Ihnen das Buch ein Rüstzeug, das Sie in allen Lebenslagen und für alle Lebensbereiche nutzen können, um Ihren äußeren Weg wie auch Ihre inneren Blockaden und Lernthemen zu erfragen. Sie werden immer tiefgründige Antworten erhalten, die Ihnen einen Blick hinter Ihre eigenen Kulissen gewähren: Sie sind der Schauspieler auf Ihrer eigenen Lebensbühne. Die objektive Kraft der Karten ermöglicht es Ihnen, für eine gewisse Zeit Ihr eigener Zuschauer zu werden und den Vorhang zu lichten, damit Sie wieder klar erkennen können, um was für ein inneres Thema es sich bei Ihrem momentanen Auftritt handelt.

Für alle praktischen Anleitungen in diesem Buch können Sie die handelsüblichen Skatkarten verwenden. Wenn Sie jedoch gerne mit künstlerisch gestalteten und aussagekräftigen Bildkarten arbeiten, dann werden die eigens zu diesem Buch entwickelten OPALIA Lichtkarten sicherlich das Richtige für Sie sein.

Buch: „Opalia Lichtkarten - Reise zur inneren Wahrheit"
Autorin: Sabine Guhr-Biermann
176 Seiten - DM 24,-   ISBN 3-934982-02-6

Karten: „Opalia Lichtkarten"
gezeichnet von Birgit Letsch
32 Stück - DM 17,-   ISBN 3-934982-04-2

beides erschienen im Libellen-Verlag, Neunkirchen